Aleksandra Marinina

# Gra na cudzym boisku

# Aleksandra Marinina

(ur. 1957 we Lwowie) – mieszkała w Leningradzie, potem przeniosła się do Moskwy; tam ukończyła szkołę muzyczną oraz wydział prawa. Po studiach podjęła pracę w milicji, gdzie zajmowała się badaniami w dziedzinie kryminologii. W 1992 roku ukazała się jej pierwsza książka z cyklu powieści o major Anastazji Kamieńskiej, *Kolacja z zabójcą*. W 1998 roku Marinina odeszła z milicji i zajęła się wyłącznie pracą literacką. Do dziś jej książki – przetłumaczone m.in. na włoski, francuski, niemiecki, szwedzki, a także chiński, japoński i koreański – osiągnęły łączny nakład ponad trzydziestu milionów egzemplarzy. Cykl o major Kamieńskiej doczekał się także ekranizacji przez rosyjską telewizję NTW.

Nakładem Wydawnictwa W.A.B. ukazało się dotychczas sześć powieści z tej serii: *Ukradziony sen* (2004), *Męskie gry* (2004), *Śmierć i trochę miłości* (2005), *Gra na cudzym boisku* (2005), *Złowroga pętla* (2006) oraz *Kolacja z zabójcą* (2007).

Aleksandra Marinina

# Gra na cudzym boisku

przełożyła Ewa Rojewska-Olejarczuk

wydawnictwo

Wydanie II
Warszawa 2007

# PROLOG
## Miesiąc przed dniem pierwszym

Atak zbliżał się nieubłaganie, jego symptomy Jurij Fiodorowicz czuł już wczoraj wieczorem, ale liczył na uzdrawiające działanie snu. Niestety, sen nie pomógł. Następnego dnia Jurij Fiodorowicz kilkakrotnie przyłapywał się na tym, że każdą rozmowę z uczniami próbuje sprowadzić na temat „rodzice i dzieci", a dokładniej – „matka i syn". Kolejne stadium nadeszło po obiedzie, kiedy najbłahsza wzmianka o rodzicach, a zwłaszcza o matkach, wywoływała u niego fizycznie odczuwalne chorobliwe rozdrażnienie i Marcew z trudem się powstrzymywał, by nie przerwać rozmówcy, nie powiedzieć czegoś niegrzecznego, nie podnieść głosu. I oto teraz, pod koniec dnia pracy, zrozumiał, że atak jest nieunikniony, że Juroczka się „obudził" i lada chwila wrzaśnie na całe gardło.

Marcew podniósł słuchawkę.

– Galino Grigorjewno, czy moglibyśmy przełożyć naszą rozmowę na jutro? Źle się czuję, chciałbym pójść się położyć.

– Naturalnie, Juriju Fiodorowiczu – odpowiedziała skwapliwie nauczycielka matematyki. – Skoro przez sześć lat nie mogliśmy sobie poradzić z Kuźminem, to jeden dzień nas nie zbawi. Życzę zdrowia.

– Dziękuję.

Tak, z Kuźminem były problemy. Skarżyli się na niego wszyscy nauczyciele. Wadik Kuźmin, prymus, nigdy nie dawał powodów do usunięcia go ze szkoły za brak postępów w nauce. Za to we wszelkich innych kwestiach, od zachowania na lekcjach do aroganckich i ordynarnych wyskoków poza szkołą, był prawdziwą zakałą, nigdy jednak nie przekraczając granicy, poza którą automatycznie czekałoby go śledztwo i sąd. Jak bowiem wiadomo, za obrazę i oszczerstwo można postawić winnego przed sądem tylko na wniosek poszkodowanego. W dodatku karze za te przestępstwa podlegają jedynie osoby pełnoletnie. „Jutro – myślał Marcew, nerwowo zapinając płaszcz.

– Nad tym wszystkim zastanowimy się jutro. Dziś najważniejszy jest Juroczka. Trzeba go nakarmić, przewinąć, ukołysać do snu. Byle tylko nie doszło do nieszczęścia!"

Jurij Fiodorowicz Marcew był chory od dawna i nieuleczalnie. Co prawda, wiedział o tym tylko on sam. No, może jeszcze trzy osoby, ale ich zdanie Marcewa nie interesowało. Dla pozostałych był szanowanym dyrektorem prestiżowej szkoły z wykładowym angielskim, nauczycielem literatury angielskiej i amerykańskiej. Dla swej żony – dobrym mężem, dla córki – „pedagogicznie poprawnym", choć nieco staroświeckim ojcem. Dla mamy zaś był Juroczką, Jurasikiem, Jurusiem, ukochanym, jedynym syneczkiem, doprowadzonym do rozpaczy jej rodzicielską miłością.

Marcew pojechał do mieszkania, które w tajemnicy przed rodziną wynajmował za dość umiarkowaną opłatę: mieszkanie było malutkie, dawno nieodnawiane, prawie bez mebli, i znajdowało się na skraju Miasta. Czasem Jurij Fiodorowicz przyprowadzał tu kobiety, ale ten azyl

6

przeznaczony był przede wszystkim do leczenia, którego w ostatnich czasach potrzebował coraz częściej.

Wszedł do przedpokoju i szybko się rozebrał. Ręce drżały mu tak, że nie mógł nawet powiesić płaszcza na wieszaku, i rozdrażniony rzucił go na krzesło. Juroczka natarczywie wydzierał się na swobodę, przepełniała go nienawiść do matki i przemożne pragnienie natychmiastowego jej zabicia. „Zaraz, zaraz, kochany – mamrotał Jurij Fiodorowicz – zaraz się uspokoisz, wytrzymaj jeszcze minutkę, jeszcze jedną sekundeczkę..."

Poruszał się niemal automatycznie, wyjmując ze skrytki kasetę, wkładając ją do magnetowidu i przysuwając fotel bliżej telewizora.

Przy pierwszych znajomych scenach, jakie ukazały się na ekranie, zrobiło mu się jakby nieco lżej, zauważył jednak, że muzyka, dawniej działająca niezawodnie, tym razem działa słabiej. Przeląkł się nawet, że lekarstwo utraciło swą moc, jednak po kilku minutach wszystko powróciło do normy. Na ekranie ukazała się piękna twarz matki, taka, jaką była trzydzieści pięć lat temu, kiedy Marcew miał zaledwie osiem lat. Matka chodziła po pokoju, rozstawiała filiżanki, nalewała herbatę, potem wyciągnęła rękę i wzięła dzienniczek szkolny Juroczki. Marcew nie widział siebie na ekranie, ale wiedział, że siedzi przy stole naprzeciw matki i czeka przerażony, kiedy ta otworzy dzienniczek na stronie z długim, napisanym czerwonym atramentem listem od nauczycielki. Teraz mama go czyta, marszczy brwi, jej usta krzywią się pogardliwie, twarz robi się lodowata. Na stole między czajnikiem a koszyczkiem z pieczywem leży duży nóż. „Nienawidzę jej! Boję się i nienawidzę! Zaraz ją zabiję!" Juroczka wyrywał się na zewnątrz, Marcew nie powstrzymywał go dłużej, obserwując zafascynowany, jak mały potwór zaspokaja swoje pragnienie. Dziecko przymila się do matki, prosi o przebaczenie i obiecuje „więcej tego nie robić". Twarz matki łagodnieje, kobieta jest gotowa wybaczyć ukochanemu dziecięciu i nie widzi noża, który chłopiec chowa za plecami.

Zbliżenie – na całym ekranie piękna, długa szyja, błyszczące ostrze noża i krew. Dużo krwi. Bardzo dużo... Koniec. Katharsis. Marcew pamiętał wyraźnie ciepłą krew, spływającą strumieniem po jego ręce. To wrażenie powracało za każdym razem, gdy oglądał film, i ostatecznie przekonywało Juroczkę, że wreszcie t o zrobił. Teraz małoletni morderca zwijał się w kłębuszek, zasypiał i spał słodko do następnego razu.

Marcew odchylił się bezsilnie na oparcie fotela. Tym razem chyba sobie poradził. Ale poczucie wyswobodzenia nie było dziś takie jak przedtem. Juroczka chyba nie zasnął, tylko zapadł w lekką drzemkę. Marcew uświadomił sobie, że przerwy między atakami robią się coraz krótsze. Dawniej Juroczka budził się co dwa, trzy lata, potem – raz do roku, a od poprzedniego ataku do dziś minęły zaledwie cztery miesiące. Choroba się nasilała. Marcew zdawał sobie z tego sprawę. Cóż, pomyślał, to znaczy, że potrzebne jest nowe lekarstwo. Wiedział, jakie powinno być. Już jutro się tym zajmie.


# ROZDZIAŁ 1
## Dzień pierwszy, dzień drugi

„Jestem emocjonalnym potworem, pozbawionym normalnych ludzkich uczuć" – myślała z rezygnacją Nastia Kamieńska, pilnie pokonując na bieżni zapisane przez lekarza kilometry. Po raz pierwszy w życiu znalazła się w sanatorium i postanowiła zatroszczyć się o swoje zdrowie „w pełnym zakresie", tym bardziej że warunki w „Dolinie" były wręcz luksusowe.

Oczywiście, nigdy by się nie dostała do tego prestiżowego sanatorium, gdyby sama organizowała swój urlop. W najlepszym razie, jako pracownikowi Moskiewskiego Wydziału Kryminalnego, zaproponowano by jej skierowanie do resortowego sanatorium bez basenu, z regularnymi wyłączeniami ciepłej wody.

Nastia, obojętna na uroki natury, spędzała urlopy w Moskwie na tłumaczeniu książek z angielskiego i francuskiego, co, z jednej strony, pozwalało jej podreperować finanse, a z drugiej – odświeżyć znajomość języków. W tym roku urlop miała przewidziany na sierpień, ale Wiktor Aleksiejewicz Gordiejew, czule zwany przez podwładnych Pączkiem, poprosił Nastię, by zamieniła się z kolegą, któremu nagle zmarła żona.

– Wiesz przecież, Anastazjo, że powinien mieć urlop wtedy, kiedy w szkole są wakacje. A tobie bez różnicy – sierpień czy październik, i tak tkwisz w Moskwie. Słuchaj no, chcesz, to ci załatwię dobre sanatorium.

– Chcę – nieoczekiwanie dla siebie samej powiedziała Nastia. Kłopotów ze zdrowiem miała co niemiara, ale nigdy się tym na serio nie zajmowała.

Teść Gordiejewa, profesor Woroncow, był szefem dużego centrum kardiologicznego i z jego pomocą Wiktor Aleksiejewicz wysłał Nastię do „Doliny". Było to istotnie świetne sanatorium, które w dawnych czasach należało do Wydziału IV Ministerstwa Zdrowia i z absolutnie niepojętych przyczyn nie podupadło w epoce reform. Koszt skierowania był jednak taki, że przed Nastią stanęły nowe problemy. Załatać dziurę w budżecie mogła pod warunkiem, że zabierze ze sobą tłumaczenie i będzie pracować w czasie urlopu. W tym celu jednak musiałaby wziąć też słowniki i maszynę do pisania, a poza tym dostać pokój jednoosobowy. Nawet przy minimum rzeczy torba ze słownikami i maszyną ważyłaby tyle, że Nastia miałaby zagwarantowany urlop w pozycji horyzontalnej – po niefortunnym upadku w czasie gołoledzi absolutnie nie mogła dźwigać ciężarów, bo później dokuczały jej silne bóle w krzyżu.

– Głowa do góry, Anastazjo. – Pączek mrugnął do niej, kiedy zwierzyła mu się ze swych obaw. – Zaraz zadzwonimy do tamtejszego szefa wydziału kryminalnego i poprosimy go, żeby wszystko zorganizował.

Wiktor Aleksiejewicz przekartkował notes i zaczął wybierać numer.

– Siergiej Michajłowicz? Witam, tu Gordiejew z Moskwy. Pamiętasz mnie jeszcze?

Nastia nie liczyła zbytnio na pomoc miejscowej milicji, wiedząc, że takie prośby są zawsze kłopotliwe i odrywają od pracy.

Uważnie obserwowała szefa, usiłując z intonacji głosu i wyrazu jego twarzy odgadnąć odpowiedzi niewidocznego Siergieja Michajłowicza.

– ...Jedzie do was do „Doliny", żeby podleczyć kręgosłup. Nie może dźwigać nic ciężkiego, dlatego proszę o pomoc.

(– Nie ma sprawy, załatwione.)

– A poza tym, Siergieju Michajłowiczu, konieczny jest pokój jednoosobowy. Pacjent zabiera ze sobą robotę.

(– Służbową?)

– Nie, nie, jak by to wyglądało? Za twoimi plecami? To praca twórcza.

(– Znamy, znamy taką pracę twórczą. Dobra, coś się wymyśli. A jak ten twój człowiek, lubi wypić? Czy to wędkarz? A może by zapolował?)

– Siergieju Michajłowiczu, to młoda kobieta...

Widząc, jak twarz Pączka gwałtownie czerwienieje, jak nabiega krwią nawet łysina, Nastia domyśliła się, co powiedział jego rozmówca. Cóż, można faceta zrozumieć, nie chce poświęcać czasu i wysiłków ani własnych, ani swych podwładnych na urządzanie w sanatorium czyjejś

10

kochanki. No bo kim może być kobieta, za którą wstawia się szef Moskiewskiego Wydziału Kryminalnego, jeżeli oczywiście nie jest jego kuzynką? Kim, jak nie kochanką któregoś z jego przyjaciół albo nawet jego samego? Bo przecież nie koleżanką z pracy! Koń by się uśmiał!

– Żarty się ciebie trzymają, Siergieju Michajłowiczu – powiedział drewnianym głosem Gordiejew. – Zadzwonię do ciebie, jak będzie już miała bilet. Umowa stoi?

Kiedy Nastia kupiła bilet na pociąg, Wiktor Aleksiejewicz jeszcze raz zadzwonił do Miasta, znajomego nie zastał i przekazał informację dyżurnemu. Nastia nie miała żadnych wątpliwości, że nikt po nią nie wyjdzie na dworzec. Tak też się stało.

Pobladła z bólu, z trudem stawiając nogi, dotarła do recepcji sanatorium. Urzędniczka była uosobieniem uprzejmości, ale kiedy Nastia poruszyła kwestię pokoju jednoosobowego, kategorycznie odmówiła.

– Pokoi jednoosobowych jest mało, rezerwujemy je tylko dla inwalidów, kombatantów, weteranów z Afganistanu. Niestety, nic nie mogę dla pani zrobić.

– A czy można kupić skierowanie bezpośrednio tutaj? – spytała Nastia, która była gotowa na wszystko, byle tylko jak najszybciej się położyć.

– Oczywiście. – Recepcjonistka szybko spojrzała na Nastię i natychmiast odwróciła wzrok, wbijając go w książkę meldunkową.

„Wszystko jasne" – pomyślała Nastia i powiedziała głośno:

– Proszę mi sprzedać jeszcze jedno skierowanie i zajmę sama pokój dwuosobowy. Można tak zrobić?

– Proszę bardzo. – Recepcjonistka wzruszyła ramionami, jak wydało się Nasti, z niejakim napięciem i otworzyła stojący na biurku sejf.

Nastia bez słowa wyjęła pieniądze i położyła je na otwartej księdze meldunkowej.

– Może pani nie wypisywać skierowania – powiedziała cicho. – Proszę tylko zaznaczyć w książce, żeby nikogo mi nie dokwaterowano.

Znalazłszy się w pokoju, nie rozbierając się, padła na łóżko i bezgłośnie się rozpłakała. Krzyż bolał ją potwornie, pieniędzy zostało tyle co nic. A poza tym czuła się w jakiś sposób upokorzona.

Recepcjonistka rzetelnie odpracowała otrzymaną łapówkę. Dostrzegła chorobliwą bladość Nasti i już po pół-godzinie do pokoju zapukał lekarz. Natychmiast zauważył i wielką torbę, porzuconą na środku pokoju, i zaczerwienione od łez oczy, i tabletki przeciwbólowe na nocnym stoliku.

– No i co pani sobie myśli? – mówił z wyrzutem, badając puls i oglądając posiniałe dłonie Nasti. – Jak można dźwigać takie ciężary, wiedząc, że jest się chorą? Krążenie ma pani w strasznym stanie. Czy pani pali?

– Tak.

– Od dawna? Dużo?

– Od dawna. Dużo.

– Pije pani?

– Nie. Tylko wermut, ale bardzo rzadko.

– Jak pani na imię?

– Anastazja. Ale proszę mi mówić po prostu Nastia.

– Ja jestem Michaił Pietrowicz, bardzo mi miło. A więc, Nastiu, proszę wybrać, co będziemy leczyć najpierw: krążenie czy kręgosłup?

– A jednocześnie nie można?

– Nie da się. – Pokręcił siwiejącą głową. – Na kręgo-słup zastosujemy borowinę, masaż, ćwiczenia – głównie bieżnię i gimnastykę w basenie. To zajmie około pięciu godzin dziennie, jeżeli potraktuje pani rzecz poważnie. A pani, o ile zrozumiałem, chce jeszcze pracować? – Wskazał brodą maszynę do pisania. – Na leczenie krąże-nia nie zostanie już czasu. Więc proszę wybierać.

12

– Będziemy leczyć kręgosłup – zadecydowała stanowczo Nastia.

Obsługa w sanatorium istotnie była na poziomie: uwzględniając stan zdrowia Nasti, wszystkie badania, bez których nie sposób było rozpocząć kuracji, przeprowadzono bezpośrednio w numerze (w „Dolinie" tak nazywano pokoje). Przyszła pielęgniarka i pobrała krew do analizy, następnie zrobiono Nasti EKG. Po jakichś dwóch godzinach, kiedy wyniki były już gotowe, wpadła wesoła młoda śmieszka – neurolog – i, narzekając na „potwornie zaniedbane" krążenie, przepisała lekarstwo. Później przyszedł staruszek internista, a na końcu, tuż przed kolacją, zjawił się lekarz prowadzący Michaił Pietrowicz, wypisał zalecenia i szczegółowo Nastię poinstruował. Na odchodnym powiedział:

– Dziś proszę odpoczywać, kolację przyniosą pani do numeru. Przed snem przyjdzie siostra i da pani zastrzyk przeciwbólowy. Jeżeli rano zdoła pani wstać, zaraz po śniadaniu proszę iść na basen, instruktorka ma na imię Katia, niech jej pani powie, że zapisałem zestaw ćwiczeń numer cztery. Ćwiczyć należy co najmniej dwie godziny, jasne? Wszystko to zapisałem w książeczce zabiegów.

I oto nazajutrz, po ćwiczeniach w basenie, Nastia maszerowała pilnie na bieżni, zaliczając zalecone kilometry, i próbowała jako tako uporządkować myśli. Musiała odpowiedzieć sobie na trzy pytania.

Pytanie pierwsze: czy małżeństwo matki, Nadieżdy Rostisławowny, z ojczymem Nasti rozpadło się definitywnie? I jak do tego podchodzi sama Nastia? W przeddzień wyjazdu córki do sanatorium matka zadzwoniła ze Szwecji, gdzie pracowała od dwóch lat, zaproszona przez jeden z tamtejszych uniwersytetów, i powiedziała, że zaproponowano jej przedłużenie kontraktu jeszcze na rok i że się zgodziła. Najwyraźniej matka niezbyt tęskni za mężem i córką. Ale i ojczym, Leonid Pietrowicz, przyjął tę nowi-

13

nę ze stoickim spokojem; widocznie przyzwyczaił się już, że żony tak jakby nie miał. Wyglądał młodo, świetnie się trzymał, był przystojny, status słomianego wdowca wcale mu nie doskwierał – i Nastia o tym wiedziała. Najbardziej zdumiewała ją własna reakcja na tę sytuację: matka jeszcze przez rok (a może i więcej, jeżeli jeszcze przedłużą jej kontrakt) będzie poza domem, ojczym na własną rękę urządza swoje życie osobiste, a jej, Nasti, nic to nie obchodzi, jak gdyby tak właśnie powinno być, jak gdyby wszystko było w porządku. Ona nie tęskni za matką. Ojczym radzi sobie bez żony. Rodzina się rozpadła. A Nastia nie odczuwa bólu. Dlaczego? Czyż naprawdę jest pozbawiona uczuć rodzinnych? Czyż naprawdę jest taka oschła?

Pytanie drugie: dlaczego ona sama nie wychodzi za mąż? Nastia wiedziała doskonale, że tego nie chce. Ale dlaczego? Loszka gotów ją poślubić w każdej chwili, są ze sobą już ponad dziesięć lat, mieszkają jednak osobno i jej jest to na rękę. Dlaczego? To przecież nienaturalne.

I wreszcie pytanie trzecie. Wczoraj dała łapówkę. Tak, tak, nazywajmy rzeczy po imieniu, dokonała czynu karalnego. I co? Czy jest jej wstyd? Ani trochę. Czuje tylko niesmak. Anastazja Kamieńska, starszy oficer operacyjny milicji kryminalnej, magister prawa, major, wcale się tego nie wstydzi. Co się z nią dzieje?

„Jestem emocjonalnym monstrum – ze smutkiem myślała Nastia, przemierzając ścieżkę bieżni – jestem potworem pozbawionym normalnych ludzkich uczuć".

W Mieście, w którym znajdowało się sanatorium „Dolina", panowały spokój, ład i harmonia. Rozkwitała prywatna przedsiębiorczość, ceny w sklepach komercyjnych były umiarkowane, przestępczość w porównaniu z resztą kraju wydawała się śmiesznie niska. Komunikacja działała bez zakłóceń, drogi były dobrze utrzymane, mer Miasta dotrzymywał obietnic składanych obywatelom. A cały ten raj na ziemi zapewniał człowiek bardzo potężny – Eduard Pietrowicz Denisow.

Eduard Pietrowicz dawno zrozumiał, że w biznesie konieczna jest jeżeli już nie stabilna gospodarka, to przynajmniej stabilna władza. I skierował wszystkie swoje wysiłki, po pierwsze, na to, by administracja miejska była stała i niezmienna, a po drugie, by struktura przestępcza pozostawała jednolita i całkowicie pod kontrolą.

Denisow potrafił czekać. Śmiał się z ludzi, którzy, inwestując jednego rubla, otrzymywali nazajutrz tysiąc procent zysku, jako że wiedział, iż za dwa dni sytuacja się zmieni, ludzie ci zysk przejedzą, a następnego już nie będzie. Bez wahania wydawał pieniądze, inwestując je w przedsiębiorstwa zapewniające stabilność i nie zarabiając początkowo nic, był bowiem pewien, że później regularnie będzie otrzymywać dywidendy.

Pomagając władzom Miasta w zjednywaniu opinii publicznej, Denisow prowadził jednocześnie nieustępliwą walkę z grupami przestępczymi, usiłującymi podzielić Miasto na strefy wpływów. Jedne grupy przekupywał, z innymi się dogadywał, jeszcze inne oddawał w ręce milicji, a niektóre bezlitośnie niszczył. I wreszcie został absolutnym władcą Miasta. Teraz zaprosił do siebie kilku najinteligentniejszych i najbardziej obrotnych biznesmenów, dysponujących solidnym kapitałem, pochodzącym z przestępczej działalności gospodarczej.

– Przyjaciele – powiedział cichym głosem, ogrzewając w dłoniach lampkę koniaku – jeżeli nie macie na oku nic ciekawszego, proponuję, byście przenieśli się do Miasta, które obecnie jest świetnym miejscem do rozwijania biznesu. Administracja ma mocną pozycję i będzie was wspierać na wszelkie sposoby. Ludność jest życzliwie nastawiona do władz i bez względu na ewentualne kataklizmy stanowiska z wyboru będą zajmować ci sami ludzie co teraz albo im podobni. Oni też zadbają o obsadzenie odpowiednimi osobami innych funkcji. Uprzedzam jednak: proponuję wam prowadzenie tylko czystych interesów. Żadnych brudów, żadnego bandytyzmu, przemytu, narkotyków, handlu dziełami sztuki. Organy wymiaru sprawiedliwości dziś są nasze. Ale jeżeli, nie daj Boże, coś się wydarzy, jutro zjawią się w Mieście ludzie z MSW. Kto wie, czego by się tu dokopali. A ja nie mam żadnej pewności, że uda mi się wpłynąć na nominacje nowych szefów milicji, prokuratury i sądu, gdyby obecnych odwołano. Włożyłem wiele wysiłku w to, by stworzyć w Mieście stabilną władzę, i nie pozwolę, by ktoś jej zagroził. We wszystkich pozostałych kwestiach macie pełną swobodę działania, ale bez konkurencji. Bo konkurencja to walka, a walka to metody siłowe, także przestępcze, co, jak już powiedziałem, jest niedopuszczalne. Na to mogę sobie pozwolić tylko ja, i to w mocno ograniczonym zakresie, zresztą dla waszego dobra. Ci z was, którzy są gotowi przyjąć moje zaproszenie, muszą się porozumieć najpierw tu, przy tym stole. I rzetelnie przestrzegać tych porozumień.

– Hm, tak, a jaka jest pańska rola, Eduardzie Pietrowiczu? – spytał zwalisty Achtamzjan, poprawiając okulary. – Czy pan wybrał już sobie sferę działania?

– Nie. – Denisow uśmiechnął się, popijając małymi łyczkami koniak. – Ja w tym podziale nie uczestniczę. Zapewniam panom bezpieczeństwo w waszych poczynaniach, a wy za to utrzymujecie mnie i mój aparat.

– A jeżeli żaden z nas się nie zgodzi? – drążył nieustępliwie Achtamzjan. – Czym pan się wtedy zajmie?

Denisow wiedział, że Achtamzjan chce wyniuchać, jaka sfera działalności w Mieście rokuje największe zyski. Uśmiechnął się.

– Niczym. Po prostu zaproszę innych. Na tych samych warunkach.

Od tamtej pory minęły prawie trzy lata. Denisow odsunął się całkowicie od działalności komercyjnej, zajmował się wyłącznie, jak mawiał, utrzymywaniem ładu w przestrzeni życiowej. Między innymi stanowczo żądał od swych podopiecznych czynnego udziału w przedsięwzięciach filantropijnych, które uważał za niezawodny sposób pozyskania sympatii mieszkańców dla ojców Miasta. Początkowo nie wzbudziło to zbytniego entuzjazmu. Z czasem jednak biznesmeni przekonali się, że ich przywódca miał słuszność.

Sprawą najtrudniejszą była ochrona Miasta przed napływem obcych, grających wedle własnych zasad. Rozkwit przedsiębiorczości, wysokie i stabilne zyski sprawiły, że Miasto stało się bardzo atrakcyjne dla różnego rodzaju ugrupowań oraz działających w pojedynkę aferzystów. Jedni usiłowali włączyć się do podziału już upieczonego tortu, inni próbowali otworzyć własny biznes, jeszcze inni – po prostu podskubać dobrze prosperujących macherów przy użyciu banalnego wymuszania haraczy. Denisow miał własny wywiad i kontrwywiad. Wywiad pilnował, by członkowie organizacji przestrzegali ustalonych zasad. Kontrwywiad walczył z intruzami.

Kilka miesięcy temu Denisow poczuł, że coś jest nie w porządku, choć nie bardzo wiedział, co mianowicie. Po prostu to wyczuł. Obudził się pewnego ranka i powiedział sobie: „W Mieście coś się dzieje". Przez kilka dni analizował swoje wrażenia, nie doszedł do żadnego wniosku i wezwał szefów wywiadu i kontrwywiadu.

– Nie mam żadnych wiadomości, żadnej pewnej informacji. Tylko pojedyncze fakty. Jakieś dziwne pogłoski w środowisku miejskich prostytutek, że podobno niektórym powiodło się lepiej niż innym. W czym się powiodło? W ostatnim roku do Miasta trzykrotnie przyjeżdżali samochodami jacyś ludzie i po dwóch dniach wyjeżdżali. Kim byli? Do kogo przyjeżdżali? Po co? Do nikogo z naszych się nie zwracali. A jeśli się nie zwracali, znaczy, że myśmy to przegapili, a któryś z naszych prowadzi nieczystą grę. I jeszcze jedno. Moja wnuczka Wiera. Byłem w szkole, rozmawiałem z nauczycielami. Wiecie, co powiedzieli? Że Wiera ostatnio zaczęła się uczyć o wiele lepiej. Słyszycie? Lepiej, nie gorzej, jak się spodziewałem, biorąc pod uwagę trudny wiek i fakt, że wyraźnie przestała słuchać rodziców. Szczególnie chwaliła ją nauczycielka rosyjskiego. Nawiasem mówiąc, przyznała mi rację, że z dziewczynką coś się dzieje. Bez względu na temat wypracowania zawsze usiłuje pisać o grzechu i cenie, jaką trzeba zań płacić. A ma dopiero czternaście lat.

– Narkotyki? – Niewysoki, tłuściutki Starkow, szef wywiadu, podniósł głowę.

– Możliwe. Bardzo możliwe. Być może wszystko, co tu powiedziałem, zupełnie się ze sobą nie wiąże. Może w Mieście nie ma żadnych narkotyków. Ale tak czy owak, chcę wiedzieć, co jest grane.

Pierwsze informacje napłynęły po dwóch tygodniach. Okazało się, że miejskie prostytutki, którym się „powiodło", znalazły jakąś lekką, dobrze płatną pracę za granicą i opuściły Miasto. Dokąd wyjechały – nie wiadomo. Jacyś ludzie przyjeżdżali samochodami do sanatorium „Dolina", gdzie wynajmowali na parę dni jednopiętrowe pawilony, zażywali kąpieli w saunie, pili wódkę i zadowoleni wyjeżdżali. Dziwne jednak było to, że ci ludzie, sądząc ze wszystkiego, przyjeżdżali co prawda jednocześnie, ale nie razem. Byli z różnych miast i z reguły się między sobą nie znali. Chłopak, który obsługiwał ich w saunie, ani razu nie słyszał, żeby zwracali się do siebie na „ty". Co się zaś tyczy wnuczki Denisowa, Wieroczki, to po prostu się zakochała. Przeżywała namiętny romans ze studentem instytutu pedagogicznego, który odbywał praktykę w szkole i uczył chemii oraz biologii. Informatorzy utrzymywali, że student zachowuje się przyzwoicie i nie przekracza dozwolonych granic.

Denisowa jednak to nie uspokoiło. Umówił się z psychologiem i poprosił go o radę.

– Czy dzisiejsza czternastolatka może uważać miłość za grzech, który należy odpokutować? – zapytał wprost Eduard Pietrowicz, który nie lubił niczego owijać w bawełnę.

– Oczywiście, może, jeżeli była niewłaściwie wychowywana.

– Co to znaczy „niewłaściwie"?

Psycholog wyjaśnił szczegółowo, co ma na myśli. Dowiedziawszy się, że syn Eduarda Pietrowicza i jego żona są ludźmi całkowicie normalnymi, córkę wychowywali właściwie i w ich rodzinie nie zdarzały się żadne ekscesy, które mogłyby zachwiać psychiką dziewczynki, powiedział:

– Mogę panu to wyjaśnić, pod warunkiem że da mi pan słowo, że nie zacznie pan krzyczeć: „To niemożliwe, jak pan śmie!"

– Daję słowo.

– A oto wyjaśnienie – niekonwencjonalny seks, zboczenia seksualne.

– Ależ co pan! – oburzył się Eduard Pietrowicz. – Gdyby ją pan widział... Krucha, delikatna, włosy jasne jak len, dziecinna buzia. Ma czternaście lat, a wygląda zaledwie na dwanaście. Wiera to istota absolutnie niewinna, jak niemowlę. Gdyby pan podejrzewał narkotyki, mógłbym się zgodzić. W końcu za pierwszym razem ktoś mógłby jej podsunąć tę truciznę podstępem albo nawet przemocą, a potem po prostu stałaby się niewolnicą tego świństwa. Potworne, ale przynajmniej wytłumaczalne. To, o czym pan mówi, robi się świadomie i dobrowolnie. Nie, to absolutnie wykluczone, po prostu niemożliwe!

- Dał mi pan słowo - przypomniał z wyrzutem psycholog.

- Przepraszam... Dziękuję za konsultację. Oto pańskie honorarium. - Eduard Pietrowicz położył na biurku kopertę i wyszedł.

Był bardzo niezadowolony z wizyty. Wracając do domu, myślał o tym, że na najbliższej radzie trzeba będzie zaproponować ufundowanie na miejskim uniwersytecie specjalnego stypendium dla studentów psychologii. Może to sprawi, że zaczną się pilniej uczyć. Obecny poziom przygotowania specjalistów Eduard Pietrowicz uznał za skandaliczny.

Niebawem nastąpił pierwszy alarmujący incydent. Do szpitala miejskiego trafił z pęknięciem podstawy czaszki Wasilij Gruszyn, który na polecenie szefa wywiadu Starkowa sprawdzał szczegóły imprezek w pawilonach sanatorium. Gruszyn, przywieziony w bardzo ciężkim stanie, po operacji nie odzyskał przytomności. Kiedy na kilka minut przyszedł do siebie, była przy nim tylko pielęgniarka.

- Niech pani zapisze... telefon... - wyszeptał Gruszyn, z trudem poruszając ustami. - Powie... nazwisko Makarow... Zadzwo... ni...

- Proszę się nie denerwować, zadzwonię - uspokajająco obiecała siostra i pobiegła po lekarza.

Dziesięć minut później Gruszyn zmarł.

- Myśli pan, żeby zadzwonić? - spytała siostra, obracając w palcach kartkę z numerem telefonu.

- Jak pani chce. - Doktor Wdowienko wzruszył ramionami. - Za to na milicję zadzwoniłbym na pewno. To sprawa kryminalna, sama pani rozumie. Albo proszę powiedzieć śledczemu, wczoraj siedział tu cały dzień, czekając, aż Gruszyn odzyska przytomność. Dzisiaj znowu ma przyjść.

– Dobrze. – Dziewczyna westchnęła i podniosła słuchawkę.

– Co się wyprawia w Mieście? – gniewnie pytał Denisow siedzącego przed nim mężczyznę. – Pytam pana, co to za organizacja, która pozwala sobie zabijać moich ludzi? Skoro się posunęli aż do tego, znaczy, że Gruszyn dotarł do czegoś bardzo ważnego. Co takiego dzieje się u nas, o czym nic nie wiemy? Jak pan może to wyjaśnić?

– Jesteśmy tylko ludźmi, Eduardzie Pietrowiczu – spokojnie odrzekł rozmówca. – Gdybyśmy wiedzieli wszystko o wszystkich, nie byłoby problemu walki z przestępczością. Czemu właściwie tak się pan zdenerwował? Przecież nie po raz pierwszy traci pan ludzi.

– Ale zawsze wiedziałem, dlaczego ich tracę i kto jest temu winien, nawet jeśli pan o tym nie wiedział. A teraz nie panuję nad sytuacją i to mnie bardzo niepokoi. Jak rozumiem, nie ma żadnych szans na wykrycie sprawcy?

– Minimalne – potwierdził rozmówca, rozkładając ręce.

– Oczywiście – przyznał Denisow. – Nazwisko Makarow to żadna poszlaka. Równie dobrze mógłby być Iwanow czy Sidorow. Nie mamy czasu sprawdzać wszystkich Makarowów w Mieście. Zwłaszcza że, biorąc pod uwagę inwazję przybyszów z innych miast, ten Makarow może wcale nie być tutejszy. Co pan jest w stanie mi zaproponować?

– Tylko jedno. Posłać człowieka do „Doliny". Niech tam siedzi i może uda mu się dowiedzieć, kto zacz ten Makarow.

– Ma pan kogoś odpowiedniego?

– Chyba pan żartuje. Moich ludzi można policzyć na palcach. Mógłbym kogoś oddelegować na tydzień, dwa, ale nie dłużej. I tak nie mam kim pracować.

- Dobrze, poślę tam swojego.

- A przy okazji, skoro się już spotkaliśmy, przeprowadźmy bilans ostatnich pięciu miesięcy. Uwzględniając średnią wykrywalność, możemy sobie pozwolić na góra dziesięć niewykrytych przestępstw w ciągu roku. Połowę rezerwujemy na okolice wiejskie i nieprzewidziane wypadki. Pańska rezerwa to pięć. Ale to maksimum, już na granicy ryzyka. Po odjęciu zabójstwa Gruszyna zostaje cztery.

- Dobrze, dobrze, zgódźmy się na trzy. - Denisow kiwnął głową. - Teraz mamy lipiec. Czyli do końca roku pozostały mi do dyspozycji dwa wypadki. Jeden, jak pan pamięta, wykorzystałem w lutym.

- Pamiętam.

Następnego dnia Eduard Pietrowicz Denisow osobiście złożył wizytę naczelnemu lekarzowi sanatorium „Dolina".


Nastia Kamieńska oderwała się od maszyny, narzuciła na ramiona kurtkę i wyszła z papierosem na balkon. Balkon był wspólny dla dwóch numerów: dwuosobowego Nasti i jednoosobowego. Prawie natychmiast drzwi jednoosobowego numeru się otwarły i w progu stanęła wsparta na lasce tęga starsza pani.

- Dzień dobry. - Uśmiechnęła się życzliwie. - Będziemy sąsiadkami. Jestem Regina Arkadjewna.

- Bardzo mi miło. Anastazja - przedstawiła się Nastia, ściskając wyciągniętą dłoń.

Starsza pani wzdrygnęła się z zimna.

- Słyszę, że pani ciągle pisze na maszynie. Praca?

- Uhm - wymruczała niewyraźnie Nastia.

- Kiedy zrobi sobie pani przerwę, proszę wpaść do mnie na filiżankę herbaty. Mam wspaniałą angielską herbatę. Przyjdzie pani?

– Dziękuję, z przyjemnością.

Nastia wróciła do powieści kryminalnej Eda McBane'a z twardym postanowieniem, że nie pójdzie na herbatę do Reginy Arkadjewny. Powieść, którą tłumaczyła, była nieduża, liczyła zaledwie 170 stron. Jeśli ma skończyć pracę w czasie pobytu w sanatorium, to norma dzienna powinna wynosić 9. Nastia tłumaczyła szybko, bez trudu wyrabiała normę w drugiej połowie dnia, po zabiegach. Mogłaby nawet zmniejszyć normę, jako że po powrocie do Moskwy zostawało jej jeszcze trzydzieści dni urlopu. Postanowienie, żeby nie iść z wizytą do sąsiadki, nie miało nic wspólnego z pracą. Szczerze mówiąc, Nastia bała się, że starsza pani może być natrętna i stanie się dla niej ciężarem. „To wstrętne – pomyślała, wkręcając w maszynę czystą kartkę. – Nie mam współczucia nawet dla starości. Cóż, bez wątpienia to jakiś defekt moralny".

Zatopiona w pracy, Nastia przegapiła kolację – tak wciągnął ją konflikt między detektywem Steve'em Carellą a jego młodym partnerem Bertem Clingiem. Około dziesiątej wieczorem poczuła głód. Odłożyła przekład i włączyła czajnik. Zapukano do drzwi. Weszła sąsiadka z kolorowym pudełkiem w ręku.

– Została pani bez kolacji, ma pani przerwę i zamierza napić się herbaty. Albo kawy. Nie mylę się?

– Ani trochę. – Nastia uśmiechnęła się. – Zechce mi pani towarzyszyć?

– Bardzo chętnie. – Regina Arkadjewna ciężko usiadła na krześle i oparła laskę o ścianę. – Licząc na filiżankę kawy, przyniosłam nawet herbatniki. Ale proszę pamiętać, moja droga, że przyszłam do pani po raz pierwszy i ostatni.

– Dlaczego?

– Dlatego że pani jest młoda, Nastieńko, a poza tym zajęta. Moje wizyty mogą panią drażnić, a ja nie lubię, kiedy się mnie toleruje z grzeczności. Zaczerwieniła się pani? Czyli że mam rację. Wobec tego dzisiaj się poznamy, a później, jeśli pani zechce, będzie pani sama do mnie przychodziła.

Nastia nalała wrzątek do filiżanek i popatrzyła w twarz starszej pani. Wygląda na to, że można z nią rozmawiać bez reweransów.

– Jest pani bardzo przenikliwa, Regino Arkadjewno – powiedziała spokojnie.

– Ależ skąd, dziecino, po prostu jestem wystarczająco stara. A właśnie, nad czym pani pracuje? Widzę tu słowniki. Jest pani tłumaczką?

– Tak – bez wahania skłamała Nastia. Opowiadać o pracy w organach ścigania byłoby głupio, a co do kwalifikacji, ona, Nastia, absolutnie nie ustępuje profesjonalnym tłumaczom.

– Z jakiego języka?

– Z angielskiego, francuskiego, hiszpańskiego, włoskiego, portugalskiego.

– No, no! – zdumiała się Regina Arkadjewna. – Jest pani prawdziwą poliglotką. Jak się to pani udało? Wychowała się pani za granicą?

– Nie, skąd. Całe życie mieszkałam w Moskwie. W gruncie rzeczy to wcale nie takie trudne. Trzeba tylko porządnie opanować jeden język, a potem im dalej, tym łatwiej. Naprawdę.

Tu Nastia nie kłamała. Rzeczywiście dobrze znała pięć języków. Jej matka, profesor Kamieńska, była wybitną specjalistką od programów komputerowych do nauki języków obcych. Opanowanie nowego języka było w rodzinie czymś tak naturalnym i zwyczajnym jak czytanie książek, sprzątanie i gotowanie. Francuskim Nastia władała od czasu, gdy zaczęła mówić. Później, kiedy miała siedem lat, przyszła kolej na włoski, po którym hiszpański i portugalski okazały się już zupełnym głupstwem. Angielski Nadieżda Rostisławowna pozostawiła szkole, uważając go za najłatwiejszy (z uwagi na brak rodzajów rzeczowników i szczątkową koniugację). „Najważniejsze – mówiła córce – to nauczyć się automatycznie używać rodzajników i posługiwać się czasownikami „być" i „mieć". Cała reszta to kwestia techniki i pilności".

Matce udało się nie tylko rozwinąć w Nasti zdolności do języków obcych, ale także obudzić żywe zainteresowanie nimi. W każdym razie Nastia sama zakuwała z przyjemnością zasady gramatyki i słownictwo, aby trenować pamięć i, jak mówiła, rozwijać myślenie „analogowe" .

– Co pani tłumaczy? Literaturę naukową? – zainteresowała się sąsiadka.

– Nie, piękną. Kryminał. Bardzo wciągający.

– Tak? – Regina Arkadjewna popatrzyła na Nastię jakoś dziwnie. – Nigdy bym nie pomyślała, że pani lubi kryminały.

– A to czemu? Kryminały to wspaniała rzecz – zaoponowała Nastia.

– Być może, być może – powtarzała w zamyśleniu Regina Arkadjewna. – Sądziłam, że powinna pani mieć inne upodobania. Widocznie się myliłam. Młoda kobieta, wykształcona, kulturalna, pracowita, niezainteresowana seksem... Powinna pani lubić Sartre'a, Hessego, Carpentiera, może Camusa. Ale w żadnym razie kryminały. Tylko niechże się pani nie gniewa na staruszkę, zapewne mam wypaczone poglądy na sztukę. Widzi pani, przez całe życie uczyłam w szkole muzycznej, w klasie fortepianu. Teraz oczywiście jestem na emeryturze, ale uczniowie przychodzą do mnie do domu. Podobno mam szczęśliwą rękę – uśmiechnęła się krzywo – do wynajdywania samorodków. Mnóstwo ludzi w pocie czoła płucze złotonośny piasek. Potem przychodzi obcy człowiek, zabiera piasek, przetapia na sztabki i odsyła do jubilera. A jubiler robi z tego światowej klasy arcydzieło. Jubiler zbiera laury, a o tym, kto stracił zdrowie na płukaniu piasku, nikt nawet nie wspomni. Czy na przykład pani, Nastiu, wie, kto to była Rosina Lhevinne?

– Pedagog z Juilliard School of Music – szybko odpowiedziała Nastia, gratulując sobie w duchu dobrej pamięci.

– No widzi pani! – wykrzyknęła z triumfem Regina Arkadjewna. – Nazwisko Rosiny Lhevinne zna cały świat, chociaż nie była koncertującą pianistką, tylko zwykłym pedagogiem. A u nas? Może mi pani wymienić nauczycieli Richtera, Gilelsa, Sokołowa? Nie tych, pod których kierunkiem zwyciężali na konkursach, ale tych, którzy uczyli ich nut, układali im rękę, płukali w czasie codziennych lekcji złoty piasek, z którego potem powstała sztabka. A wspaniały Pietrow, kto go uczył? W naszej kulturze nie ma szacunku dla nauczycieli. Jedynie kiedy nauczyciel jest wybitną, znaną postacią, mówimy: uczył go sam... Przepraszam, kochanie, że mnie tak poniosło. Lepiej zmieńmy temat.

– Zmieńmy – zgodziła się Nastia. – Na przykład pomówmy o tym, dlaczego pani sądzi, że nie interesuje mnie seks.

– O, to bardzo proste. – Starsza pani machnęła ręką. – Przyjechała pani do sanatorium, które zasłużenie cieszy się opinią burdelu. Dokładnie połowa numerów to pokoje jednoosobowe, więc nie ma żadnych kłopotów z sąsiadami. Nikt nie pilnuje przestrzegania reżimu, więc choćby przez całą noc można biegać z numeru do numeru. Dwa bary, oba otwarte do północy, co wieczór potańcówki, sklep, w którym zawsze można kupić alkohol i zakąskę. I absolutna swoboda obyczajów. Wiem to dobrze, mieszkam przecież w tym mieście i dwa, trzy razy do roku odbywam kurację w „Dolinie". A pani przyjeżdża tu ze słownikami i maszyną do pisania, ubiera się skromnie, nie maluje. No to jakie wnioski mogłam wyciągnąć?

„To nie staruszka, ale istny Sherlock Holmes – pomyślała Nastia. – Czy rzeczywiście połowa pokoi to jednoosobowe? Sprytna ta recepcjonistka – zrobiła mnie na szaro".

Do zamknięcia baru zostało jeszcze piętnaście minut. Gości było niewielu. Muzyka grała nie ogłuszająco, ale na tyle głośno, by sąsiedzi nie mogli słyszeć rozmowy prowadzonej przy stoliku w kącie.

– Dlaczego ona mieszka w dwuosobowym numerze?

– W książce meldunkowej jest notatka „nie dokwaterowywać". Pytałem recepcjonistkę, ale nic nie wie. Wczoraj miała dyżur Jelena Jakowlewna, to ona przyjmowała Kamieńską. Oczywiście poprosiłem, żeby recepcjonistka zadzwoniła do Jeleny do domu i wypytała o Kamieńską. Jelena twierdzi, że był jakiś telefon, żeby umieścić ją samą w dwuosobowym numerze. Co w tym dziwnego? Tak czy owak, w sanatorium jest sporo wolnych miejsc, to nie sezon, a skierowania drogie.

– Wobec tego nie rozumiem, dlaczego nie dano jej pokoju jednoosobowego. Gdzie ona pracuje?

– Nigdzie. Jest tłumaczką, wolnym strzelcem.

– Dziwne. Spróbuj się dowiedzieć, od kogo był ten telefon. Nie podoba mi się ta Kamieńska. Jest w niej coś nienaturalnego.

## ROZDZIAŁ 2

### Dzień trzeci

Po dobowym dyżurze recepcjonistce „Doliny" Jelenie Jakowlewnie należały się trzy dni wolne. Ale chaotyczne życie sanatorium, gdzie planowe turnusy przeplatały się

27

z przyjazdami indywidualnymi, gdzie skierowania sprzedawano zarówno centralnie, jak i bezpośrednio na miejscu, a były to skierowania i na dwadzieścia cztery dni, i na dwanaście, i na siedem, i nawet na trzy doby (dla chcących poświęcić weekend na zabiegi lecznicze) – owo zatem chaotyczne życie wymagało nieustannego kontaktu dyżurujących recepcjonistek między sobą oraz z innymi pracownikami sanatorium. Dlatego też Jelena Jakowlewna wcale się nie zdziwiła, kiedy już po raz drugi zadzwoniono do niej w sprawie Kamieńskiej.

Udostępnianie jednoosobowych numerów za łapówki praktykowała od dawna, ani razu nie miała wpadki, i to przytępiło nieco jej czujność. Fakt, z tą całą Kamieńską strzeliła gafę, a kiedy się połapała – było już za późno. Jak mogła zapomnieć, że jakieś dziesięć dni wcześniej do sanatorium zatelefonowano z urzędu spraw wewnętrznych Miasta i poproszono o przydzielenie tej moskwiance jednoosobowego numeru! Po prostu całkiem wyleciało jej to z głowy! A wczoraj, kiedy zadzwoniła dyżurująca tego dnia Borkowa i zapytała, dlaczego do numeru 513 „nie dokwaterowywać", Jelena Jakowlewna z nawyku skłamała, że był w tej sprawie telefon. W sanatorium tej klasy takie „telefony" były czymś zwykłym, nigdzie ich nie rejestrowano i nigdy nie sprawdzano. Jednak zaraz po odłożeniu słuchawki urzędniczka przypomniała sobie, że telefon był naprawdę, a w dodatku z wydziału spraw kryminalnych. Ach, jak głupio wyszło!

Po namyśle Jelena Jakowlewna doszła jednak do wniosku, że chyba nic strasznego się nie stało. Dlaczego Kamieńska nie powiedziała sama, że w jej sprawie dzwoniono? Bo było jej niezręcznie. Albo z jakiegoś powodu nie chce mieć zobowiązań wobec tego kogoś, kto telefonował. Zamiast tego wolała zapłacić, chociaż, sądząc po ubraniu, taka suma to dla niej niemało. Znaczy, że, po pierwsze, nie jest żadną szychą, jeśli wstydzi się korzystać z pleców, a po drugie, jest „biedna, ale dumna". Przez długie lata pracy w sanatorium Jelena Jakowlewna nauczyła się od pierwszego rzutu oka rozpoznawać, od kogo można się spodziewać zażaleń i kłótni. Osoba taka jak Kamieńska nie będzie się skarżyć i dochodzić swoich praw. Co więcej, jeżeli głupio jej korzystać ze znajomości, to tym niezręczniej będzie się przyznać, że dała łapówkę. A więc jeżeli jej protektor jest z milicji i zapyta, dlaczego Kamieńska mieszka w dwuosobowym numerze, ta powie, że to bez znaczenia, bo i tak mieszka sama, a w dwuosobowym jest więcej miejsca.

Rozważywszy to wszystko, Jelena Jakowlewna uznała, że zdemaskowanie jej nie grozi. Ale tak w ogóle cała ta sytuacja wygląda dość dziwnie. Dlaczego Kamieńską koniecznie trzeba było umieścić w jedynce? Recepcjonistka postanowiła się na wszelki wypadek zaasekurować i powoływać w razie czego na telefon nie z miejskiego urzędu spraw wewnętrznych, ale z samego MSW. MSW to poważna instytucja; jeżeli poprosili, żeby umieścić Kamieńską samą w dwuosobowym numerze, to znaczy, że tak było trzeba. I nikt nie będzie sprawdzać.

Kiedy zadzwoniono do niej nazajutrz, tak właśnie powiedziała: w sprawie Kamieńskiej był telefon z MSW.


Jurij Fiodorowicz Marcew cierpliwie i drobiazgowo wyjaśniał przez telefon swój reżyserski zamysł.

– W kadrze koniecznie musi być chłopiec w wieku siedmiu–ośmiu lat. Inaczej wszystko traci sens.

– Treść ma być ta sama?

– Tak, tak, treść ta sama. Rozumie pan, w pierwszej wersji chłopiec jest w domyśle, „grają" go i matka, i sama scena, tak jak świta „gra" króla. A samego chłopca nie widać. Teraz chcę, żeby był.

29

- Ależ proszę zrozumieć, to niemożliwe. Nie możemy zmusić dziecka, żeby w tym uczestniczyło.
- Wymyślcie coś. Może jakiś montaż? Ja nie wiem, w końcu to wy jesteście specjalistami!
- Nie można się jakoś obejść bez dziecka?
- Nie. Na nim zasadza się cały sens sceny.
- Dobrze, dobrze, pomyślimy. Wyobraża pan sobie, ile to będzie kosztować?
- To mój problem i ja go rozwiążę. I niech pan nie zapomni, że suknia musi być dokładnie taka jak na zdjęciu.

Jurij Fiodorowicz rozłączył się, przekartkował w zadumie notes i znów wybrał numer. Kiedy podniesiono słuchawkę, powiedział krótko:
- Tu Marcew. Zgadzam się.
I ostatni telefon.
- Mama? Dzień dobry. Jak się czujesz?


Po pracy Żenia Szachnowicz, sympatyczny jasnooki blondyn, zatrudniony w „Dolinie" jako elektryk, zaczął układać plan na najbliższe dni. Mimo dość nonszalanckiego sposobu bycia Żenia był strasznie, niekiedy aż do znudzenia metodyczny i lubił wszystko robić według planu.

A więc, po pierwsze, kobiety. Po letnim sezonie w sanatorium wyraźnie przybyło młodzieży. Z jednej strony, oznaczało to, że jest więcej młodych kobiet, którym można nadskakiwać. Z drugiej – pojawiło się też więcej mężczyzn w odpowiednim wieku, którzy mogą się okazać przydatni. Najważniejsze to właściwie rozłożyć siły.

Kobiet, które energiczny elektryk pominął, było obecnie dwadzieścia cztery. Z tego piętnaście bardzo ładnych, sześć niczego sobie, jak je ocenił, i trzy pokraki. Jednak Żenia w wyborze obiektu zalotów nie kierował się wyglądem. Zrobiwszy w myślach przegląd wszystkich kandydatek, Szachnowicz zajrzał jeszcze do leżącej przed nim listy i postanowił wziąć na cel cztery kobiety.

Pierwsza – młodziutka ruda dziewczyna z prześlicznymi piegami, mieszkająca w dwuosobowym numerze obok apartamentu.

Druga – atrakcyjna brunetka lat około trzydziestu pięciu ze wspaniałymi brylantami w uszach i na palcach. Z tą pójdzie łatwiutko, rozważał Żenia – noszenie brylantów w sanatorium świadczy o głupocie.

Trzecia – niepozorna blondynka w nieokreślonym wieku, nie stroi się, nie maluje. Pewnie stara panna. Takie kobiety bywają bardzo spostrzegawcze i złośliwe. Chyba trzeba się nią zająć w pierwszej kolejności.

Czwarta „ofiara" Szachnowicza wypoczywała w „Dolinie" razem ze starą matką. Właściwie to Żenię interesowała raczej matka, która całymi dniami, otulona w pled, wysiadywała na leżaku na balkonie i pewnie widziała masę ciekawych rzeczy.

Teraz mężczyźni. Trzeba wybrać dwóch, którzy przyjechali osobno, ale mieszkają razem. Do zrealizowania zamysłu Żenia potrzebował mężczyzn, którzy wcześniej się nie znali, ale w sanatorium zdążyli się zaprzyjaźnić na tyle, by chętnie spędzać razem czas, a potem żeby się rozjechali każdy w swoją stronę i, jak to się mówi, co z oczu, to z serca. Obserwując kuracjuszy, Szachnowicz wytypował sobie już wstępnie kilka osób, teraz pozostawało tylko dokonać ostatecznego wyboru. Zastanawiał się parę minut, jeszcze raz zerknął dla pewności na plan pięter, po czym wziął walizeczkę z narzędziami i zdecydowanym krokiem ruszył do numeru 240.

Nastia dopisała kolejny akapit i sięgnęła po zegarek. Może już pora kolacji? Czuła silny głód. Zegarka nie było na miejscu. Zajrzała pod papiery na stole, do szafki nocnej, sprawdziła kieszenie – nic. Myśląc, że zegarek mógł upaść na podłogę, ostrożnie uklękła, jedną ręką trzymając się za krzyż, drugą opierając o krzesło, i zajrzała pod biurko, ale i tam nic nie znalazła. Zauważyła za to w samym rogu, obok nogi biurka, gniazdko telefoniczne. Widać nie wszystko w „Dolinie" zachowało się nietknięte od czasów „zastoju" – telefony z pokojów jednak pozabierano. Gdzież jest ten zegarek? Najprawdopodobniej zostawiła go w gabinecie masażysty. Tak, na pewno tam.

Otworzyła drzwi na balkon, żeby wywietrzyć dym papierosowy, zamknęła pokój i oszkloną galerią poszła do drugiego skrzydła, gdzie mieściły się gabinety zabiegowe i basen. Siedzący na dole stróż poinformował ją, że masażysta pracuje do szesnastej, a otwierać gabinetu bez jego wiedzy mu nie wolno, chociaż klucz oczywiście ma. Nastia zaśmiała się w duchu, przekładając w myślach te słowa na język chamsko-urzędowy: „Oczywiście, mógłbym ci pomóc, ale mam prawo odmówić i bardzo lubię z tego prawa korzystać, bo to mi daje poczucie władzy. Ale jeśli ładnie poprosisz, jeśli się upokorzysz, to może pójdę ci na rękę". Wszystko to było tak wyraziste, wypisane wielkimi literami na twarzy starego, że Nastia odwróciła się i odeszła. Dość miała upokorzenia doznanego w dniu przyjazdu.

Po wyjściu na dwór uświadomiła sobie, że zegarek mógł zostać w szatni przy basenie, więc skręciła za róg i podeszła do drugiego wejścia. Babcia, która pilnowała tej części skrzydła, okazała się nastawiona o wiele życzliwiej i spokojnie Nastię wpuściła. Nastia przeszukała całą damską szatnię, ale bez rezultatu. Idąc w zamyśleniu korytarzem, usłyszała nagle dobiegające zza drzwi głosy. Jeden był nieznajomym męskim barytonem, drugi należał do instruktorki pływania Kati. Nastia poznała ją po charakterystycznej wymowie „r".

– ...ładna. Wygląda na ręczną robotę. Skąd wytrzasnąłeś takie cudo? – pytała Katia.

– Dostałem w prezencie – odparł mężczyzna.

– Chętnie kupiłabym taki mężowi.

– A ja myślałem, że tylko my, mężczyźni, zdradzając żony, dajemy im prezenty. Czyżbyś miała poczucie winy, ptaszynko?

– A idźże do licha! – Katia roześmiała się.

Wracając do siebie, Nastia pomyślała, że sąsiadka staruszka chyba nie przesadziła, mówiąc o swobodzie obyczajów w „Dolinie". Na kolację znów się spóźniła. Sprawdziwszy zapas kawy, zajrzawszy do pudełka z herbatnikami pozostałymi po wczorajszej wizycie sąsiadki i przeliczywszy gotówkę, Nastia postanowiła zjeść coś w barze. I tak będzie musiała prosić ojczyma, żeby jej przysłał trochę pieniędzy.

W barze było nawet przyjemnie. Przytłumione światło, miękkie narożnikowe kanapy, obrazy na ścianach, niesłychanie uprzejmy młodzieniec za kontuarem. Nastia wzięła kawę i dwa ciastka, usiadła przy stoliku pod oknem i zamyśliła się nad zdaniem, które, jak jej się wydawało, przetłumaczyła niezbyt zręcznie.

– Pozwoli pani?

Stanął przed nią z filiżanką w ręku sympatyczny blondyn w dżinsach, jasnej włoskiej koszulce i skórzanej marynarce. W barze było sporo wolnych stolików. Blondyn wyraźnie zamierzał zawrzeć znajomość. Nastia uśmiechnęła się promiennie.

– Lubi pan wyglądać przez okno?

Zastawiła prymitywną pułapkę i była ciekawa, czy blondyn się w nią złapie.

– Tak, stąd jest bardzo ładny widok – odparł ten skwapliwie, stawiając filiżankę na stoliku i siadając obok Nasti.

– W takim razie nie będę panu przeszkadzać. Mnie jest obojętne, gdzie siedzę. – Uśmiechając się jeszcze promienniej, Nastia zabrała swoją filiżankę, talerzyk z ciastkami i odeszła do innego stolika.

Nie chciała być nieuprzejma, ale nie miała też zamiaru zawierać znajomości z blondynem. Już dawno zauważyła, że pewne zwroty stawiają ludzi w sytuacji bez wyjścia. Przypominało jej to grę, której zasady ustanowiono nie wiadomo kiedy i w którą wszyscy, czy tego chcą, czy nie, muszą grać. Co odpowiedzieć, kiedy ktoś pyta: „Pozwoli pani?" – „Nie, nie pozwolę"? Niegrzecznie. Odpowiedzieć „tak" – to dać pretekst do nawiązania rozmowy. A jeżeli ona nie chce rozmawiać? Ma siedzieć z nadętą miną i milczeć? To także nieuprzejme.

Skończyła drugie ciastko, dopiła kawę i już zbierała się do wyjścia, kiedy blondyn znów się przed nią pojawił.

– Chcę pani pogratulować, zdała pani test na piątkę – oznajmił uroczyście.

Nastia spojrzała nań zdziwiona, bez słowa unosząc brwi.

– Oryginalnie i z klasą dała mi pani do zrozumienia, żebym się odczepił, i zrobiła to pani niezwykle uprzejmie. Brawo! Zazwyczaj dziewczęta kłamią, że stolik jest zajęty, chociaż siedzą same przez cały wieczór, albo odpowiadają niegrzecznie. Anastazjo Pawłowno, jest pani jedyna w swoim rodzaju. Więc stanowczo nie chce pani, żebyśmy się poznali?

– A po co? – Nastia wzruszyła ramionami. – Pan i tak wie o mnie wystarczająco dużo: zna pan imię, imię ojca i wie pan nawet, że jestem oryginalna i jedyna w swoim rodzaju. Chce pan wiedzieć jeszcze coś?

– Niechże się pani nie gniewa, Anastazjo Pawłowno, po prostu nadużyłem nieco stanowiska służbowego i sprawdziłem w recepcji, jak się nazywa czarująca pani z numeru 513, która całymi dniami pilnie jak pszczółka

34

stuka na maszynie i na której widok zapiera mi dech w piersiach. Jeżeli zawiniłem, niech mnie pani ukarze. *Mea culpa.*

Ze skruszoną miną blondyn pochylił głowę w ostentacyjnym ukłonie. Nastia wyjęła papierosa, zapaliła, przez chwilę milczała.

– Drogi panie, mam oczy, a ludzkość, za co niech jej będą dzięki, wynalazła lustro. Mam więc możność widzieć i pana, i siebie. Pan jest młody, przystojny, pełen sił. Ja jestem od pana starsza, słabego zdrowia, a co najistotniejsze – całkowicie pozbawiona kobiecej atrakcyjności. I ubrana bardziej niż skromnie. Interesować się mną jako kobietą nie może pan w żadnym wypadku, to nie ulega wątpliwości. Poza tym widać od razu, że jest pan inteligentny i bardzo pomysłowy. Moją odpowiedź zrozumiał pan właściwie i zareagował na nią dowcipną improwizacją. Zmuszona jestem wyciągnąć wniosek, że czegoś pan ode mnie potrzebuje.

Tu zrobiła pauzę, żeby dać blondynowi możliwość repliki. Sytuacja przestała ją bawić, Nastia była już zła. Czego od niej chce ten przystojniaczek? Szybko przebiegła myślą wszystkie sprawy, nad którymi pracowała przed urlopem. Może to „ogon", który ciągnie się za nią z Moskwy? Albo ktoś z miejscowej milicji, przysłany, by sprawdzić, jak się urządziła, oczywiście przy założeniu, że szef wydziału kryminalnego Siergiej Michajłowicz nagle sobie przypomniał, że nie dotrzymał obietnicy danej Gordiejewowi. Mało prawdopodobne, fakt, ale w życiu zdarzają się niespodzianki.

– Więc nic mi pan nie powie? No to miłego wieczoru.

Zgasiła papierosa i wstała.

– Ma pani cudowny uśmiech – powiedział smutno młody człowiek.

„To nie mój uśmiech, ukradłam go pewnej aktorce. Ćwiczyłam cały tydzień, żeby się go nauczyć. Używam go na specjalne okazje: kiedy na przykład chcę się wydać szczególnie ujmująca, jak dzisiaj. Nie jesteś głupi, chłopcze, o nie. Ale przynajmniej w jednej sprawie zdołałam cię oszukać" – myślała Nastia, idąc po schodach. Cieszyło ją, że tak łatwo uwolniła się od blondyna. I to był jej pierwszy błąd.

Podczas nieobecności Nasti pokój mocno się wychłodził. Nastia postanowiła wziąć gorący prysznic, dopóki w pokoju znów nie zrobi się cieplej. Masując palcami ćmiący krzyż, z rozkoszą podstawiała plecy pod parzące strumienie wody. Porządnie rozgrzana, wytarła się ręcznikiem i nie patrząc, spróbowała dosięgnąć stopą do gumowych klapek. Czując pod podeszwą wilgotną, zimną płytkę terakoty, spojrzała w dół: klapki stały trochę dalej i nie tak, jak je postawiła po powrocie z basenu. Dziwne. Przez wiele lat ten ruch stał się u niej automatyczny: gdziekolwiek się znajdowała – w domu, w delegacji – zawsze stawiała japonki tak, by wychodząc spod prysznica, mogła ich dosięgnąć stopą. Czując niemiły chłodek w żołądku, szybko otuliła się ciepłym szlafrokiem i wyszła z łazienki. Na pierwszy rzut oka wszystko było w porządku. Przyjrzawszy się jednak uważniej, Nastia zrozumiała: ktoś tu był, ktoś szperał w jej rzeczach.

Gwałtownie przyklękła i omal nie krzyknąwszy z ostrego bólu, wyciągnęła spod łóżka neseser. Neseser był wepchnięty nieco głębiej, ona sama nigdy by go tak nie postawiła, wiedząc, że pochylanie się sprawia jej ból. Rozpięła suwak zewnętrznej kieszeni. Dzięki Bogu, legitymacja jest na miejscu i tkwi dokładnie tak, jak ona ją zazwyczaj wsuwa.

Wepchnąwszy torbę z powrotem, Nastia ostrożnie wyprostowała nogi i oparła się plecami o łóżko. Musiała się zastanowić.

W numerze 240 trzej mężczyźni pili koniak.

Jeden, moskwianin Kola Alfierow, przyjechał do „Doliny", by doleczyć urazy po wypadku samochodowym. Był kierowcą, woził mercedesem dyrektora generalnego spółki akcyjnej. Wypadek nastąpił nie z winy Koli, który był świetnym kierowcą, toteż nie musiał płacić za szkody. Ale złamana ręka zrosła się nieprawidłowo, wywiązały się jakieś komplikacje i lekarz doradził Alfierowowi wyjazd do sanatorium – właśnie do „Doliny", gdzie dobrze leczono urazy i schorzenia narządów ruchu.

Niewysoki, szczupły, o silnych, wyrobionych mięśniach Kola mimo dość pospolitego wyglądu nigdy nie narzekał na brak powodzenia u kobiet. Od dzieciństwa uprawiał sport, uczestniczył w wyścigach kolarskich, całe miesiące spędzał na obozach treningowych i zgrupowaniach sportowych i tak się nasycił towarzystwem młodych dziewcząt, że w wieku dwudziestu lat przestał zwracać na nie uwagę. Zaczęły mu się podobać kobiety dojrzalsze. Wydawały się Koli mądrzejsze, były spokojniejsze, bardziej doświadczone, dobrze gotowały i umiały stwarzać miłą atmosferę, a przede wszystkim – nie usiłowały się za niego wydać. Młode dziewczyny patrzą głównie na twarz, a kobiety dojrzałe cenią raczej sprawne ciało i nie dostrzegają ani złamanego nosa, ani wczesnej łysinki, ani niskiego wzrostu.

Drugi mieszkaniec numeru 240 był całkowitym przeciwieństwem swego towarzysza. Paweł Dobrynin mieszkał i pracował w sąsiednim mieście, a do „Doliny" przyjechał głównie po to, by się zabawić. Było tu równie komfortowo jak w Dagomysie, a skierowania tańsze. Tym, że i kobiety, odpowiednio do skierowań, są tu mniej luksusowe, Paweł się nie przejmował – rozebrane nie różnią się niczym, myślał cynicznie. Miał trzydzieści lat i wielokrotnie zdążył się o tym przekonać. Przy okazji zamierzał podleczyć w sanatorium nogę, złamaną kilka lat temu, kiedy kompletnie zalany założył się i zjeżdżał z góry na cudzych nartach, nie sprawdziwszy przedtem wiązań. Narta w krytycznym momencie nie odpięła się od buta i od tej pory Dobrynin przy każdej zmianie pogody zaczynał utykać.

To, co proponował im Żenia Szachnowicz, ich nowy znajomy, brzmiało absolutnie niezwykle, ale przez to wydawało się jeszcze bardziej atrakcyjne. Zakładać się o kobiety! Obłęd! Ależ jest tu ich tyle, że Dobrynin, wysoki, zgrabny przystojniak, na którego widok baby mdleją, bez trudu wyjedzie stąd jako milioner.

– Nie jestem sadystą – mówił Żenia, z apetytem pałaszując kanapkę z kiełbasą – i nie wymagam, żebyście za każdym razem zaciągali je do łóżka. Poderwać kobietę to znaczy uzyskać jej zgodę. I to wszystko. Czy z tej zgody skorzystacie, czy nie, to wasza sprawa, kwestia waszego nastroju. Zakład polega na tym, żeby dama spędziła w waszym towarzystwie co najmniej sześć godzin, a przy tym zaprosiła was do swego numeru i została z wami sam na sam. To wystarczy.

– I już? – Paweł parsknął lekceważąco.

– Nie myśl, że to takie łatwe. Skłonić kobietę, żeby przez sześć godzin podtrzymywała rozmowę z tobą, żeby się nie znudziła i nie posłała cię do wszystkich diabłów, to jak rozładować wagon węgla. Spróbuj, a sam się przekonasz. Gdyby to było łatwe, nie proponowałbym, żebyśmy grali o forsę. Damę trzeba zafascynować, jasne?

– A jak to będzie sprawdzane? – zapytał podejrzliwy Ałfierow, który wszędzie dopatrywał się podstępów.

– Dobre pytanie. – Żenia z aprobatą kiwnął głową, nalewając koniak. – Proponuję, żebyście na dowód opowiadali wszystko, coście od niej usłyszeli. A żeby was nie kusiło, by skłamać, nakłońcie je, niech wam opowiadają, jak spędzają czas tutaj, w „Dolinie". Z kim rozmawiają, jakich mają sąsiadów, czy podobają im się lekarze i obsługa. Słowem, to, co można sprawdzić. Im więcej wam opowiedzą, tym dłużej, znaczy, rozmawialiście. Wszystko jest proste jak drut. No, co o tym myślicie?

– Sprytnie pomyślane! – Kola zaśmiał się. – A ja już się rozmarzyłem! Myślałem, że poznam dziewczynę – i chodu, książkę sobie poczytam, pójdę do kina, a potem tu wrócę i wcisnę wam kit o tym, jak ją bijał pijany ojciec. A tu nic z tego!

Żenia z zainteresowaniem popatrzył na Ałfierowa. Chłop ma dobry charakter, skoro tak spokojnie się przyznaje, że zamierzał oszukiwać. Jest łatwy, otwarty. Może dać sobie z nim spokój, póki nie jest za późno?

– Zrozumieliście warunki? No to omówmy regulamin. Stawka – sto tysięcy. Kobiety wybieramy drogą losowania. Załóżmy, że ty, Pasza, wylosowałeś babkę z numeru 102. Wszyscy kładziemy na stół po sto kawałków. Jeżeli wygrasz – zabierasz nasze dwieście tysięcy. Jeżeli przegrasz – my zabieramy twoją stawkę i dzielimy na pół. Jasne?

– Chyba taaak – odparł niezdecydowanie Kola.

– Idźmy dalej. Kobieta, której nie uda ci się omotać, drożeje dwukrotnie. To znaczy, że jeśli zechce się do niej zabrać drugi z nas, stawka wyniesie dwieście tysięcy. Jeżeli dojdzie do trzeciego – czterysta.

– Dostać osiemset tysięcy za to, że się przez sześć godzin będzie bajerować kobitkę? Ale dajesz czadu, Żeńka! Jestem gotów zacząć choćby dziś. Za pomyślne nawijanie! – Dobrynin podniósł kieliszek i wychylił do dna.

– No to losujmy.

Szachnowicz wyjął listę, ołówek i czystą kartkę, którą rozerwał na kilka części. Napisał na papierkach numery, zwinął karteczki w kulki i wrzucił do pustej szklanki.

W nocy Nastia Kamieńska prawie nie zmrużyła oka, bezskutecznie walcząc z ogarniającym ją niepokojem. Coś się wokół niej dzieje. Najpierw przystojny blondyn w barze, a w tym czasie ktoś był w jej pokoju. Zwykły złodziejaszek? Bzdura, jej wygląd całkowicie odpowiada sytuacji materialnej, trzeba być ślepym, żeby spojrzawszy na jej koszulki i swetry, zacząć podejrzewać, że w pokoju znajdzie się coś wartościowego. W takim razie czego u niej szukano? I czy facet z baru ma z tym coś wspólnego? Nie jest przeciętnym podrywaczem, to oczywiste.

A z drugiej strony, może ona dopatruje się podstępu tam, gdzie go nie ma? Nastia wylazła spod kołdry, poczłapała do łazienki, gdzie na ścianie wisiało lustro odbijające całą postać, i zaczęła się sobie krytycznie przyglądać. Figura zgrabna, proporcjonalna, z nóg naprawdę może być dumna. Włosy gęste, proste, długie, jeśli je wyszczotkować i rozpuścić, opadają lśniącą falą na ramiona i plecy. Kolor co prawda jakiś nieokreślony, ni to jasny, ni to średni blond. Regularne rysy, prosty nos, bardzo jasne oczy. Ale wszystko razem jakoś nie robi wrażenia. Może dlatego, że nie ma w niej wewnętrznego ognia, temperamentu, życia? Przez to i mimika jest niewyrazista, i chód ciężki, i Nasti nie chce się wkładać modnych ciuchów i robić makijażu. W jej duszy panuje chłód. Wieczna zmarzlina i ogromna nuda. Interesuje ją jedynie praca intelektualna. W dzieciństwie i wczesnej młodości była szczęśliwa tylko wtedy, gdy uczyła się matematyki i języków. Ukończyła nawet szkołę matematyczno-fizyczną, ale mimo to poszła na prawo, chociaż Loszka, wierny przyjaciel i sąsiad z jednej ławki, usilnie jej to odradzał. On sam pozostał wierny matematyce i teraz jest już doktorem habilitowanym. A ona ma satysfakcję ze swej pracy, najbardziej lubi analizować i rozwiązywać trudne zagadki. Oczywiście nie dodaje to kobiecości. Ale cóż robić, skoro nic poza tym jej nie interesuje! Nawet nie może się prawdziwie zakochać, tak zakochać, żeby czuć drżenie nóg i zamieranie serca. Nudne to wszystko...

A jeżeli niesłusznie obraziła tego blondyna? Może właśnie on jeden dostrzegł jej nierzucającą się w oczy urodę i naprawdę chciał z nią poflirtować bez żadnych złych myśli? Tym bardziej że uśmiech, którym go olśniła, rzeczywiście był prześliczny, dała z siebie wszystko. A wiek? On ma pewnie dwadzieścia pięć, dwadzieścia siedem lat, ona zaś – trzydzieści trzy, ale w dresie i z włosami związanymi w koński ogon wygląda o wiele młodziej. Chyba powinna była potraktować go łagodniej. Chociaż z drugiej strony... Ktoś przecież przeszukał jej pokój, i to akurat w tym czasie, kiedy on zawracał jej głowę w barze. Bo chyba raczej nie stało się to, kiedy błądziła po skrzydle zabiegowym w poszukiwaniu zegarka. Nastia pamiętała dokładnie, że przed wyjściem do baru otworzyła słownik Webstera, żeby sprawdzić jedno słowo, i położyła długą, prostokątną gumkę równiutko pod linijką tekstu, żeby wrócić do tego słowa jeszcze raz. A kiedy potem uważnie rozglądała się po pokoju, gumka leżała też równiutko pod linijką, ale inną, trochę niżej, omawiającą jakiś homonim.

Ciekawe, czy intruz wszedł do pokoju drzwiami, czy przez balkon? Trzeba będzie rano zapytać Reginę Arkadjewnę, może coś słyszała. Nie, postanowiła Nastia, musi wyrzucić to wszystko z myśli i wypoczywać. Nie ma niczego, co warto by ukraść, ona sama nie może nikogo interesować i nie powinna zawracać sobie głowy jakimiś bzdurami.

# ROZDZIAŁ 3
## Dzień czwarty

Obudziwszy się rano, Nastia postanowiła rozpocząć nowe życie, a jednocześnie przetestować w praktyce teorię, że byt określa świadomość. Podobno aktorzy niekiedy tak wczuwają się w rolę, że zaczynają myśleć i działać jak odgrywana przez nich postać. „Spróbuję być k o b i e t ą – postanowiła Nastia – i może to choć trochę roztopi lód, który sprawia, że cała w środku zamarzłam, że stygnie mi dusza".

Przed zejściem na śniadanie podmalowała jasne brwi i rzęsy, leciutko pociągnęła usta szminką, włożyła kolorową koszulkę, a na wierzch nie bluzę od dresu, tylko długi, czarny, puszysty blezer, przy którym rozpuszczone jasne włosy wydawały się niemal platynowe. Wzięła do ręki flakon perfum Climat i po chwili odstawiła go na miejsce: gdzieś czytała, że perfumowanie się przed śniadaniem jest w złym tonie.

Schodziła do jadalni, starannie kontrolując ruchy i postawę, i czuła się radośnie pobudzona. Wygląda na to, że lekarstwo działa.

Pakując do torby rzeczy potrzebne na basen, Nastia zdjęła z wieszaka w łazience kostium kąpielowy, zamyśliła się na sekundę i zdecydowanie go odwiesiła. Trzeba być konsekwentną, powiedziała sobie, i wyjęła nowy, bardzo śmiały, jeszcze w ubiegłym roku przysłany przez matkę ze Szwecji i dotąd tkwiący w opakowaniu. Chcąc trenować erotyczny język ciała, należy odpowiednio wyglądać.

Nastia przymierzyła kostium i zawahała się: otóż wyglądała w nim jak dziewczyna z jakiegoś „męskiego" czasopisma. A, co tam, i tak na basenie po jedenastej nie ma nikogo prócz niej, ćwiczy całkiem sama. Większość kuracjuszy pływała albo rano, albo od piątej do siódmej wieczorem. Pora między jedenastą a obiadem była martwa i dlatego Nastia wybrała ją na codzienną gimnastykę.

W wodzie rzetelnie wykonała wszystkie ćwiczenia, przepłynęła zalecaną liczbę długości basenu, a potem zaczęła dokazywać. Weszła po drabince, wdrapała się na brzeg, przeszła na drugą stronę, zeszła, przeszła w wodzie do przeciwległej drabinki – i wszystko od początku. Ruchy powinny być wdzięczne, powtarzała sobie, łagodne, podniecające, jak gdyby patrzył na ciebie najwspanialszy mężczyzna na świecie i jakbyś koniecznie chciała mu się spodobać, obudzić w nim pożądanie, sprawić, żeby zakochał się w tobie natychmiast i na długo. Niełatwe zadanie!

Wykonała zamierzony cykl cztery razy i poczuła, że jest bardziej zmęczona niż po dwóch godzinach wodnej gimnastyki. Ciało było jej posłuszne, umiała naśladować dowolne ruchy, od szybkiej, rozjuszonej tygrysicy po łagodną puszystą koteczkę.

Naśladowanie różnych ludzkich typów było jej skrywanym hobby. Ale co innego trochę potrenować (oczywiście w domu i oczywiście z przerwami) i kilka minut powygłupiać się przed lustrem, a zupełnie co innego przez dłuższy czas utrzymywać się w roli. To bardzo męczące. Pora kończyć ten cyrk.

Nastia podniosła głowę i spojrzała na zegar wiszący wysoko pod sufitem – sterczała w basenie już dwie i pół godziny, wkrótce będzie obiad. Ukośny promień jesiennego słońca wpadł przez szybę, odbił się od lśniącej powierzchni tuż pod zegarem i na sekundę oślepił Nastię. Zmrużyła oczy i energicznie ruszyła do szatni.

– Chcę mieć właśnie tę – powiedział Zarip, oblizując wyschnięte wargi.

Przyjechał do „Doliny" po raz pierwszy i pokazywano mu pomieszczenie, z którego będzie mógł obserwować proces selekcji. Był to mały, ciasny pokoik na drugim piętrze skrzydła zabiegowego. Pod wiszącym na ścianie kalendarzem ze zdjęciami kotów i psów mieściło się lustrzane okienko wychodzące na basen.

– To jest kuracjuszka – odpowiedział przystojny, atletycznie zbudowany mężczyzna o ciemnych oczach i jasnych włosach. – Dziewczęta zostaną przywiezione wieczorem, wtedy pan sobie wybierze.

– Nie, chcę tę dziewczynę. – Zarip błysnął oczami, na jego zapadniętych policzkach ukazały się czerwone, gorączkowe wypieki.

„Psychopata – pomyślał ze złością jasnowłosy. – Jak się taki zaprze, to nie sposób go przekonać. Wszystko jest dobre w naszym biznesie prócz klientów".

– Najpierw niech pan rzuci okiem na te, które panu zaproponujemy – rzekł ugodowo. – Może któraś jeszcze bardziej przypadnie panu do gustu.

Zarip kiwnął głową, ale widać było, że ustąpił tylko dla zachowania pozorów.

– Kiedy przywiozą dziewczęta?

– Między dziewiątą a dziesiątą wieczór. Na razie może pan wypocząć, w pawilonie podadzą panu obiad. Ma pan do dyspozycji masaż i saunę.

– Nie chcę. Pójdę się przespać. Kto oprócz mnie będzie tu dziś wieczorem?

– Jeszcze dwóch gości. Bardzo mili ludzie, proszę się nie obawiać. Już od dawna do nas przyjeżdżają i zawsze wyjeżdżają zadowoleni. Kotek, odprowadź gościa do pawilonu.

Do pawilonu Zarip udał się w towarzystwie masywnego, ale tłustawego Kotka, właściciela wysokiego tenoru, zupełnie niepasującego do jego postury. Zarip położył się na kanapie i pogrążył w słodkich marzeniach o dziewczynie, którą dopiero co widział w basenie przez weneckie lustro. Aż dziw, jaka piękna! To właśnie ją widział Zarip w swych niespokojnych snach, jasnowłosą, delikatną, kruchą, seksowną. I oto jest tutaj, na wyciągnięcie ręki. Nieważne, że nie należy do „tamtych", niech ją zmuszą siłą, on pragnie tylko jej i żadnej innej!

Zarip wyobraził sobie, jak dziewczyna się rozbiera, jak się z nim kocha. O tak, on ją zmusi, by robiła wszystko, czego Zarip nie może dostać od kobiet u siebie w domu, w uzbeckiej wsi. Wszystkie te sztuczki, które oglądał w mieście na kasetach porno, ale które go nie podniecały, ponieważ uprawiano je nie z nim. A teraz zrobi to sam, będzie się upajał tymi długimi, jasnymi włosami, białą skórą, zgrabnym ciałem. A szyja! Jej szyja! Z jakąż rozkoszą obejmie ją dłońmi i będzie ściskał, ściskał, coraz mocniej i mocniej, aż wetchnie głęboko w siebie duszę opuszczającą ciało wraz z ostatnim oddechem... A potem będzie oglądał film i wspominał... Inna! Też coś! Nie ma drugiej takiej jak ona. Albo ta – albo żadna.


Swietłana Kołomijec już drugą godzinę siedziała przed lustrem, nakładając na twarz specjalny makijaż, który stosują sportsmenki uprawiające pływanie artystyczne. Sama Swietłana uprawiała sport tylko w szkole, a i to nie pływanie, ale siatkówkę. Oczywiście – uśmiechnęła się w duchu, jej obecny, najstarszy na świecie zawód to też pewnego rodzaju sport.

...Jakieś trzy miesiące temu Swieta przeczytała ogłoszenie oferujące młodym, atrakcyjnym dziewczętom pracę sekretarek w firmach krajów Bliskiego i Środkowego Wschodu, mających rosyjskich partnerów. Na nic specjalnie nie licząc, wysłała pod wskazany adres list z fotografią i bardzo się zdziwiła, kiedy otrzymała odpowiedź. Proponowano jej, by przyjechała do Miasta na rozmowę wstępną między 20 a 27 października, w dniu, który jej będzie odpowiadał. Niewiele myśląc, Swietłana wsiadła do samolotu i przyleciała do Miasta.

Rozmawiał z nią jakiś nerwowy typ o końskiej twarzy, ale podobało jej się, że nie próbował wciskać kitu, tylko od razu powiedział, o co chodzi. Rosyjskie piękności są bardzo cenione na Wschodzie i wielu zamożnych mężczyzn chciałoby je wziąć na utrzymanie. Dziewczyna będzie żyć w luksusowych warunkach, we własnym domu, może niewielkim, ale ze służbą, będzie miała wikt, stroje, biżuterię, sama zaś powinna być oddaną, namiętną, bezpruderyjną kochanką. Kiedy się znudzi swemu opiekunowi, otrzyma coś w rodzaju odprawy pieniężnej i będzie mogła wrócić do Rosji.

Swietę zaproszono na rozmowę, ponieważ pewien turecki milioner wybrał właśnie jej fotografię. Oprócz niej jednak spodobało mu się jeszcze kilka dziewcząt, więc aby mógł dokonać ostatecznego wyboru, trzeba mu umożliwić dokładniejsze obejrzenie kandydatek. Klient prosił, by sfilmowano na taśmie wideo dziewczęta w basenie – taki ma kaprys, uważa, że w wodzie najlepiej się uwydatnia charakter kobiety, jej gracja, a przy okazji defekty, jeżeli oczywiście takowe są.

Jeśli klient wybierze ją, Swietę, firma pomoże jej załatwić paszport, wizę, kupi bilet i wyprawi ją w podróż.

– A jeśli mu się nie spodobam? – spytała Swieta.

– Na to nic się nie poradzi. Jeżeli pani chce, zatrzymamy kasetę w naszym banku danych; mamy wielu zleceniodawców, więc miałaby pani spore szanse. Jest też inna możliwość: jeśli ma pani kłopoty finansowe, może pani wystąpić w filmie porno. Kaseta zostanie wysłana z Rosji, robimy filmy tylko dla klientów zagranicznych i tylko na indywidualne zamówienia, z uwzględnieniem upodobań i życzeń i oczywiście bez kopii. Jest pani ładną kobietą, więc sądzę, że tak czy owak nie przyjechała pani na próżno.

– Dobrze by było – rzekła z uśmiechem Swieta. – Jak długo trzeba będzie czekać na odpowiedź?

– Trzy, cztery dni po zdjęciach w basenie, góra tydzień. Nawet nie musi pani wyjeżdżać z Miasta. Umieścimy panią w kwaterze prywatnej, wyżywienie i mieszkanie na koszt firmy. Ale pod jednym warunkiem: z mieszkania może pani wychodzić tylko w towarzystwie pracowników firmy.

– Po co takie środki ostrożności? – zdziwiła się Swieta.

– To nasza sprawa – odparł krótko typ o końskiej twarzy. – Ja pani przecież nie pytam, dlaczego pani nie chce obsługiwać Rosjan i gotowa jest robić to samo za granicą, i to jeszcze bez prawa wyboru. W każdym biznesie obowiązują określone zasady. Więc proszę bez zbędnych pytań.

Świetłana przyjęła to za dobrą monetę. Tak czy owak, nie miała nic do stracenia. Może popływać w basenie, pokręcić tyłkiem, potem przez tydzień wypoczywać, wysypiać się, oglądać telewizję. I pić wieczorami herbatę jak grzeczna dziewczynka. To będzie nawet miłe urozmaicenie...

Punktualnie o dziewiątej wieczorem rozległ się dzwonek u drzwi. Jeszcze raz zerknąwszy w lustro, Swietłana Kołomijec chwyciła torbę z akcesoriami kąpielowymi, poprawiła fryzurę i wyszła na ulicę, gdzie już czekał samochód. Jazda trwała krótko. Swietłanie wydało się nawet, że kierowca specjalnie kluczył, zamiast jechać prosto, chociaż ona i tak po ciemku nie rozpoznawała drogi. Samochód wjechał w wysoką żelazną bramę, potoczył się aleją i zatrzymał przy ganku, obok którego parkowały już dwa inne auta. Swietłana sięgnęła do klamki, żeby otworzyć drzwi, ale kierowca burknął, nie odwracając głowy:

– Zaczekaj.

Dosłownie po półminucie na schody wyszły dwie o-
soby: mężczyzna i dziewczyna. Mężczyzna wsiadł do brą-
zowego bmw i zapalił silnik. Dziewczyna, kuląc się z zimna i otulając długim błyszczącym płaszczem, obeszła auto
i usiadła na przednim siedzeniu obok kierowcy. Samochód odjechał.

– Idziemy – zakomenderował szofer.

Swietłana przebrała się w szatni i ruszyła w stronę
końskiego typa, który stał przy basenie z kamerą wideo
w rękach. Nikogo więcej w pomieszczeniu nie było i z jakiegoś powodu dodało to dziewczynie otuchy. Obawiała
się, że przy „sesji", udając pracowników firmy, będą się
kręcić rozmaici amatorzy gapienia się na ładne dziewczyny (może nawet bezpłatnie), w dodatku rozebrane. To,
że człowiek z kamerą był sam, przekonało ją bardziej niż
najsolenniejsze zapewnienia.

– Co mam robić?

– Nic szczególnego. Niech się pani pluska, dokazuje,
pływa. Proszę się starać wyglądać kusząco. Pokazać klientowi najlepsze, na co panią stać. A ja będę kręcił. No już!
– Popchnął ją lekko do wody.

Początkowo czuła się niezręcznie, nie wiedziała, co
robić z rękami i nogami, nie miała pojęcia, jak „się pokazać". Potem pomyślała o domu ze służbą i spróbowała
wyobrazić sobie, że pływa we własnym basenie po prostu dla przyjemności. Jej ruchy stały się miękkie, płynne,
nawet kilka razy zanurkowała, wiedząc, jak pięknie wyglą-
dają w błękitnej wodzie długie, kasztanowe włosy.

– Wystarczy! – krzyknął facet z kamerą. – Dziękuję.
Może się pani ubrać.

Wychodząc na ganek w towarzystwie kierowcy, który
cierpliwie czekał na nią przy szatni, Swietłana zobaczyła,
że obok ich wozu stoi inny. Następna pretendentka do
tureckiego tronu czekała na swoją kolej.

W pokoiku na drugim piętrze czterej mężczyźni uważnie obserwowali, co się dzieje w basenie. Kiedy pojawiła się Swietłana Kołomijec, Jurij Fiodorowicz Marcew powiedział zdecydowanie:

– Ona! Zdumiewające podobieństwo.

Wyjął z kieszeni fotografię matki i jeszcze raz spojrzał na zdjęcie, a potem na dziewczynę w basenie.

– Świetnie – odezwał się ciemnooki blondyn. – No to z panem sprawa załatwiona. Odprowadzić pana?

Marcew w milczeniu kiwnął głową.

Trzecim „obserwatorem" był starzec w doskonale skrojonym, kosztownym garniturze. Na razie żadna z dziewcząt mu się nie spodobała, ale był tu nie po raz pierwszy i wiedział, że nimfetki są przyprowadzane dopiero na samym końcu. A nuż klient wybierze sobie dziewczynę spośród starszych, pokazanych na początku. To nawet lepiej, bo baraszkowanie z nieletnimi jest sprawą zbyt ryzykowną. Należy w miarę możności starać się tego unikać. Do niego samego ta zasada się nie stosuje, on dobrze wie, czego chce, jemu takimi podstępami nikt nie zamydli oczu. On, Assanow, ma już siedemdziesiąt sześć lat i na dziewczynę powyżej trzynastu się nie zgodzi. A najlepiej, żeby była jeszcze młodsza.

Czwarty, Zarip, popatrywał w okienko tylko dla zachowania pozorów. Wiedział, że nie zadowoli go żadna z tych dziewcząt. On musi mieć tylko tę, którą widział w dzień. I dostanie ją. Bez względu na koszty.


Dziś Nastia porządnie przyłożyła się do pracy i nawet przekroczyła wyznaczoną sobie normę. Wprowadzając w życie podjętą rano decyzję, przed obiadem całe piętnaście minut robiła makijaż i szczotkowała włosy, żeby się lepiej układały. Efekty terapii były już odczuwalne,

Nastia nawet z pewną przyjemnością wybierała strój przed pójściem do jadalni.

Po obiedzie poszła na spacer. Natychmiast przyczepił się do niej jakiś kurdupel i zaczął ją zagadywać. Nastia rzetelnie próbowała włączyć się do rozmowy, ale po dziesięciu minutach była tak znudzona, że złamała dane sobie rano słowo, iż będzie miękka i puszysta.

– Przepraszam, ale czy mógłby pan zostawić mnie samą? – powiedziała, skręcając w boczną alejkę.

Kurdupel okazał się jednak wytrwały. Pętał się koło Nasti i plótł jakieś bzdury, nie oczekując od niej nawet odpowiedzi. W pewnej chwili bezczelnie wziął ją pod rękę.

Nastia zatrzymała się i już miała powiedzieć mu coś do słuchu, kiedy facet ją uprzedził:

– Chce pani, to dam pani pięćdziesiąt tysięcy? – zapytał zupełnie poważnie.

– Chcę, niech pan da – nie mniej poważnie odrzekła Nastia.

– No, ale nie za darmo. – Chłopak roześmiał się.

– Wobec tego nie chcę.

Nastia odwróciła się i szybko ruszyła w swoją stronę, ale natarczywy kurdupel znów znalazł się obok niej.

– Przecież to dla pani żadna fatyga. Pospacerujemy razem, pani mi opowie, jak spędza czas w sanatorium, jakie ma zabiegi, jacy jeszcze kretyni poza mną próbują panią poderwać, potem pójdziemy do pani do numeru, pani zajmie się swoimi sprawami, a ja cichutko posiedzę w kąciku z książką. Nawet nie będzie mnie pani dostrzegać. Posiedzę do jakiejś dziesiątej i pójdę. To wszystko.

– A pięćdziesiąt tysięcy? – kpiąco spytała Nastia. Zaczęło ją to interesować.

– Jutro rano. A jeśli pani pozwoli, żebym zajrzał do pani później wieczorem, to przyniosę pieniądze jeszcze dziś.

– Drogi panie, jeśli nie wie pan, co zrobić z pięćdziesięcioma tysiącami, to niech pan wezwie fachowca. Ma pan nierówno pod sufitem.

Nastia znów energicznie ruszyła aleją. Facet się odczepił.

Zegarek jeszcze rano Nastia odebrała od masażysty, toteż dziś nawet na kolację przyszła punktualnie. Teraz, widząc, że zbliża się jedenasta, uznała, że może zakończyć pracę. Włożyła zapisane kartki do teczki, pozamykała słowniki i wyszła na balkon zapalić.

Październik tego roku przyniósł niemal zimowe chłody. Nagie drzewa wyczekiwały śniegu, bez liści było im zimno i samotnie. Nastia pomyślała, że w głębi duszy ona też jest zimna jak te drzewa. Cała jej dzisiejsza terapia jest niczym ozdoby choinkowe na zmarzniętych, nagich gałęziach. Równie nie na miejscu i nienaturalna. Dość już tej zabawy.

Nastia skończyła papierosa, ale nadal stała w ciszy, o niczym nie myśląc. Wreszcie lekki mrozik dał jej się we znaki. Wzdrygnęła się i otrząsnęła z odrętwienia. A Regina Arkadjewna miała chyba gości. Do uszu Nasti dobiegły słowa:

– ...tak pracować nie wolno, to zwykła chałtura. Strona wizualna jest niejednolita, przez co załamuje się cały układ psychologiczny. Koncepcja dźwiękowa w ogóle nie współgra z wizualną. To zakłóca harmonię, osłabia efekt, nie tworzy ciągów skojarzeniowych. Po prostu zamordowałeś piękną muzykę...

Głos starszej pani brzmiał władczo i gniewnie, co zupełnie Nastię zaskoczyło. Poczuła się niezręcznie, wróciła do pokoju i zamknęła drzwi balkonowe. Wieszając w szafie kurtkę, usłyszała pukanie. W progu ukazała się sąsiadka.

- Czy coś się stało? - spytała z niepokojem Nastia, pamiętając o tym, co jej mówiła starsza pani przy pierwszym spotkaniu.

- Tak, Nastieńko! - Sąsiadka promieniała radością.

- Tak ostatnio narzekałam, skarżyłam się... A przecież pamiętają o mnie, starej! Przyjechał mój uczeń, jeden z niewielu, z których jestem dumna do dziś dnia! Chodźmy, pozna go pani. Nie można przecież wiecznie stukać na maszynie.

Patrząc na rozradowaną staruszkę, Nastia nie potrafiła się zdobyć na odmowę. To zrozumiałe, że nauczycielka chce się pochwalić uczniem, który odniósł sukces. Jakież inne radości może mieć samotna, niemłoda kobieta?

- Tylko doprowadzę się trochę do porządku...

- Cudownie pani wygląda, Nastiuszo, rumieńce - jakby pani właśnie wróciła z przechadzki. Chodźmy.

Po wejściu do numeru sąsiadki Nastia nie mogła ukryć zaskoczenia. Na stole patera z winogronami, granatami, jabłkami. Obok butelka koniaku, bombonierka z drogimi czekoladkami, na spodeczku pokrojona cytryna. Najbardziej jednak zdumiał Nastię ogromny bukiet wspaniałych chryzantem o kremoworóżowych płatkach, mieniących się rudawo od spodu. A z fotela wstał na jej powitanie wysoki, atrakcyjny mężczyzna. Klasycznie surowa twarz w typie orientalnym, ciemne migdałowe oczy i jasnokasztanowe, prawie blond włosy. Ten kontrast łagodził surowość jego męskiej twarzy, dodawał mu uroku...

- Damir - przedstawił się i Nastia zdążyła dostrzec na jego twarzy jakiś zagadkowy błysk, jakby mężczyznę zdziwiło coś, czemu nie wypada się dziwić, i jakby się w porę opanował.

- Anastazja. - Głos niech będzie matowy, przyciszony, a uśmiech Nastia zapożyczyła z arsenału pewnej francuskiej gwiazdy.

Damir pocałował ją w rękę i pod jego ciepłym spojrzeniem lód w jej wnętrzu zaczął tajać. Boże, jak to dobrze, że tutaj przyszła! A przecież o mało nie odmówiła.

Regina Arkadjewna wyjęła czysty kieliszek, nalała koniaku i podała Nasti. Ta zdziwiła się w pierwszej chwili, że alkohol nalewa stara gospodyni, a nie mężczyzna, i dopiero teraz spostrzegła, że jej ręka wciąż spoczywa w dłoni Damira, a ona sama stoi jak lalka z trocin, z błogim uśmiechem na twarzy. Zmieszana cofnęła rękę, ale za koniak podziękowała.

– W ogóle pani nie pije? – zdziwiła się starsza pani.

– Nie lubię koniaku.

– A co pani lubi?

– Wermut. Szczególnie martini.

– Wezmę to pod uwagę – powiedział Damir takim tonem, że Nasti zrobiło się gorąco.

Damir Ismaiłow, jak wynikło z dalszej rozmowy, urodził się i dorastał w Mieście, od szóstego roku życia był uczniem Reginy Arkadjewny i doskonale się zapowiadał, ale po ukończeniu średniej szkoły muzycznej zamiast do konserwatorium, wbrew powszechnym oczekiwaniom, wstąpił do Instytutu Kinematografii. Teraz jest reżyserem w niewielkim prywatnym studiu filmowym, tworzy swobodnie to, co mu przyjdzie do głowy, śmiało eksperymentuje i czasem płody tej oryginalnej twórczości przynoszą mu nawet nagrody na jakichś festiwalach. Nonszalancja, z jaką Damir mówił o festiwalach i nagrodach, wydała się Nasti nie tyle może sztuczna, ile jakby nieuzasadniona: no bo z czego utrzymuje się studio, skoro wypuszcza niekasowe, eksperymentalne filmy?

– Nie przejmuję się tym – odparł z uśmiechem Damir. – Studio należy do dwóch zwariowanych udziałowców, którzy są szczerze przekonani, że świat biznesu filmowego nie docenia ich utalentowanych dzieci, i gotowi są oddać ostatnią koszulę, byle tylko ukazywały się filmy,

53

w których ich ukochane pociechy grają główne role. Bogaczom wolno mieć swoje dziwactwa. Ci dwaj mają forsy jak lodu, a skąd ją biorą – to nie moja sprawa. Zgadza się pani ze mną?

– A na czym polegają te eksperymenty?

– Trudno to wytłumaczyć w paru słowach... No cóż, usiłuję wykorzystać swoje muzyczne wykształcenie i sam piszę muzykę do filmów, starając się, by wyrażała to, co chcę powiedzieć jako reżyser.

Kiedy Nastia oprzytomniała, było już po pierwszej. Nie pamiętała, kiedy ostatnio było jej tak przyjemnie w towarzystwie zupełnie nieznajomych ludzi. Winogrona były słodkie, kawa – mocna, starsza pani – wbrew obawom – okazała się uroczą, dowcipną rozmówczynią, brawurowo piła koniak i zaraźliwie się śmiała. Damir nie odrywał oczu od Nasti, jego wzrok był już nie ciepły, lecz palący, i zdawało się jej, że rozgrzana od środka tym wzrokiem zaczyna się topić od zewnątrz, że nie ma ani rąk, ani nóg, i w ogóle nie wiadomo, jak zdoła wstać z fotela.

– Nastiu, może chce się pani przespacerować przed snem? – zapytał Damir, wyglądając przez okno. – Dzisiaj pełnia. Jest bardzo ładnie.

– Chętnie – zgodziła się, może trochę szybciej, niż wypadało.

Starsza pani spostrzegła to i mrugnęła do niej porozumiewawczo.

– Jest pan samochodem, panie Damirze? – spytała Nastia, gdy szli powoli przez zalany księżycowym światłem park.

– Nie.

– To jak pan wróci? Komunikacja już nie kursuje, a na taksówkę słaba nadzieja.

– Czyżbym pani nie powiedział? Wykupiłem tygodniowy pobyt. Rano przyjechałem z Nowosybirska, tam jest nasze studio, zajrzałem do Reginy Arkadjewny do domu, sąsiadka mi powiedziała, że ona jest w sanatorium. Pognałem więc tutaj, i to Regina mi poradziła, żebym się tu zatrzymał. Czemu nie? Komfort, świetne wyżywienie, a przede wszystkim – Regina na wyciągnięcie ręki. Przecież przyjechałem właśnie do niej. Chcę jej pokazać parę moich prac.

– Tak wygląda, jakby pan nadal był jej uczniem – powiedziała Nastia, mocniej otulając się szalem.

– Regina to geniusz – odparł bardzo poważnie Damir. – Potworne życie i nieprawdopodobna wytrzymałość. Kuleje od dzieciństwa. Ładna twarz, cudowne włosy, a na całym policzku wstrętne znamię, myszka. Była niezwykle utalentowana. Specjaliści, słuchając jej nagrań, szaleli z zachwytu. Ale gdy tylko pojawiła się przed nimi na estradzie – koniec, kropka. To były przecież lata czterdzieste. Artysta musiał być bożyszczem, w którym ludzie się zakochują, a wtedy chodzą na koncerty. A kto by kupił bilety, żeby słuchać kuternogi z oszpeconą twarzą? O tym, że ludzie powinni słuchać muzyki w wykonaniu utalentowanej pianistki, nikt nawet nie pomyślał. Wiadomo, widowiskowość i monumentalizm epoki stalinowskiej! Dlatego Regina zrezygnowała z koncertowania i zaczęła uczyć. W tej dziedzinie także okazała się wybitna. Geniusz zawsze pozostanie geniuszem. Potrafiła w ciągu pięciu minut za pomocą dziesięciu słów i trzech akordów wytłumaczyć uczniowi to, co inni pedagodzy wbijali do głów całymi tygodniami i miesiącami. Jeśli dziecko miało choćby iskierkę, choćby odrobinę talentu, pod kierunkiem Reginy rozkwitało jak cudowny kwiat. Dzieci za nią przepadały, rodzice ją ubóstwiali. I kolejny cios! Nie pozwolono jej jechać razem z uczniami do Polski na międzynarodowy konkurs młodych wykonawców. Wszyscy uczestnicy konkursu pojechali ze swoimi nauczycielami, tylko dwie osoby z naszego Miasta – z instruktorem komitetu miejskiego partii.

– Mój Boże, to potworne – wyrwało się Nasti. – Ale dlaczego?

– A jak pani myśli? Czy w latach sześćdziesiątych biedna nauczycielka muzyki nazwiskiem Walter mogła pojechać w delegację zagraniczną? W żadnym razie. Najgorsze jednak było co innego. Znalazł się idiota, który uznał za konieczne wyjaśnić Reginie, dlaczego jej uczniowie pojadą z towarzyszem z komitetu, a nie z nią. Ponieważ jednak nie miał odwagi przyznać się do antysemityzmu, powiedział, że Regina ma niereprezentacyjny wygląd. Na konkursie, zapowiadając wykonawcę, zawsze przedstawia się nauczyciela, który musi wstać i ukłonić się publiczności i jury. Jakby to wyglądało, gdyby ona z taką nogą i z taką twarzą...

– I co było dalej?

– A dalej Regina wytknęła sobie cel i zaczęła do niego dążyć. Przyjęła dodatkowych uczniów, zaczęła już nie zarabiać, ale dosłownie zbijać forsę bez chwili wytchnienia. Wreszcie wzięła urlop bezpłatny i pojechała do Moskwy. Twarz doprowadzono jej do porządku, oczywiście niecałkowicie, ale wyglądała o wiele lepiej. Jeśli nie przyglądał się jej człowiek zbyt dokładnie, to niczego nie zauważył. Za to z nogą poszło bardzo źle. Cztery operacje jedna po drugiej, coś im się tam nie udało, a może był to błąd w sztuce. Krótko mówiąc, jeśli dawniej Regina po prostu kulała, to po tej całej kuracji zaczęła chodzić o lasce. Miała wtedy prawie czterdzieści lat. Na życiu osobistym mogła postawić krzyżyk. Gdyby miała więcej pieniędzy i zwróciła się do lekarzy dziesięć lat wcześniej, wszystko mogłoby być inaczej. A tak – jest sama jak palec.

– Ale przecież i teraz ma uczniów – zaoponowała Nastia. – A i pan o niej nie zapomina.

– Niech pani nie wyolbrzymia mojej szlachetności, Nastieńko. Przyjeżdżam do Reginy nie jako do nauczycielki, której jestem wdzięczny do grobowej deski, ale jako do genialnego muzyka. Jeśli ma pani ochotę, zapraszam do mojego numeru, pokażę pani, co mam na myśli.

– Już późno – zaprotestowała słabo Nastia.

Damir podszedł bliżej do latarni, odsunął rękaw kurtki i spojrzał na zegarek.

– Dwadzieścia po drugiej. Rzeczywiście, trochę późno. Wie pani co, Nastiu? Nazywajmy rzeczy po imieniu. W ogóle jestem zwolennikiem szczerości i otwartości. Zgadza się pani?

– Proszę spróbować – ledwie dosłyszalnie powiedziała Nastia zdrętwiałymi wargami. Zrobiło jej się słabo.

– Po pierwsze, proponuję, żebyśmy przeszli na „ty". Dobrze?

Kiwnęła głową, nienawidząc samej siebie.

– Po drugie, oficjalnie oświadczam pani, to jest tobie, że mi się podobasz; co mówię, bardzo mi się podobasz, jestem o krok od zakochania i bardzo bym chciał, żebyśmy teraz poszli do mnie. Ale niech będzie tak, jak ty chcesz. Jeżeli uważasz, że dziś to za wcześnie, gotów jestem poczekać do jutra albo do pojutrza, albo do jakiegoś innego dnia w najbliższym tygodniu, zanim polecę z powrotem do Nowosybirska. Ale nie mieszajmy ze sobą dwóch spraw. Przywiozłem tu aparaturę, bo przyjechałem poradzić się Reginy. Przyjechałem pracować. Jeżeli zapraszam cię do siebie, by ci pokazać swoją pracę, to zapraszam cię właśnie po to. Nie jestem nastolatkiem, który zwabia do siebie dziewczynę na słuchanie płyt, a w rezultacie ta skarży się, że została zgwałcona. Dobiegam już czterdziestki. I nie potrzebuję się uciekać do tanich sztuczek, jeśli chcę pójść do łóżka z kobietą, która mi się podoba.

„Co prawda, to prawda. Robisz to z kobietami nie tylko w łóżku, ale i na podłodze, i na stole, i na wszystkim, co się nawinie. Jaka szkoda, mój Boże, jaka szkoda! Wszystko mi się w tobie podoba, Damir, prócz jednego: kłamiesz. A ja tego nie lubię".

# ROZDZIAŁ 4
## Dzień piąty

Żenia Szachnowicz obudził Alfierowa i Dobrynina na długo przed śniadaniem.

– Czas na sprawozdania – obwieścił. – Od razu się przyznaję, że u mnie całkowita klęska. Możecie uważać, że każdy z was wzbogacił się o pięćdziesiąt kawałków. A co u ciebie, Pasza?

Uśmiechając się z zadowoleniem, Dobrynin złożył szczegółowy raport ze swych poczynań. W towarzystwie wylosowanej damy spędził o wiele więcej niż sześć godzin – zawarł z nią znajomość przed obiadem, a rozstał się tuż przed świtem, jako że dama mieszka w jednoosobowym numerze. Szachnowicz zmusił go do powtórzenia słowo w słowo wszystkich rozmów, co nie na żarty Pawła rozdrażniło.

– Gratulacje. Paweł otrzymuje swoje uczciwie zarobione dwieście kawałków. Nikołaj?

Alfierow wzruszył ramionami.

– Ona jest jakaś... dziwna. Sam nie wiem... Nawet nie chce rozmawiać. Poradziła mi, żebym sobie wyrównał pod sufitem.

– Co? – spytał zdziwiony Dobrynin.

– Żebym poszedł do psychiatry. To jest bez sensu, chłopaki. Wychodzimy na jakichś przygłupów z tym nachalnym podrywem.

58

– Po pierwsze, nie my, tylko ty – sprzeciwił się Pasza.

– Ja osobiście czuję się wspaniale i nikt mnie nie uważa za przygłupa. A po drugie, jesteś zły, bo nic nie wygrałeś. Zakład, że poderwę tę twoją blondynę w sześć sekund?

– Przypominam, że powtórna stawka dwieście – wtrącił Żenia. – No jak, Pasza, bierzesz numer 513?

– Kto nie ryzykuje, ten nie pije... szampana! – rzekł z szerokim uśmiechem Dobrynin.


Coś z tą Kamieńską jest nie tak, mówił sobie Szachnowicz, biegając po całym sanatorium i realizując zgłoszenia nie tylko na naprawę instalacji, ale i najrozmaitszego sprzętu, od telefonów do telewizorów. Po pierwsze, zaczęto przebąkiwać, że Kamieńska pracuje w MSW, chociaż Żenia świetnie wiedział, że nawet nie chcieli jej dać jednoosobowego pokoju. Jelena Żyleta (tak przezywali recepcjonistkę młodzi pracownicy) jak zwykle wyłudziła łapówkę, czyli nikt z MSW Kamieńskiej nie protegował. Skąd te pogłoski? Żenia wiedział, że czasem ludzie, którzy nie chcą, by o nich zbyt wiele wiedziano i za bardzo ich wypytywano, umyślnie zachowują się tajemniczo, jak gdyby byli z milicji lub z organów bezpieczeństwa. W każdym razie wcześniej często tak było. Czyżby sama Kamieńska gdzieś komuś wspomniała, że jest „stamtąd", żeby nikt się jej nie czepiał? A że nie życzy sobie żadnych zalecanek, to pewne. Ciekawe dlaczego? Anastazja Kamieńska z numeru 513 była pierwszą od czterech miesięcy osobą, której zachowania Żenia Szachnowicz nie potrafił sobie wytłumaczyć. I to sugerowało, że wreszcie uchwycił nić prowadzącą do rozwiązania zadania, w związku z którym już cztery miesiące na polecenie swego szefa robił tu za „złotą rączkę".

- Pojawiła się komplikacja. Jeden z klientów domaga się kategorycznie dziewczyny spoza naszego kontyngentu. Spodobała mu się jedna z kuracjuszek. Nie słucha żadnych argumentów. Zresztą trudno liczyć na to, że się go przekona, sami wiecie, kim są nasi zleceniodawcy. Żaden z nich nie jest i nie może być zrównoważony psychicznie.

- Co zrobimy?

- Trzeba szybko znaleźć podobny typ. Może uda nam się gościa oszukać. Widział ją z daleka, nie mógł się dobrze przyjrzeć twarzy. Zresztą nie ma się czemu przyglądać, to twarz wyjątkowo mało wyrazista. Nie rozumiem, co on widzi w tej babce. Wzrost metr siedemdziesiąt pięć–metr siedemdziesiąt siedem, waga jakieś sześćdziesiąt sześć–sześćdziesiąt osiem, biust osiemdziesiąt, talia sześćdziesiąt cztery–sześćdziesiąt osiem, biodra sto. Włosy popielatoblond, długość prawie do połowy pleców, zakrywają łopatki. Oczy jasne. Znaków szczególnych brak. Pokażę ją wam, trzeba będzie zrobić zdjęcie, żeby potem dobrać charakteryzację. Musimy działać szybko, zanim klient zacznie podejrzewać podstęp.

- A z nią samą nie można by się dogadać?

- Wykluczone.

- Dlaczego?

- To jest zamówienie kategorii B. Wiesz przecież, jak starannie wybieramy kontyngent do tej kategorii. Nikt nie może jej potem szukać.

- Jasne. Z innymi zamówieniami wszystko w porządku? A może też są jakieś komplikacje?

- No... Jeden z klientów ma dodatkowe życzenia, które dość trudno będzie spełnić, ale wiem, jak to zrobić. Potrzebuję jeszcze dwóch–trzech dni i możemy kręcić. Z trzecim klientem żadnych problemów, jak zwykle. Ma dwa zamówienia, jedno kategorii B, drugie kategorii C. Można kręcić choćby dzisiaj.

- Scenariusze?

- Gotowe, wszystkie cztery.

- Udźwiękowienie?

- Ilustracja muzyczna gotowa, reszta po zakończeniu zdjęć.

- Świetnie. Są jakieś propozycje co do grafiku prac?

- Zaczynamy jutro, robimy kolejno dwa zamówienia Assanowa. W tym czasie załatwiamy sprawę Marcewa, powinniśmy zdążyć. Zamówienie Uzbeka w ostatniej kolejności. To całkiem pospolity typ urody, niemożliwe, żebyśmy w ciągu czterech dni nie znaleźli nikogo podobnego. W banku danych mamy dziesiątki kobiet...

- Ale proszę pamiętać o kategorii.

- Pamiętam.

- Pracujemy w trudnych warunkach, są kłopoty z dwoma klientami naraz. Jeżeli załatwimy wszystko pomyślnie i w terminie, proponuję, by dać Siemionowi premię. Kto jest za? Jednogłośnie. Wszyscy są wolni oprócz Kotka.

Tłustawy, uśmiechnięty masażysta Kostia, o przezwisku Kotek, przesiadł się z krzesła, na którym siedział w czasie narady, na miękką kanapę. Podkurczył nogi i zwinął się w kłębek. Twierdził, że tak łatwiej mu się myśli i w decydujących momentach przybierał pozę śpiącego kota; stąd wzięło się przezwisko.

- Czego się dowiedziałeś o Kamieńskiej?

- Niczego. Przede wszystkim ona sama o nikogo nie wypytuje. Chodzi na zabiegi, tłumaczy swój kryminał. Z nikim nie zawiera znajomości. Przypomina mi tresowanego foksteriera.

- Czyli?

- Życzliwa, serdeczna, a oczy martwe. I żelazny chwyt.

- Co do oczu - mogę się zgodzić. Ale dlaczego uważasz, że ma żelazny chwyt? W czym się to przejawia?

– W niczym. Po prostu to czuję.

– Kotek, cenię twoje wyczucie i słono ci za nie płacę. Ale dziś proszę Boga, żebyś się mylił. I pamiętaj, nikt – ani Damir, ani Siemion – nie powinien wiedzieć tego, co wiemy o Kamieńskiej ty i ja. Inaczej wpadną w panikę i narobią głupstw. Damir to natura artystyczna, subtelna, jak wszyscy artyści jest lekko szurnięty, więc jego reakcje mogą być nieprzewidywalne. O Siemionie w ogóle nie ma co mówić. To wspaniały organizator, fakt, ale nie zapominaj, że już od dziesięciu lat jest poszukiwany za ciężkie przestępstwo i żyje na fałszywych papierach. A to oznacza dziesięć lat nieustannego, codziennego napięcia. Może do niego przywykł i już go sobie niemal nie uświadamia, ale to napięcie się kumuluje i w sytuacji zagrożenia może wybuchnąć, a wtedy Siemion gotów zrobić nie wiadomo co. Możesz za niego zaręczyć, jeżeli się dowie, że mamy u siebie kogoś z MSW?

– Co racja, to racja, nie mogę.

– Ja też nie mogę. Mimo to, Kotek, zapytaj swego instynktu: co Kamieńska tu robi? Czy przybyła po nasze dusze?

– Chyba tak.

– No i dobrze. Jesteśmy dla niej zbyt twardym orzechem. Nie da nam rady...


Dochodziła dziesiąta rano, a Nastia Kamieńska wciąż jeszcze leżała w łóżku. Może wczorajszy dzień nie poszedł na marne, myślała, ale tak czy owak, lepiej było spędzić go inaczej. Po nocnym spacerze z Ismaiłowem pozostał jej jakiś niesmak i Nastia usiłowała dojść, z jakiego powodu. Okoliczności były oczywiste: wcale nie przyjechał wczoraj, by rzucić się w te pędy z kwiatami i prezentami do starej nauczycielki muzyki. Przyleciał dużo wcześniej, w każdym razie już przedwczoraj był tutaj, obściskiwał w zamkniętym gabinecie instruktorkę pływania Katię i pokazywał jej oryginalną bransoletę od zegarka. „Wygląda na ręczną robotę" – powiedziała Katia. A wczoraj Nastia zobaczyła tę bransoletę, kiedy Ismaiłow w czasie spaceru sprawdzał w świetle latarni, która godzina. Zdawałoby się, drobiazg, ale ten drobiazg natychmiast nasunął Nasti całe mnóstwo nowych pytań, im dalej, tym bardziej nieprzyjemnych.

Jeżeli Damir odnosi się do swej nauczycielki jak do samotnej, nieszczęśliwej kobiety, to jasne, że za nic się nie przyzna, iż po przybyciu do sanatorium najpierw odwiedził kochankę, a kolej staruszki nadeszła dopiero nazajutrz, i to pod wieczór. W tym scenariuszu układ byłby następujący: Damir – prymitywny kobieciarz, starsza pani – ufna i oszukana. Rolę samej Nasti w tym scenariuszu też łatwo określić: sympatyzuje z Reginą Arkadjewną, Damira posyła do wszystkich diabłów.

Jednak w czasie spaceru czarnooki Damir opowiadał z zachwytem, że Regina Arkadjewna to geniusz, że on pokazuje jej wszystkie swoje prace, radzi się, ceni sobie jej zdanie. Tu chyba nie kłamał. Nastia dobrze pamiętała podsłuchane niechcący na balkonie słowa starszej pani i dziwnie ostry ton. To nie był ton nauczyciela, lecz raczej egzaminatora, zwierzchnika. Ale jeżeli stosunki Damira i Reginy Arkadjewny są czysto służbowe i pozbawione sentymentów, to po co Damir miałby ją oszukiwać? Przecież w takiej sytuacji jest chyba wszystko jedno, kiedy Ismaiłow przybył do sanatorium i czy do niej pierwszej przyleciał z kwiatami i prezentami, czy najpierw poskakał sobie z łóżka do łóżka.

Otulona ciepłą kołdrą, pogrążona w myślach Nastia nie zwróciła uwagi na nieprzyjemny chłodek, pojawiający się od czasu do czasu gdzieś w żołądku – wyraźną oznakę, że spostrzegła coś ważnego, nad czym warto się zastanowić. Chłodek pojawiał się nie tylko na myśl o minionym wieczorze. Niepokój budziło coś jeszcze, coś, co wydarzyło się na długo przed zjawieniem się Damira. „Dość – powiedziała sobie stanowczo Nastia. – Nie jestem w pracy, wypoczywam. Po prostu jestem pochłonięta tłumaczonym kryminałem i przez to wszędzie zwidują mi się szczury. Nie mam żadnego powodu do niepokoju. Niech sobie Damir mąci w głowie staruszce, to nie moja sprawa. I niech przeleci nawet cały personel „Doliny" – to też nie moja sprawa. Przez trzy godziny byłam prawie zakochana – przy moim charakterze to po prostu rekord. Pomyliłam się, wielkie rzeczy. Życie toczy się dalej".

Niemniej nastrój miała popsuty i postanowiła tego dnia opuścić nie tylko zabiegi, ale i basen, a zamiast tego wybrać się do Miasta. Miasto bardzo jej się spodobało. Było przytulne, sterylnie czyste i jakieś nierosyjskie: bez odrapanych ścian, bez wybojów na jezdni, bez sprzedawców z Kaukazu za witrynami prywatnych sklepików. To znaczy sklepiki były, ale pracowali w nich szesnasto-, siedemnastoletni młodzi Rosjanie. Zarabiają sobie na kieszonkowe, z aprobatą pomyślała Nastia, nie ma w tym nic złego. Przy okazji opanują tabliczkę mnożenia i nauczą się mówić „dziękuję" i „proszę".

Poszła spacerkiem na pocztę, zadzwoniła do ojczyma i poprosiła go o pieniądze, oczywiście w charakterze pożyczki. Leonid Pietrowicz, znając rzetelność i drażliwość Nasti w kwestiach pieniężnych, o nic nie pytał i obiecał wysłać żądaną sumę przekazem.

Nastia kupiła jeszcze garść żetonów, żeby zadzwonić do Loszki.


Chcą go oszukać te szakale, zamierzają zedrzeć z niego pieniądze i podsunąć mu falsyfikat! Nic z tego! On odsłoni ich machinacje, on, Zarip, nie pozwoli robić z siebie durnia. Powiedział im, którą kobietę chce mieć, więc o co chodzi? Dlaczego nie mogą pójść i zaproponować jej pieniędzy, dużo pieniędzy? Zarip nie jest skąpy, ozłoci ją, byleby się tylko zgodziła. Można jej przecież nie mówić, co on zamierza z nią zrobić potem. A na wszystko inne dałaby się namówić, to jedynie kwestia ceny.

Twierdzą, że „nie wolno". Dlaczego? Czym ona się różni od innych kobiet? Wszystkie zgadzają się za pieniądze, no, prawie wszystkie. A za bardzo duże pieniądze – absolutnie wszystkie. Przecież to nic takiego pomęczyć się przez piętnaście minut – i potem być urządzoną do końca życia. A oni nawet nie próbowali z nią porozmawiać, tylko od razu powiedzieli „nie wolno". Kłamią i tyle! Pewnie chcą ją zachować dla innego klienta albo dla siebie. Może jest kochanką któregoś z nich? Wtedy byłoby zrozumiałe, dlaczego mówią „nie wolno". Ale on, Zarip, nie pozwoli sobie wciskać ciemnoty. Musi wszystko sprawdzić sam.

Zarip wymknął się z pawilonu i podszedł ostrożnie do głównego skrzydła. Tu jest okno jadalni. Dobrze, że na parterze. Czekał cierpliwie, aż ostatni kuracjusz skończy śniadanie, ale swojej pięknej blondynki nie zobaczył. Co się z nią dzieje? Zachorowała? A może go oszukali, mówiąc, że to kuracjuszka, a on, głupi, im uwierzył i myślał, że dziewczyna przyjdzie na śniadanie razem ze wszystkimi. Może ona nawet tu nie mieszka. A wobec tego jak ją odszukać?

Zarip wlókł się ponuro aleją sanatoryjnego parku, gdy nagle zobaczył w oddali jaskrawoniebieską kurtkę i długie, jasne włosy. Natychmiast zaschło mu w ustach. Ona! Zapominając o tym, że kategorycznie zabroniono mu opuszczać nie tylko teren sanatorium, ale i pawilon, ruszył w ślad za Nastią.

Siemion, człowiek o końskiej twarzy, z ciemną przeszłością i fałszywymi dokumentami, rzetelnie zapracowywał na obiecaną dziś rano premię. Osobiście przejrzał cały bank danych, znalazł co najmniej dziesięć młodych kobiet, mniej lub bardziej podobnych do Kamieńskiej, kazał operatorom filmowym sprawdzić wszystkie życiorysy w celu ustalenia, czy można te kobiety wykorzystać w kategorii B. Aby trafić do tej kategorii, należało nie mieć krewnych i w ogóle nikogo, kto prędzej czy później, zaniepokojony nieobecnością dziewczyny, rozpocząłby poszukiwania. Należało także nie mieć nic wspólnego z milicją i nie być notowaną. Prócz tego dziewczęta filmowane w kategorii B musiały spełniać jeszcze całe mnóstwo innych warunków.

Po przydzieleniu zadań Siemion wyruszył na lotnisko, gdzie miał powitać człowieka przybywającego na negocjacje. I mocno się tym denerwował: potrafił wyłożyć istotę sprawy kobietom, wiedział, jakie kłamstwo łatwo kupią, a kiedy lepiej powiedzieć prawdę. Z mężczyzną taką rozmowę miał przeprowadzić po raz pierwszy i bał się popełnić błąd. Chyba musi poprosić o pomoc Kotka. Dobrze, że w samochodzie jest telefon, a do lądowania samolotu pozostaje jeszcze godzina.

Kotek przyjechał taksówką i zdążył akurat w momencie, kiedy gość pojawił się w hali przylotów. Przybyły miał na imię Wład, był młody, malutki, około dwudziestu trzech lat, pochmurny, z żółtymi od nikotyny zębami. Wedle opinii specjalistów Wład był niezłym aktorem, miał dobrze opanowany warsztat, dawał sobie w żyłę od piętnastego roku życia i stale potrzebował pieniędzy. Dla Siemiona była to prawdziwa szansa i musiał zrobić wszystko, by ją wykorzystać.

– Nie mówi mi pan wszystkiego. – Wład pokręcił głową, nalewając sobie kolejną szklankę mineralnej. Wszyscy trzej siedzieli w małej prywatnej kawiarni obok budynku lotniska. Siemion pił kawę, Kotek pociągał piwo z puszki, a Wład, który od razu wypił dwa kieliszki wódki, zagryzając kurczakiem z rożna, teraz przeszedł na borżomi.

– Chcę zrozumieć, dlaczego nie może pan zatrudnić w swoim filmie zwyczajnego siedmioletniego chłopca. Dzieci świetnie grają, nie będzie pan miał żadnych problemów, tym bardziej że, jak zrozumiałem, robi pan film krótkometrażowy. Każdy chłopiec w wieku szkolnym byłby szczęśliwy, mogąc wystąpić w filmie choćby za darmo. A pan jest gotów zapłacić mi sporą sumę. Nie ukrywam, potrzebuję pieniędzy, ale chciałbym dokładnie wiedzieć, za co je otrzymam.

– Ja to wyjaśnię – rzekł miękko Kotek, czule patrząc na Włada. – Nie chcę zwykłego chłopca, potrzebny mi aktor, prawdziwy wielki aktor, który potrafi zagrać takie emocje, jakich dane jest doznać tylko nielicznym. To po pierwsze. Po drugie, potrzebuję aktora uzdolnionego muzycznie. Widzi pan, nasze studio robi filmy eksperymentalne; między innymi próbujemy uwypuklić grę aktorską specjalnie dobranym tłem muzycznym. Postępujemy inaczej, niż to się robi zazwyczaj – że po nakręceniu epizodu komponuje się podkład muzyczny. U nas muzyka powstaje najpierw i puszczamy ją w czasie zdjęć, co pogłębia emocje aktora, by jego gra stała się bardziej wyrazista. Chcemy, by aktor budował epizod odpowiednio do tła muzycznego. Niech pan sam powie, czy dziecko dałoby sobie z tym radę? A o panu słyszałem, że jest pan bardzo wrażliwy na muzykę i nawet sam pan kiedyś komponował.

„Ekstra! – zachwycił się w duchu Siemion. – Skąd on bierze takie słowa? Ja bym tak nie potrafił. Pewnie bym go namawiał, kusił forsą, której mu wystarczy co najmniej na rok, jeżeli nie zwiększy działki. Może bym go też postraszył, chociaż tego nie lubię. W każdym razie nie wywinąłby mi się. Może na haju, ale tak czy owak zawłókłbym go do studia. A Kotek działa czyściutko – paluszki lizać!"

Zaprowadzili Włada na kwaterę, gdzie wczoraj spakowała swoje rzeczy dziewczyna, która odpadła z „konkursu" i została odesłana do domu z zapewnieniem, że jej dane będą przedstawione jakiemuś solidnemu klientowi i szczęście uśmiechnie się do niej już wkrótce, może nawet w przyszłym miesiącu.

– Proszę się czuć jak u siebie. – Kotek gościnnie otworzył drzwi – i odpoczywać. Wieczorem przywiozę panu scenariusz, przeczyta go pan, wczuje się w rolę. Jutro spotkanie z reżyserem i aktorką. Pojutrze zdjęcia – i tego samego dnia wieczorem pan wyjedzie. Czy taki plan panu odpowiada?

– Całkowicie. A kiedy pieniądze? Bo umrę tu z głodu.

– Wyżywienie na koszt firmy. Proszę zajrzeć do kuchni, do lodówki – jest tam mnóstwo jedzenia. I jeszcze chciałbym pana uprzedzić o jednym. W ciągu tych trzech dni, które spędzi pan tutaj, o pańską działkę troszczymy się my. Dostanie pan wszystko, i to bezpłatnie. To jest część umowy. Ale i my mamy swoje zobowiązania wobec tutejszej mafii narkotykowej. Szczegóły są tu nieistotne, ale nikt nie powinien pana widzieć na ulicy. Czy to jasne?

– Nie bardzo, ale przyjmuję do wiadomości. Jestem człowiekiem zdyscyplinowanym.

– No to świetnie. Gdyby dzwoniono do drzwi, proszę nie otwierać. Ten, kto przyjdzie, powinien mieć własny klucz. Rozumiemy się? No, to do wieczora.

Znalazłszy się w samochodzie, Kotek przede wszystkim zadzwonił do sanatorium.

- Co słychać? Wszystko w porządku? Dokąd?!...
A gdzie wyście wtedy byli?... Do jasnej cholery z takimi
pieprzonymi głąbami!

Odwrócił się do Siemiona i już spokojniej powiedział:
- Zarip wyszedł do miasta, lezie za Kamieńską, pewnie
chce ją zaczepić. Sądząc po kierunku, w którym szła,
wybrała się na pocztę główną, żeby zadzwonić. Spróbujmy, może zdążymy go złapać. Ruszaj szybciej.

Siemion bez słowa zawrócił i wcisnął gaz do dechy.
- Skąd się wziął ten świr? - zapytał Kostia po chwili
milczenia. - Może nam wszystko zepsuć. Kto go wytrzas-
nął?

- Jak zwykle. Jest w naszej kartotece już pięć lat, od
czasu, gdy po raz pierwszy go zatrzymano za zaczepianie
kobiety w parku. Wtedy dostał szesnaście dni odsiadki,
a Żyrafa wziął go na oko i dyskretnie obserwował. Jak
zobaczył, że gość dojrzał, pokazał mu pornosy, najpierw
miękkie, później ostre. Jednym słowem, wszystko jak
zwykle. Ściągnął Doktora, poznał ich ze sobą, Doktor od
razu powiedział, że to schizofrenia, i poradził gościowi,
żeby nawiązał kontakt z nami. No i Żyrafa już go miał.
Kto mógł wiedzieć, że gość jest całkiem szurnięty. Chce
tylko dziewczynę z numeru 513 i koniec, żyć bez niej nie
może.

- Trzeba będzie opieprzyć Doktora. Mało czujny. No
dobra, Siemion, nie martw się, nie tyś tu zawinił. Jakoś
sobie poradzimy. Nie masz tam gdzie piwka?

- Pod tylnym siedzeniem jest skrzynka.

Kotek obrócił się ciężko, sięgnął, wyjął puszkę nie-
mieckiego piwa i zaczął chciwie pić.

- Kurde, kałdun od tego piwa mi rośnie jak na droż-
dżach - poskarżył się, gładząc spory brzuszek. - Brak mi
siły woli, wiem, że nie wolno, ale nie potrafię sobie odmówić. Zwolnij trochę, to chyba ona.

Rzeczywiście, była to Nastia. Wyjęła z torebki notes i długopis i starannie zapisywała godziny otwarcia rozmównicy na poczcie. I nie widziała, jak z ławki wstał i ruszył ku niej wolno chudy, zgarbiony mężczyzna o zapadniętych policzkach i niezdrowo błyszczących oczach. Czego jak czego, ale refleksu można było Kotkowi pozazdrościć. Rzucił do Siemiona:

– Bierz go! – po czym przeciął drogę Zaripowi i stanął za plecami Nasti, zasłaniając masywnym ciałem cały widok na wypadek, gdyby ta się teraz odwróciła. Ale Nastia nie odwróciła się. Zapisała godziny otwarcia, schowała notes i długopis i bez pośpiechu ruszyła główną ulicą. Kątem oka Kotek zobaczył, jak Siemion podskakuje do Zaripa, grzecznie bierze go pod łokieć i, z wyrzutem kręcąc głową, prowadzi do samochodu. Trzasnęły drzwi, zawarczał silnik i masażysta Kostia został sam na ulicy.

Marcew płakał. Niedobrze mu się robiło na myśl o własnej chorobie, o tym bagnie, w którym coraz głębiej się pogrążał. Opłacał już trzeci film tylko po to, by jakoś wytrwać, by zachować przy życiu tę kobietę, by nie rozbijać rodziny, nie ranić żony i córki. One tu przecież nic nie zawiniły! Zamiast matki zginęły już dwie dziewczyny. Jutro zginie trzecia. A ile dziewcząt oszczędził? Gdyby nie Damir z jego filmami, każdy atak kończyłby się zamordowaniem kolejnej niewinnej ofiary. Czyż to jego wina, że jest chory? Tak chciała natura, nic się na to nie poradzi. Można się ustrzec chorób serca, żołądka, wątroby, jeśli się prowadzi właściwy tryb życia. Można nie zostać alkoholikiem czy narkomanem. Ale jak nie zachorować na schizofrenię? Kto może dać na to odpowiedź? Jak uniknąć rozdwojenia osobowości? Boże, czy jest dożywotnio skazany na egzystencję w tym potwornym cyklu? Zabijać kobietę przed kamerą, potem, dla zapobieżenia atakowi, oglądać to kilka razy, przeżywając wciąż na nowo, potem, kiedy film przestaje działać, zabijać znowu... Sprzedał wszystkie cenne rzeczy, które zachowały się u matki i należały jeszcze do dziadka i pradziadka. Co to za szczęście, że rodzina jest szlachecka. Marcew ma co sprzedawać. A raczej miał. Pozostała tylko jedna rzecz. Nią opłaci ostatni film. A co dalej?

Jurij Fiodorowicz patrzył na tę najcenniejszą relikwię i przeklinał samego siebie. Ileż razy w dzieciństwie, a i we wczesnej młodości, spoglądał w te niezwykłe, smutne, wszystko wybaczające oczy i ogarniał go rzewny, jasny smutek, a po nim następował taki spokój! Jakby zanurzał się w tych oczach, jakby w nich płynął niczym w oceanie miłości i współczucia i wychodził na brzeg oczyszczony i pełen sił.

Nieraz mu proponowano, by ją sprzedał. Obiecywano niewiarygodne sumy, ale on stanowczo odmawiał. Zdawało mu się, że lepiej umrzeć, niż rozstać się z tym skarbem.

Dziś jednak sprzeda cudowną ikonę. Sprzeda ją, żeby opłacić morderstwo.


Nastia wróciła ze spaceru po Mieście i właśnie szła na swoje piętro, kiedy zatrzymał ją wysoki, ciemnowłosy młody mężczyzna o szczerej twarzy i rozbrajającym uśmiechu.

– Dzień dobry, jestem Paweł. Zauważyłem, że nie było pani na śniadaniu. Zaspała pani?

– Nie – spokojnie odrzekła Nastia. Jeżeli nie miała ochoty, wciągnięcie jej do rozmowy było absolutnie niemożliwe.

– Więc co? Dieta?

– Nie.

– No to już nie mam pojęcia! – Paweł teatralnym gestem złapał się za głowę. – A, domyślam się. Nie nocowała pani w sanatorium. Mam rację? Tylko proszę nie mówić „tak", bo złamie mi pani serce. Przez cały dzień zbierałem się na odwagę, żeby do pani podejść i się przedstawić, wreszcie się zdecydowałem, i masz ci los! Niech pani nic nie mówi, nie chcę słyszeć o moich szczęśliwszych rywalach. Zapraszam panią na obiad do restauracji. Pójdzie pani?

– Nie. – Nawet nie raczyła się uśmiechnąć. – Nie pójdę.

– Dlaczego? Jest pani zajęta? No to zapraszam panią na kolację.

– Nie, dziękuję. Niech pan będzie tak uprzejmy i zostawi mnie w spokoju.

– Zostawię. Ale pod jednym warunkiem: pani mi wytłumaczy, dlaczego nie chce pani iść do restauracji, a wtedy ja się odczepię. Zgoda? Usiądźmy tu, w holu, i porozmawiajmy.

Nastia posłusznie usiadła w fotelu, uchyliła drzwi balkonowe i wyjęła papierosy. Młody człowiek usiadł obok, dotykając kolanem jej biodra.

– A więc słucham. Dlaczego nie chce pani iść do restauracji?

– Po prostu nie chcę i już. A dlaczego pan uważa, że powinnam chcieć? Przecież gdybym się zgodziła, nie pytałby pan dlaczego. Prawda? Z tego wynika, że chcieć czegoś to rzecz normalna, a nie chcieć – nonsens, który należy wytłumaczyć. A w rzeczywistości jest akurat odwrotnie. Nigdy nie przyszło to panu do głowy?

– Nie... I w ogóle niezupełnie panią zrozumiałem.

– Cóż w tym jest niezrozumiałego? – Nastia zaciągnęła się głęboko i strząsnęła popiół na balkon. – Żyję według własnego rozkładu zajęć, mam ściśle zaplanowany cały dzień. Podchodzi do mnie zupełnie obcy człowiek i ni stąd, ni zowąd proponuje, żebym zmieniła swoje plany. Z jakiej racji? Żeby zjeść nadprogramowy posiłek? Mam dość pieniędzy, by nie głodować. Z powodu interesującego towarzystwa? Wątpliwe. Nie wygląda pan na ciekawego rozmówcę. Dla zabicia czasu? Ależ ja się wcale nie nudzę, a rozrywek nie potrzebuję. No więc pytam pana, czy naprawdę moja odmowa wydaje się panu taka bezsensowna, że domaga się pan wyjaśnień? Moim zdaniem, powinien pan być zdziwiony, gdybym się zgodziła, a nie odwrotnie. Uzyskał pan odpowiedź? No to proszę dotrzymać słowa.

– Jakiego słowa? – spytał ogłupiały Dobrynin.

– Niech mi pan da spokój. Pański kolega przynajmniej proponował mi pieniądze za to, żebym z nim porozmawiała. A pan na co liczy? Na swój nieodparty wdzięk?

Nastia wstała. Również tym razem pamięć jej nie zawiodła: Paweł siedział w jadalni przy jednym stoliku z bezczelnym kurduplem, który zaczepiał ją wczoraj na spacerze.

– Proponował pani pieniądze? – Paweł na chwilę zapomniał języka w gębie, po czym wybuchnął śmiechem. – Teraz rozumiem, dlaczego doradziła mu pani psychiatrę. Ach, ten Nikołasza! Święta naiwność!

Nastia odrobinę zmiękła. Sytuacja zaczęła się wyjaśniać i wydała jej się zabawna.

– Wygląda na to, żeście się panowie o mnie założyli. Zgadłam?

– Zgadła pani. – Paweł otarł łzy śmiechu. – Absolutnie niezwykła kobieta, która nie chce z nikim zawrzeć znajomości. Jakże tu nie spróbować swoich sił? Tylko proszę się nie obrażać, dobrze? Nie mieliśmy żadnych złych zamiarów. Sześć godzin salonowej konwersacji, to wszystko. Nawiasem mówiąc, postawiliśmy na panią każdy po dwieście tysięcy. Jeżeli wygram, dostanę od razu czterysta.

73

- A więc gracie we trójkę?
- Tak.
- A kim jest ten trzeci? Może powinnam zaczekać?
A nuż okaże się księciem z bajki?
- On już próbował panią poderwać.
- Z jakim rezultatem?
- Odrzuciła go pani, dumna i nieprzystępna.
- I któż to jest? Niech mi pan przypomni.
- Żeńka, taki sympatyczny blondyn. Pracuje w sanatorium jako elektryk.
- Ach tak, pamiętam. - Nastia umilkła, zapalając kolejnego papierosa. - I od dawna się panowie tak oryginalnie bawią?
- Drugi dzień. Zaczęliśmy dopiero wczoraj.
„A blondyn w barze był przedwczoraj. Coś się tu nie zgadza. Do licha, po co ja sobie nabijam głowę takimi głupstwami? Muszę pracować. Tłumaczyć. Wypoczywać. Leczyć się. A ja się ciągle zachowuję jak w Moskwie. Niech się chłopcy zabawiają, co mnie to obchodzi? Nawet jeśli ten elektryk ich w czymś oszukał, to nie moja sprawa..."
- No dobrze, drogi panie, niech pan spływa. Przykro mi, ale nie mogę panu pomóc w wygranej. Niech pan postawi na kogoś młodszego. Ze mnie już niewiele pożytku...
Nie zdążyła zrobić nawet dwóch kroków w stronę schodów, kiedy dosłownie wpadła na Damira. Był blady i zdenerwowany.
- Nastiu, nie mogłem cię znaleźć. Gdzie się podziewałaś? Chodźmy szybciej.
Nic nierozumiejąca Nastia ruszyła za Damirem.
- Gdzieś ty była? Szukam cię pół dnia.
- Spacerowałam po mieście. Dlaczego mnie szukałeś?
- Regina źle się poczuła, chciałem cię prosić, żebyś z nią posiedziała, szukam - a ciebie nigdzie nie ma. Sama

rozumiesz, że się zdenerwowałem. Wczoraj zachowałem się po świńsku, nie odprowadziłem cię do pokoju, a kiedy rano nie mogłem cię znaleźć – możesz sobie wyobrazić, jakie myśli przyszły mi do głowy.

– Aha, porwali mnie zamaskowani bandyci i sprzedali w niewolę. Damir, nie opowiadaj głupstw. Dokąd idziemy?

– Do mojego numeru.

– A Regina Arkadjewna? Przecież mówiłeś, że źle się czuje...

– Jest u niej pielęgniarka. A my musimy porozmawiać.

„Ki diabeł? Wszyscy chcą ze mną rozmawiać. Co się tu dzieje, u licha?"

Damir zajmował luksusowy dwupokojowy apartament na pierwszym piętrze, na końcu korytarza. Oprócz telewizora, lodówki i barku Nastia zauważyła na biurku aparat telefoniczny. „To rozumiem, prawdziwy luksus" – pomyślała z zawiścią.

– No więc rozmawiajmy. – Usiadła w niskim fotelu i ostrożnie odchyliła bolące plecy na oparcie. – Co mi chciałeś powiedzieć?

Damir otworzył barek, wyjął butelkę wytrawnego martini, wysokie szklanki, z lodówki wydobył lód.

– Dobrze zapamiętałem? Lubisz właśnie to?

– Dobrze. Jestem wzruszona. Ale może przejdźmy do rzeczy.

– Zaraz. – Wręczył jej szklankę. – Nie popędzaj mnie, nie jest mi łatwo powiedzieć to, co chcę. No więc... Kiedy rano nie mogłem cię znaleźć, najpierw strasznie się zląkłem, że coś ci się stało. A potem zląkłem się drugi raz, już z innego powodu. Domyślasz się, z jakiego?

– Nie.

W gruncie rzeczy Nastia domyślała się mniej więcej, co teraz usłyszy, ale postanowiła udawać, że nie wie, o co chodzi.

– Przestraszyłem się, bo zdałem sobie sprawę, że jestem w tobie zakochany bardziej, niż mógłbym się spodziewać. Zupełnie straciłem głowę. Za kilka dni wyjadę i może już nigdy się nie spotkamy. Ale ty możesz sprawić, że te dni będą najszczęśliwsze w moim życiu. A ja ze swej strony będę się starał, żeby przyniosły radość także tobie.

– A jak zamierzasz sprawiać mi radość? – zapytała z zaciekawieniem Nastia. – Będziesz mnie poić martini? A może masz w swoim arsenale coś jeszcze?

– Zrobię wszystko, co zechcesz. Jeśli chcesz – restauracje, jeśli chcesz – pojedziemy gdzieś na łono natury, na szaszłyki... Trudno mi proponować coś konkretnego, bo zupełnie nie znam twoich upodobań. Ale zrobię wszystko, co każesz.

– A zabierzesz mnie do opery?

– Do opery?

– Uhm. Na *Aidę* albo na *Trubadura*.

– Dowiem się, co idzie w najbliższych dniach w miejskim teatrze.

– Nie trudź się, ja już sprawdziłam. Tego, co mnie interesuje, nie ma. No dobrze, a umiesz grać w preferansa?

– Niestety, nie. A chcesz pograć?

– Tak w ogóle to nie bardzo, ale to mogłaby być jakaś rozrywka któregoś wieczoru. Przecież doskonale wiesz, że ani nie pójdę do restauracji, ani nie wybiorę się na zieloną trawkę. Po pierwsze, nie mam odpowiednich strojów, przyjechałam się tu przecież leczyć, a nie chodzić po knajpach. Po drugie, mam mało wolnego czasu, muszę skończyć przekład. Po trzecie, nie przepadam za przyrodą i piknik nie sprawiłby mi żadnej przyjemności. No, a co jeszcze możesz mi zaproponować?

– Anastazjo, kpisz sobie ze mnie, czy tylko mi się zdaje?

Damir ukląkł przy fotelu Nasti, ostrożnie wyjął jej z ręki szklankę, odstawił na stolik. Pod dotknięciem jego dłoni w duszy Nasti znów zaczął tajać lód, ale tym razem obserwowała samą siebie jakby z boku. Mimo zaciekłego sprzeciwu w jej głowie włączyła się aparatura analityczna.

Damir całował Nastię długo i umiejętnie, a ona odpowiadała mu z równą wprawą i gorliwością. „Przesadza – myślała, całym ciałem czując wewnętrzny metronom, kontrolujący sytuację. – Mężczyzna ogarnięty pożądaniem już powinien posunąć się dalej. A skoro on do tej pory cnotliwie trzyma ręce na moich plecach, to jest to wyraźne udawanie. Chyba że boi się mnie spłoszyć. A wobec tego to poważna sprawa. Widać, że naprawdę jestem mu do czegoś potrzebna. Liczę do dziesięciu. Jeżeli w tym czasie nic nie zrobi, to znaczy, że zupełnie się na mnie nie poznał i uważa, że jestem starą panną, którą trzeba długo nakłaniać. Po co takiemu pięknemu... cztery... mężczyźnie jak Damir... pięć... nieciekawa stara panna... sześć... skoro ma pieniądze... siedem... dużo przyjacióleczek... osiem... żadnych problemów z potencją... dziewięć... a poza tym umie tak wspaniale całować... dziesięć".

Nastia uwolniła się łagodnie z objęć Damira i sięgnęła po swoją szklankę.

– Dzięki, skarbie, twoje pocałunki były naprawdę upajające. A teraz może mi powiesz, w jakim celu to wszystko robisz?

– No, jak mam cię przekonać?! – wykrzyknął z rozpaczą Damir i wydał się przy tym Nasti całkowicie szczery.

77

– Zostawmy to na razie. Chcę ci pokazać swoją pracę. Regina jeszcze jej nie widziała. Chcesz zobaczyć?

Podłączył do telewizora magnetowid i włożył kasetę.

– Mamy nieprzewidziane komplikacje. Zniknął Zarip. Siemion, kiedy go widziałeś ostatni raz?

– Przywiozłem go z miasta i zostawiłem w pawilonie. Wytłumaczyłem, że nie wolno mu nigdzie wychodzić, bo wszystko popsuje. Wydawało mi się, że zrozumiał.

– O której to było?

– Około pierwszej po południu. Jakieś piętnaście po.

– A potem ktoś do niego zaglądał?

– Chemik zaniósł mu obiad, to było o trzeciej. O wpół do czwartej przyszedł Kotek, a Zaripa już nie było.

– Zrobimy tak. Maksymalnie przyśpieszamy pracę. Z Assanowem zaczynamy kręcić już dziś. Uprzedźcie go. Dziewczęta są?

– Czekają.

– Gdzie Damir?

– U siebie.

– Dlaczego nie tu?

– Jest u niego Kamieńska.

– Ach tak... Kamieńską pokierować tak, żeby była na widoku. Nie spuszczać z niej oka, dopóki nie znajdziemy tego zboczeńca Zaripa. Damirowi powiedzcie, że dziś trzeba wykonać zamówienie Assanowa. Co z Marcewem?

– Aktor jest gotów.

– Świetnie. Jutro od rana – zamówienie Marcewa i do domów.

– A Zarip? Co z jego zamówieniem?

– Zamówienia Zaripa nie wykonamy.

Damir odłożył słuchawkę i zmartwiony spojrzał na Nastię.

- Wybacz, muszę jechać. Przyleciałem do Miasta w interesach, nie wolno mi o tym zapominać. Nie gniewasz się?

- Cieszę się, że wreszcie usiądę do pracy. Dziś od rana nie przetłumaczyłam ani linijki. Więc bardzo dobrze się składa.

- Mogę do ciebie zajrzeć, jak wrócę? Mam nadzieję, że nie będzie zbyt późno.

- Zajrzyj.

Nastia cmoknęła go w policzek.

- Chodźmy, odprowadzę cię. A przy okazji wstąpię do Reginy i dowiem się, jak ona się czuje.

Regina Arkadjewna była w świetnej formie, jeśli nie liczyć bolącej nogi, na którą nie mogła nawet stąpnąć.

- Co za diabelstwo - burczała gniewnie. - Starucha zdrowa jak rydz, serce jak dzwon i proszę - jestem zupełnie unieruchomiona. Ani zaparzyć herbaty, ani dojść do łazienki. Cóż, jesień. Pogoda zmienna, ciśnienie skacze, to ciepło, to przymrozki - a moja nóżka jak głupia posłusznie na wszystko reaguje.

- Będę teraz pracować, Regino Arkadjewno, nigdzie nie wychodzę, więc jak tylko będzie pani czegoś potrzebowała, proszę zastukać w ścianę, a ja zaraz przyjdę - zaproponowała Nastia.

- Dziękuję, Nastieńko, jest pani bardzo dobra.

W studiu przygotowywano się do zdjęć. Assanow zażyczył sobie, żeby najpierw nakręcić kategorię B, co pomoże mu wejść w nastrój. Siedział w kącie na kanapie i próbował nawiązać rozmowę z Wieroczką, swą ładniutką filmową partnerką.

Już raz robił z nią film i był bardzo zadowolony. Dziewczynka jednak siedziała nachmurzona, w milczeniu gryzła orzechy wyciągane z kieszeni kurtki i nie zwracała na starego uwagi.

– Nie jesteś malowaną lalą – powiedział z niezadowoleniem Assanow. – Jesteś aktorką, więc bądź uprzejma nastroić się na zdjęcia, bo inaczej nic z tego nie będzie. Nie możemy robić w nieskończoność dubli, sama to przecież rozumiesz.

Nagle Wiera wypadła ze studia i pognała w dół po schodach dwupiętrowej willi. Za nią popędził chłopak w okularach, który pomagał ustawiać aparaturę. Dogonił Wierę między drugim a pierwszym piętrem, w milczeniu objął za ramiona i poprowadził do pustego pomieszczenia, które kiedyś najwyraźniej było pokojem dziecinnym.

Dziewczynką wstrząsały bezgłośne łkania.

– No, malutka, czemu się tak denerwujesz? To przecież nie pierwszy raz. Pocierp troszkę, sama wiesz, że to długo nie trwa, jak się dobrze postarasz, jeden dubel i już. Jakieś trzydzieści minut. No?

– Już więcej nie chcę – powtarzała Wiera, zachłystując się łzami. – On jest ohydny, stary. Po ostatnim razie śniło mi się przez dwa miesiące, że obmacuje mnie swoimi pomarszczonymi łapami. Z innymi przynajmniej nie było tak obrzydliwie. A ten... Nie mogę na niego patrzeć.

– Wieroczka – rzekł błagalnie chłopak w okularach – a co będzie z nami? Przecież się kochamy, prawda? Chcemy być razem. A według prawa musimy czekać jeszcze cztery lata. Całe cztery lata! Oszalejemy, zanim te cztery lata miną. Przecież zrobiliśmy to wszystko, żeby uskładać pieniądze i wyjechać za granicę, gdzie będziemy żyć razem i gdzie nikt nie zapyta, ile masz lat. Zapomniałaś? Tyle forsy już zebraliśmy, trzeba tylko jeszcze trochę wytrzymać. No, moja malutka – zaczął ją czule całować – no, moja śliczna, skup się, wejdź w nastrój. Chcesz, to poproszę Damira, żeby dał tamtą muzykę, pamiętasz? Tę, której słuchaliśmy w niedzielę u mnie w domu i było nam tak dobrze. Będziesz słuchać muzyki i myśleć o mnie. A ja będę stać niedaleko. Otworzysz oczy i mnie zobaczysz. Jakbym to ja cię pieścił. Co? Chodźmy, słoneczko, chodź, moja mądralinko, to dla naszego szczęścia.

– Ale dlaczego nie można mu odmówić? – krzyknęła z rozpaczą Wiera. – Dlaczego koniecznie ja muszę realizować jego zamówienia?! Są przecież inne dziewczynki!

– On innych nie chce, chce właśnie ciebie.

– A jeżeli ja nie chcę? Innych klientów mogę jakoś znieść, ale ten...

– Co, zapomniałaś, kim jest twój dziadek? – Głos chłopaka stał się ostry. – Jeżeli klient się rozzłości, to koniec. Wyda nas i twój dziadek mnie po prostu załatwi. Tego właśnie chcesz?

– Dobrze, chodźmy. – Wiera westchnęła tak rozpaczliwie, że cynicznemu Chemikowi ścisnęło się serce.


Zarip snuł się samotnie po części mieszkalnej sanatorium w nadziei na spotkanie jasnowłosej piękności. Dość mętnie sobie wyobrażał, co zrobi, jak ją znajdzie. Może podejdzie i od razu wyzna jej miłość? Ona się nie oprze, żadna kobieta nie może się oprzeć, kiedy otwarcie wyznaje się jej swoje uczucia. Albo przedstawi się jej jako reżyser filmowy i zaproponuje zagranie w filmie. Wszystkie kobiety chcą być aktorkami, każda marzy, że pewnego pięknego wieczoru podejdzie do niej na ulicy znany reżyser i zaproponuje rolę. On dobrze to wie, piszą o tym we wszystkich książkach. A może postąpi inaczej. Zwabi ją w jakieś ustronne miejsce, choćby do swego pawilonu, obieca kupę pieniędzy jak luksusowej prostytutce, zacznie się z nią kochać i zrobi to, o czym tak dawno marzy. Tak, będzie ją dusić, dusić długo, rozkosznie, całym ciałem czując jej ostatnie drgawki... Ach, jak będzie wspaniale! Tylko gdzie jej szukać? Zapytać, w którym pokoju mieszka? Przecież nawet nie zna jej imienia. A poza tym lepiej, żeby nikt go sobie nie przypomniał, kiedy ją znajdą uduszoną.

Mama mówiła Zaripowi w dzieciństwie, że jest głupkiem i kobiety nie będą go kochać. A to nieprawda! Jeszcze jak kochają! Dlatego że jest silny i piękny; mówiły to wszystkie kobiety, które mu się oddawały. Co prawda, wszystkie były starsze od niego, grube, śniade, brzydkie, niektóre – pijane. Ale kochały go! A on marzył o młodej kobiecie, szczupłej, zgrabnej, białoskórej. I znalazł ją. Więc czyż może zrezygnować? Nie, nie, po trzykroć nie. Będzie się snuł jak cień po tych korytarzach, póki jej nie znajdzie.

Niedługo kolacja. Zarip wyjdzie na zewnątrz i będzie obserwował jadalnię przez okno. Ona na pewno przyjdzie na kolację, a on ją tam wyśledzi.


Nastia usłyszała szczęk klamki w pokoju Reginy Arkadjewny i zaraz potem zastukano do jej drzwi. Przyszedł Konstantin, chłopak, do którego chodziła na masaż.

– Przepraszam, pani jest Nastia? – Uśmiechnął się szeroko. – Mam na imię Konstantin, jeśli pani pamięta, jestem pani masażystą.

– Oczywiście, że pamiętam. Proszę wejść.

– Ja na sekundę. Byłem teraz u pani sąsiadki, oglądałem jej nogę. Jest już dużo lepiej, jutro będzie mogła chodzić. No więc prosiła, żebym wstąpił do stołówki i powiedział kelnerce, by przyniesiono jej kolację do pokoju. A przy okazji kazała mi spytać, czy nie dotrzymałaby jej pani towarzystwa.

– Nie, dziękuję, zejdę do jadalni – odrzekła zimno Nastia. No proszę, zaczyna się, pomyślała. Stara na wszelkie sposoby usiłuje zrobić sobie ze mnie damę do towarzystwa. Najpierw udawała delikatną, a jak tylko znalazła pretekst, gotowa wleźć mi na głowę.

– Przepraszam, to nie moja sprawa, ale Regina Arkadjewna rzeczywiście nie może nawet wstać. Ma bardzo ograniczoną swobodę ruchów i może sobie po prostu nie poradzić z jedzeniem.

Nasti zapłonęły policzki. „Jesteś świnią, świnią bez serca" – powiedziała sobie w duchu, zła na siebie.

– Oczywiście, pójdę do niej. Niech pan poprosi, żeby przyniesiono także moją kolację.


Przy kolacji starsza pani była milcząca, nie zamęczała Nasti rozmowami, za co ta była jej w głębi duszy wdzięczna.

– Coś panią gryzie, Regino Arkadjewno? – odważyła się spytać.

– Owszem. Wieczna zależność od pieniędzy. – Starsza pani roześmiała się nagle. – Proszę mnie dobrze zrozumieć. Jestem stara. A poza tym jestem inwalidką. Czyż nie mam prawa do tego, by godnie spędzić resztę życia? Zawsze byłam kulawa i wstydziłam się tego. Poza tym przez połowę życia wstydziłam się swojej twarzy. Damir pani opowiadał?

Nastia przytaknęła.

– Gdybym w młodości miała pieniądze, wszystko byłoby inaczej, ale nie o tym chcę teraz mówić. Co było, a nie jest, nie pisze się w rejestr. Ale teraz, kiedy wreszcie mam pieniądze, kiedy zna mnie, mówiąc bez żadnej przesady, całe Miasto, i tak nie mogę znaleźć sobie odpowiedniej towarzyszki, żeby nie czuć się niedołężna i nie być ciężarem dla otoczenia. Mam obecnie, Nastieńko, dużo pieniędzy, surowy ze mnie babsztyl – znów się zaśmiała, lekko i zaraźliwie – od czasu, jak kilku moich uczniów zdobyło międzynarodowe uznanie, rodzice z dziećmi walą do mnie drzwiami i oknami, żebym i z ich latorośli zrobiła mistrzów. A za prywatne lekcje biorę dużo. Nie dlatego, że jestem chciwa, Nastieńko, ale dlatego, że nie chcę być nikomu ciężarem. To tylko tutaj, w sanatorium, jestem bez telefonu i z dala od ludzi, dlatego muszę zawracać pani głowę, ale gdybym była teraz w domu, wystarczyłoby gwizdnąć! Przybiegają i młodzi, i starzy, i ugotują, i zrobią pranie, i podadzą, i do toalety zaprowadzą pod rączki, bo wiedzą, że dobrze zapłacę. Nie znoszę, jak wyświadcza mi się przysługi z litości! Ale czasem tak sobie myślę: a gdybym nie miała tych prywatnych lekcji? Co by się ze mną stało? Niestety, kochanie, z przykrością stwierdzam, że nasze życie nie sprzyja podtrzymywaniu i umacnianiu poczucia własnej godności. Czy nie mówię zbyt niejasno?

– Chyba nie. W każdym razie ja wszystko zrozumiałam. Jeżeli przykro pani, że wyświadczam pani przysługę bezpłatnie, i to obraża pani poczucie godności osobistej... Właściwie zrozumiałam pani słowa?

– Jest pani mądra, Nastiu, nie sposób pani tego odmówić. A więc?

– Proszę mi dać kiść winogron. Są tak piękne, że nie mogę oderwać oczu. I na pewno pyszne.


– Namówiłem ją, żeby na czas kolacji zaopiekowała się chorą sąsiadką, niech okaże szlachetność. Najważniejsze, że nie poszła do jadalni. Ale jak ją utrzymać w numerze przez cały wieczór?

– Żeby chociaż Damir prędzej wrócił. Nie dzwoniłeś do studia?

– Dzwoniłem. Zaczęli kręcić drugie zamówienie, kategorię B. Muszę już tam jechać, a tutaj ten Zarip...

- Sprawdź jeszcze raz na terenie. Może zagląda przez okno do jadalni. Do niego wszystko podobne, fuj, co za zwyrodniały dżygit.

- Zaraz sprawdzę.

Wład usłyszał zgrzyt klucza w zamku. Zeskoczył lekko ze stołka w kuchni i wyjrzał do przedpokoju. Obok Siemiona stała ładna dziewczyna z falującymi kasztanowymi włosami, w jasnoszarej skórzanej kurtce, niedbale zarzuconej na surową, nieco staromodną sukienkę.

- Poznajcie się. Swieta, to jest Wład, twój partner zdjęciowy. Zagęściliśmy trochę grafik, żeby was szybciej zwolnić. Kręcić będziemy jutro rano, więc dzisiaj przygotujcie się, jak należy.

Siemion otworzył dyplomatkę, wyjął magnetofon i kilka kartek maszynopisu.

- Tu macie scenariusz. Wszystko jest bardzo proste, sami się przekonacie. Najważniejsze to oprawa muzyczna. Tobie, Wład, już tłumaczyliśmy, o co chodzi. Muzyka trwa dokładnie trzydzieści minut, akcja musi się zmieścić w tym czasie. Zwracajcie uwagę na zbliżenia. Zazwyczaj takie przygotowanie odbywa się w obecności reżysera, ale skoro Wład jest zawodowym aktorem, to myślę, że poradzicie sobie sami.

- Poradzimy - burknął Wład, znów siadając na stołku.

- Naprawdę jesteś zawodowym aktorem? - zapytała z ciekawością Swieta, kiedy za Siemionem zamknęły się drzwi.

- A co, nie wyglądam? Myślisz, że niscy nadają się tylko do cyrku? - rzucił ze złością zapytany. - Chcesz herbaty?

- Poproszę - odrzekła ugodowo Swietlana. - Czego się złościsz? Co to, już nie można zapytać? Po prostu nigdy w życiu nie widziałam takiego małego faceta.

– No to teraz zobaczyłaś. Bierzmy się do roboty. Przynieś magnetofon, zobaczymy, co oni tam wypichcili.

Im dłużej słuchali kasety, tym bardziej nieswojo zaczynał się czuć Wład. Jeszcze nie czytał scenariusza i próbował wyobrazić sobie treść filmu na podstawie ilustracji muzycznej. Pod powierzchnią oszukańczo pięknego, subtelnego tematu przewodniego dawało się wyczuć narastające napięcie, które zmieniało wszechogarniającą miłość w morderczą nienawiść, szukającą natychmiastowego ujścia, zniszczenia, zagłady.

Swietłana słuchała nieuważnie, rozglądając się po ścianach zawieszonych kuchennymi szafkami, piła herbatę, pogryzała herbatniki. Kiedy muzyka dobiegła końca, Wład nacisnął klawisz przewijania.

– Jeszcze nie masz dosyć? – zapytała kpiąco dziewczyna.

– Czytałaś scenariusz? – odpowiedział pytaniem Wład, unikając odpowiedzi.

– Niee – przeciągnęła beztrosko Swieta. – A po co? I tak mi powiedzieli, że to o kompleksie Edypa. Mamusia wymyśla syneczkowi, a ten z zemsty chce ją zgwałcić. Brrr, co za obrzydlistwo. – Skrzywiła się ze wstrętem. – Ale z tobą to może być nawet ciekawe. Nigdy nie próbowałam z liliputem.

– Zamknij się, głupia – przerwał jej ordynarnie Wład. – Swoje dowcipy zachowaj dla ogierów. Musimy się wziąć do pracy.

Swieta ze zdziwieniem spojrzała na partnera, podeszła, objęła go i macierzyńskim gestem przytuliła jego głowę do piersi.

– Hej – powiedziała ciepło – facet! Nie kłóćmy się, co? Ledwieśmy się poznali i już sobie wymyślamy. Skoro mamy się bawić w mamusię i synka – to się bawmy. A właśnie, powiedzieli ci, po co im takie durne filmy?

- Mówili, że kręcimy film szkoleniowy dla instytutu psychiatrii.

Wład zamknął oczy i przywarł twarzą do jej miękkiej piersi, wdychając ciepły zapach ciała i perfum.

„A mnie – pomyślała Swieta – powiedzieli całkiem co innego. Że to będzie zwyczajny pornos dla amatorów takiej perwersji. I specjalnie uprzedzili, żebym mu o tym wcześniej nie mówiła. Wygląda na to, że mieli rację. Ten Wład jest taki zły i zakompleksiony, że z przestrachu może zawalić sprawę. To przecież narkoman. Jutro przed zdjęciami wstrzyknie sobie działkę – i wszystko pójdzie jak po maśle. Nawet nie pomyśli o tym, że jest taki malutki".

Wład przebiegł wzrokiem scenariusz, potem przeczytał go uważniej. Grubas, który był z Siemionem na lotnisku, nie kłamał: żadne dziecko nie byłoby w stanie zagrać takiej rozdzierającej serce mieszaniny miłości i nienawiści. Scenariusz nie był literacki, lecz reżyserski, zaznaczono w nim dokładnie dalsze i bliższe plany, zbliżenia, najazdy kamery. Teraz trzeba było spróbować połączyć treść z muzyką.

Włączył magnetofon i zaczął czytać tekst, robiąc na marginesach uwagi ołówkiem. Swieta patrzyła na niego z szacunkiem, starając się nie przeszkadzać. Wsłuchała się w muzykę – ładna, nawet podniecająca. Przy takiej muzyce przyjemnie będzie chyba... Nie zdążyła dokończyć myśli, kiedy Wład podniósł głowę i jakoś krzywo się uśmiechnął.

- No to zróbmy próbę. Siedzimy przy stole, ty nalewasz herbatę i pytasz mnie, co w szkole.

- Ale co mam mówić?

- Patrz w tekst, wszystko masz napisane. Uważaj na notatki na marginesach, tam jest wyliczony czas w minutach. Kładę na stole zegarek, pilnuj, żeby wszystko zgadzało się w czasie.

- Cholera, po co takie komplikacje? - Swieta z niezadowoleniem potrząsnęła ładną główką.

- Rób, co ci mówię. - Głos Włada znów stał się ostry i Swieta umilkła. - Akcja jest rozpisana pod tło muzyczne, kapujesz? Zaczynamy.

Zrobili kilka prób, kończąc na dwudziestej czwartej minucie.

- Zostało jeszcze trochę muzyki - zauważył Wład. - Pewnie na napisy, jak myślisz?

- Pewnie tak. - Swietłana wzruszyła ramionami. Ona akurat wiedziała, co będzie się dziać przez pozostałych sześć minut, i zbytnio się tym nie przejmowała.

- Nie wiesz, kto skomponował muzykę? Jest bardzo dobra, możesz mi wierzyć. Znam się na tym.

- Nie wiem. A zresztą co za różnica? Ja się w ogóle nie rozumiem na muzyce, znam co najwyżej hard rock, heavy metal i kawałki, które grają w knajpach. Wielka mi rzecz, muzyka w krótkometrażówce!

- Nie gadaj - powiedział w zamyśleniu Wład. Rzeczywiście umiał nie słuchać, ale słyszeć muzykę, a pod działaniem narkotyków jego wrażliwość jeszcze się wyostrzyła. Ta muzyka była niezwykła i skomponował ją nieprzeciętny talent, za to Wład mógłby dać głowę. Pozostałych sześć minut, na które nie starczyło akcji, mocno go niepokoiło.

- Kiedy mają po ciebie przyjechać? - zapytał Swietłanę.

- Powiedzieli, że o dwunastej. Jeśli nie przyjadą do piętnaście po dwunastej, to znaczy, że mam nocować tutaj. Mają tam jakieś problemy, z remontem czy z benzyną.

- I niby jak mamy tu razem nocować? - spytał podejrzliwie Wład i oczy błysnęły mu niedobrym światełkiem.

- W mieszkaniu jest jeden pokój, a w pokoju jeden tapczan.

– Oj, nie wygłupiaj się, przecież cię nie zjem. Położę się na podłodze, skoro jesteś taki strachliwy.

„Słusznie mnie ostrzegali. On się normalnych kobiet boi jak ognia. Pewnie całe życie przeżył z liliputami, i ja dla niego jestem prawdziwym Guliwerem. Ale jaja: pierwszy raz w życiu chłop się boi zostać ze mną na noc. Jak ja sobie z nim jutro poradzę? A zresztą to nie moje zmartwienie. Jakoś to będzie".


– Znaleźliście Zaripa?

– Jeszcze nie. Aleśmy się wpakowali: po sanatorium spaceruje psychopata, polując na babę z wydziału kryminalnego, a my nawet nie możemy się zwrócić do milicji. Jeżeli go złapią, wsypie nas wszystkich.

– Są jakieś propozycje? Myśl, Kotek, myśl, licznik bije, liczą się minuty. Co tam w studiu?

– Kończą. Siemion pojechał tam godzinę temu. Jeżeli wszystko pójdzie gładko, niedługo wrócą obaj z Damirem. Żeby tylko Kamieńska przesiedziała w numerze do ich powrotu, to potem Damir weźmie ją na siebie. Ona mu chyba je z rączki.

– Nie podoba mi się to. Może jest akurat odwrotnie, może to Damir je jej z rączki. Nie pomyślałeś o tym?

– Może, ale chyba raczej nie. Ona go nie szukała, sam za nią latał.

– A jeśli to tylko pozory? Złudzenie optyczne? Ona jest wystarczająco inteligentna, żeby skłonić interesującego ją człowieka, by się za nią uganiał. Ale tak czy owak, co zrobić z Zaripem?

– Musimy czekać. Mamy kilku wolnych ludzi, mógłbym ich tu wezwać, żeby pomogli w poszukiwaniach, ale Zaripa znają z twarzy tylko Siemion, Damir, no i ja. Nikt więcej go nie widział.

- A jeżeli strzeli jej do głowy, żeby się wybrać przed snem na spacer po ciemnym parku?

- To może nie byłoby takie złe. Jeśli Zarip ją wyśledzi, to go złapiemy. Przecież będziemy w pobliżu, nigdzie jej samej nie puścimy. Najważniejsze, żeby niczego nie zauważyła.

- I to jest właśnie najtrudniejsze. Dziewczyna jest spostrzegawcza i słuch też ma chyba dobry. Zrób, co tylko się da, Koteńku. W tobie cała nadzieja. Siemion i Damir nie domyślają się, że ona jest z milicji?

- Nie powinni. Jeżeli, oczywiście, ona sama nie przyzna się Damirowi.

- Nie daj Boże, Kotek. Nie daj Boże.


Nawet wyszorowana do połysku i ubrana w czystą sukienkę, dziewczynka nie wyglądała na niewinnego aniołka. Oczy miała przebiegłe, a słownictwo – że uszy trzeba było zatykać. Z niejednego pieca chleb jadła, odkąd rok temu porzucili ją zapijaczeni rodzice. Przez ten rok nauczyła się zdobywać sobie żywność, obsługując pasażerów w męskich toaletach na dworcach, i to tak zręcznie, że ani razu nie zatrzymała jej milicja. Nie zagrzewała długo miejsca na jednym dworcu, jeździła na gapę z miasta do miasta.

W Mieście znalazł się dobry facio, który obiecał ją nakarmić, dać forsy i na dodatek kupić nowe ciuchy, jeśli dziewczynka obsłuży jego kumpla, i to nie w brudnej, śmierdzącej dworcowej ubikacji, ale w ładnym, czystym pokoju. A czyż to nie wszystko jedno? Oczywiście skłamała, że ma już czternaście lat, żeby facet się nie przestraszył, że małolata, i nie dał dyla. Tak naprawdę dopiero niedawno skończyła dziesięć i widziała, że gość jej nie uwierzył. No i dobra. Ważne, żeby wyłożył kasę. Wczoraj wsadził ją do samochodu, zawiózł do jakiejś łaźni, kazał się porządnie umyć, a potem pozwolił jej popływać w ogromnym basenie. Ale było ekstra! Obiecał jej jeszcze kupić legginsy, długi czerwony sweter do kolan i błyszczącą klamerkę do włosów. A do „roboty" kazał włożyć jakąś dziwną czarną kieckę do pięt, widziała takie w filmach kostiumowych.

– Chodź tu – przywołał ją przystojny, wysoki mężczyzna o ciemnych oczach i miłym uśmiechu. – Odegramy scenkę. Widzisz ten krzyż na ścianie?

Kiwnęła głową, z ciekawością rozglądając się dokoła. W pokoju było pełno rozmaitej aparatury, jakieś lampy, kable, ale to jej nie przeszkadzało. Skoro można na dworcu pośród tobołów, walizek i przesypujących się pojemników na śmieci, to czemu nie można wśród lamp i kabli?

– Widziałaś kiedyś, jak ludzie się modlą? Składasz ręce o, tak, klękasz, patrzysz na krzyż i szeptem powtarzasz jakiś wierszyk. Rozumiesz?

– Rozumiem. – Natychmiast zrobiła wszystko tak, jak jej kazano.

– Mądra z ciebie dziewczynka. Jesteś urodzoną aktorką – pochwalił ją ciemnooki. – Teraz słuchaj, co będzie dalej. Do pokoju wejdzie starszy mężczyzna, to twój ojciec. Wiesz o tym tylko ty, on – nie. Nie powiedzieli mu. Myśli, że jesteś po prostu ładną dziewczynką, pokochał cię i chce się z tobą ożenić. A ty przecież wiesz, że nie wolno się żenić z własną córką?

– Wiem, jasne. Dzieci potem będą potworami.

– Bardzo dobrze. Dlatego kiedy on będzie cię prosić, ty będziesz mu odmawiać.

– A może mu powiedzieć, że jest moim tatą? Wtedy od razu się odwali – zaproponowała rzeczowo dziewczynka.

– Właśnie o to chodzi, że nie wolno. To taka gra. Ty mu odmawiasz, ale przecież go kochasz, chcesz mu zrobić przyjemność. Wyjść za niego za mąż nie możesz, ale całą resztę możesz, prawda?

– Jasne – odparła z przekonaniem mała, która w ogóle miała dość mętne wyobrażenie o takich kategoriach jak „wolno" czy „nie wolno". – Postaram mu się zrepo... zrekpo... zrekompensować – wymówiła z trudem niedawno usłyszane słowo – żeby się nie martwił, że nie może się ożenić.

– Wspaniale! – mężczyzna wyraźnie był bardzo zadowolony. – Jesteś niezwykle bystrą dziewczynką, po prostu wyjątkowo. No to zaczynamy.

Dziewczynka robiła wszystko, jak jej kazano. Uklękła i złożywszy ręce, z zamkniętymi oczyma, wyrecytowała w myślach całą piosenkę o Ksiuszy w spódniczce z pluszu. Potem pojawił się starzec, który udawał jej ojca i mówił o miłości. Dziewczynka pokrygowała się trochę dla picu, po czym lubieżnie oblizała usta, podeszła do starca i zaczęła rozpinać mu spodnie. Stary wcale nie był obrzydliwy, o wiele lepszy niż pijani, brutalni faceci na dworcach, od których zawsze śmierdziało alkoholem i spróchniałymi zębami.

Robiła wszystko jak zwykle i w pierwszej chwili nawet nie zrozumiała, dlaczego starzec nagle złapał ją za włosy i uderzył w twarz. Może sprawiła mu ból? A jeżeli przez to jej nie zapłaci?

Z trudem podniosła się na nogi i strząsając łzy z rzęs, przywarła do starca, obejmując go rękami.

– Ty szmato! – krzyknął stary. – Mała dziwko! Łachudro!

Dalej po prostu przestała rozumieć, co się dzieje. Starzec wrzeszczał na nią, bił ją pięścią po twarzy, smagał nie wiadomo skąd wyciągniętą dyscypliną. Ostatnią rzeczą, jaką zobaczyła mała bezdomna w swym krótkim, rozwiązłym życiu, był wzniesiony do ciosu nóż i ogromne, straszne oczy starca...

- Dziewczynkę do piwnicy, zdjęcia wyczyść i podłóż dźwięk - polecił Siemion chłopakowi w okularach noszącemu ksywkę Chemik. - I przygotuj wszystko na jutro do nowych zdjęć, zaczynamy o ósmej. My z Damirem musimy wracać. Poradzisz sobie jakoś bez naszej pomocy.

- Dobra - mruknął z niezadowoleniem Chemik. - Do brudnej roboty zawsze ja.

Siemion podszedł do niego blisko i mocno ścisnął za ramię.

- Nie żartuj tak więcej, przyjacielu. Każdy u nas dostaje za to, za co mu się należy: Damir za talent, ja za ryzyko, ty za brudy. Jakby co, ty zarobisz najmniejszy wyrok. Nam grozi czapa, a ty przynajmniej zostaniesz przy życiu. My organizujemy, a ty tylko sprzątasz. Kumasz?

- Dobrze już, dobrze. - Chemik wyrwał się gwałtownie z rąk Siemiona. - Nie opowiadaj mi tu bajek. Jeżeli ty i Damir macie dostać czapę, to co dostałby wasz Makarow? Nad czapą już nie ma nic.

Siemion spojrzał na chłopaka złym wzrokiem i wyszedł bez słowa. Trzeba będzie z nim poważnie porozmawiać, ale to już innym razem. Teraz nie ma czasu.


Zostawili samochód przy pawilonie i jeszcze raz sprawdzili - pusto, nie ma Zaripa. Wolno, ostrożnie, starając się nie przechodzić pod latarniami, Siemion i Damir Ismaiłow ruszyli w stronę głównego budynku sanatorium. Nagle Damir schwycił Siemiona za rękę.

- To ona!

Na schodach mignęła szafirowa kurtka i znikła za rogiem.


Nastia chciała przed snem odetchnąć świeżym powietrzem, a przy okazji zastanowić się nad swoim postępowaniem. Na przykład jak ma się zachować, jeżeli przyjdzie do niej Damir. Oczywiście bardzo kusząca była myśl, by ulec jego namowom, zapomnieć o wszystkim i rzucić się z głową w krótkotrwały romans. Ale co z tego będzie miała? Rozrywkę? Ona rozrywek nie lubi. A tego, co jej sprawia przyjemność, Damir jej dać nie może. Łóżko? Nudne. Z pewnością jest dobrym kochankiem, nawet bardzo dobrym, ale co z tego? Będzie w jej życiu o jednego dobrego kochanka więcej. Też mi wielka zdobycz. Nastia pomyślała, że może nie ma szczęścia w życiu, ale na pewno nie dotyczy to mężczyzn. Było ich niewielu, ale żaden jej nie rozczarował. I w ogóle całkowicie wystarcza jej Loszka. Co jeszcze może dostać od Damira? Piękne słowa? Loszka nie używa pięknych słów, fakt, ale Nastia ich nie potrzebuje, jest zbyt wielką racjonalistką, by wierzyć słowom i zwracać na nie uwagę.

Nagle poczuła się nieswojo. Jakby ktoś wbijał wzrok w jej plecy. Wzruszyła ramionami i powróciła do swych myśli.

Z drugiej strony, Damir może być interesującym rozmówcą. Szkoda, że nie udało jej się obejrzeć do końca filmu, który jej pokazywał. Był to film o niewidomym starcu, który obcuje ze światem zewnętrznym za pośrednictwem dźwięków. Wnuk opisuje mu różne przedmioty, obrazy, zjawiska przyrody, a starzec mówi: „Nie rozumiem. Zagraj mi to". Wnuk uczy się grać najpierw na pianinie, potem na skrzypcach, jego muzyczne opisy stają się coraz barwniejsze, bardziej obrazowe, aż wreszcie starzec mówi: „Widzę to". Co było dalej, Nastia się nie dowiedziała, ale w pełni doceniła mistrzostwo, z jakim zrobiono film – genialną reżyserię, interesującą muzykę i wspaniałą grę. Gdyby można było ograniczyć kontakty z Damirem do omawiania jego prac, byłoby po prostu wspaniale, byłoby to akurat to, czego jej trzeba: Nastia mogłaby analizować wszelkie niuanse, wyciągać wnioski. Ale to śmieszne liczyć, że on na to przystanie.

Coś przeszkadza jej myśleć. Jakieś obce odgłosy czy co? Zatrzymała się, zaczęła nasłuchiwać. Nie, wszędzie cisza. Skąd ten niepokój?

O kilka kroków przed sobą zobaczyła na ławce nieruchomą postać. Podszedłszy bliżej, rozpoznała swego pechowego wielbiciela, który proponował jej pieniądze. Jakie imię wymienił Paweł? Zdaje się, że Nikołaj.

– Dobry wieczór, panie Nikołaju – powiedziała wesoło. – Znalazł pan już kogoś, komu podaruje pan zbywające pięćdziesiąt tysięcy?

– Nie znalazłem – równie wesoło odrzekł zapytany bez cienia zmieszania. – Proszę usiąść, zapalimy. Wczoraj przegrałem przez panią stówę, a dziś się odegrałem, więc jestem na czysto.

– Jak to? – zdziwiła się Nastia, siadając obok i wyjmując papierosy.

– Wczoraj stawka wynosiła sto tysięcy i haniebnie je przegrałem. A dzisiaj za panią dawali już dwieście, Paszka umoczył i jego dwieście tysięcy podzieliliśmy z partnerem między siebie.

– No, no! – Nastia gwizdnęła. – A jeżeli jutro znajdzie się jeszcze jeden kamikadze, który zechce poskromić taką krnąbrną osobę jak ja?

– W następnym zakładzie stawka wynosi czterysta. Suma rośnie proporcjonalnie do stopnia trudności zadania. Moim zdaniem, słusznie.

– Moim także. Kto wymyślił ten genialny system? Żenia? Czy Paweł?

– Żenia. Zaraz, to pani zna Żeńkę?

– Oczywiście. Próbował zawrzeć ze mną znajomość, jeszcze zanim wciągnął was w tę całą imprezę. Ale niech się pan nie martwi, Nikołaju, jemu też się nie udało.

– Toteż właśnie widzę, że sam się nie podejmuje, a ciągle o panią pyta to mnie, to Paszkę. Wręcz wierci dziurę w brzuchu: a jak się odwróciła, a na kogo spojrzała,

95

a co powiedziała. A to oszust, łobuzina! Pary z gęby nie puścił.

W machinie analitycznej coś drgnęło, jasne wyładowanie przebiegło po przewodach, wprawiając w ruch dźwignie i koła zębate. Nastia podskoczyła jak użądlona.

– Muszę już iść, przepraszam. Dobranoc, Nikołaju.

Szybko ruszyła aleją. Natychmiast w ślad za nią zachybotał bezcielesny cień, ale Kola Ałfierow go nie zauważył. Przesunął dłonią po ławce w poszukiwaniu rzuconych obok rękawiczek i namacał zapomnianą przez Nastię paczkę papierosów. Chwyciwszy ją, pobiegł w stronę, w którą oddaliła się Nastia, i już otwierał usta, żeby ją zawołać, kiedy spostrzegł w dalekim końcu alei wysoką męską sylwetkę. Mężczyzna zawołał głośno:

– Nastia! Anastazja! – i zamachał ręką.

Kola widział, jak niebieska kurtka zbliżyła się do męskiej postaci, jak facet władczym gestem objął Nastię za ramiona, przytulił ją do siebie i poprowadził w stronę budynku sanatorium. Machinalnie wsunął cudze papierosy do kieszeni i w tym samym momencie usłyszał dziwny dźwięk – ni to chrypienie, ni to stłumiony kaszel i urywany oddech. Ałfierow rzucił się w tym kierunku, rozchylił krzaki i oko w oko zetknął się z człowiekiem, którego zupełnie nie spodziewał się tu zobaczyć.

– To ty?! Skąd się tu...

Żenia Szachnowicz wybierał się do Starkowa z kolejnym raportem. Nareszcie ma co opowiedzieć. Cztery miesiące oczekiwania nie poszły na marne. Coś się zaczynało wyjaśniać.

Był zadowolony, że prawidłowo namierzył rudą, piegowatą dziewuszkę. Dwupokojowych apartamentów było w „Dolinie" dziesięć, kontrolować wszystkie było fizyczną niemożliwością, a przecież tajemniczy Makarow, jeśli się kiedyś pojawi, będzie mieszkał w luksusowym apartamencie. Ruda mieszkała akurat obok jednego z apartamentów na pierwszym piętrze i właśnie do tego numeru przyszła zagadkowa Kamieńska, która wszystkich unika i z nikim nie rozmawia. Znaczy, że Żenia jest na właściwym tropie.

Poza tym wczoraj pojawiły się wreszcie samochody z obcą rejestracją. Żenia starannie zapisał wszystkie numery i marki. Co prawda prawie wszystkie wozy prócz jednego już po godzinie odjechały. Wszystko odbyło się zupełnie inaczej, niż opisywał Starkow, zlecając mu zadanie. Ale to zrozumiałe, Starkow przecież także otrzymał informację z trzeciej ręki. Byłoby dziwne, gdyby po drodze nie nastąpiły żadne przekłamania. Za to teraz Żenia wie dokładnie, jak to się odbywa. Ale wszystko po kolei.

Żenia spojrzał na zegarek: dochodzi północ. Starkow oczekuje go o pierwszej trzydzieści, jest więc jeszcze czas. Żenia zajmował służbowe mieszkanko w niedużym dwupiętrowym domku na terenie sanatorium. Było to wygodne dla obu stron: dla Żeni, bo usprawiedliwiało jego stałą obecność w „Dolinie", i dla sanatorium, bo świetny elektryk był pod ręką i dniem, i nocą.

Szachnowicz uporządkował notatki, jeszcze raz je przejrzał, z zamkniętymi oczyma kilkakrotnie sobie wszystko przepowiedział w myślach, potem, zadowolony, podarł kartki na drobne kawałki i spalił w zlewozmywaku. Wypił kawę, zjadł parę kanapek – gotować nie lubił. Narzucił kurtkę i wyszedł z mieszkania.

Swietłana Kołomijec spała spokojnie na jedynej w mieszkaniu kanapie – samochód jednak po nią nie przyjechał. Wład potulnie odstąpił jej wygodne spanie, sam położył się na podłodze, ale nie mógł zasnąć. Wstał cichutko, wyszedł do łazienki, zrobił sobie zastrzyk, po czym usiadł w kuchni i, zamknąwszy dokładnie drzwi do pokoju, włączył magnetofon. Najpierw próbował patrzeć w scenariusz i porównywać go z muzyką, wciąż bowiem nie dawało mu spokoju tych sześć minut, na które brakowało akcji. Przymierzał tekst i tak, i owak, usiłował wydłużyć niektóre epizody, ale wtedy zaczynały się one „wyłamywać" z obrazu dźwiękowego. W końcu po prostu zamknął oczy i zaczął słuchać.

Po godzinie wyłączył magnetofon. W duszy miał jasność i dziwny spokój. Wszystko zrozumiał.

Wszedł do pokoju, przysiadł na brzegu tapczanu i pogładził Swietłanę po głowie. Obudziła się momentalnie, jakby w ogóle nie spała.

– Co? Nie możesz spać? Chcesz do mnie? – zapraszająco wyciągnęła ręce.

– Tylko mnie nie okłamuj, Swieta – powiedział powoli Wład. – To bardzo ważne. Daj słowo, że powiesz mi prawdę.

– No, daję. Co się stało?

– Powiedzieli ci, co będzie pod koniec filmu?

Swietłana milczała. A to głupek, czemu on się tak denerwuje? Dała mu przecież słowo, że nie będzie kłamać. Ale im także dała słowo, że będzie milczeć. Boże, co za idiotyzm, zupełnie jak w przedszkolu: pierwsze słowo droższe niż drugie.

– Pytam cię, Swieta – głos Włada był przerażająco monotonny – powiedzieli ci, co się będzie działo w tych ostatnich sześciu minutach?

– Ano powiedzieli, powiedzieli – burknęła zirytowana. – Ty i ja będziemy się pieprzyć, odegramy pornosa. Sam na to nie wpadłeś? Też mi wielka tajemnica!

– Nie, Swieta, oszukali cię. Oni cię zabiją.

Powiedział to tak zwyczajnie, że Swieta od razu uwierzyła.

# ROZDZIAŁ 5
## Dzień szósty, który zaczął się w nocy

- Wydajesz mi się jakiś nieswój - zauważyła Nastia, posłusznie idąc za Damirem długim korytarzem pierwszego piętra.
- Nie zwracaj uwagi - zbagatelizował to Damir. - Bardzo się śpieszyłem, żeby zdążyć wrócić, zanim położysz się spać, poprosiłem taksiarza, żeby jechał szybciej, i ten tak gnał, że dwa razy omal nie mieliśmy wypadku.
- Przestraszyłeś się?
- Trochę. Jeszcze nie mogę przyjść do siebie.

Otworzył drzwi swego apartamentu, przepuścił Nastię przodem, pomógł jej zdjąć kurtkę.
- Papierosy! - spostrzegła się Nastia. - Psiakrew, chyba zostawiłam je na ławce. Przecież teraz po nie nie wrócę...
- Obrażasz mnie, Anastazjo. Skoro zatroszczyłem się o martini dla ciebie, to czy sądzisz, że zapomniałem o papierosach?

Damir teatralnym gestem wyciągnął z barku butelkę, szklanki i paczkę dobrych mentolowych papierosów.
- No proszę, zapamiętałeś. - Nastia uśmiechnęła się. - Gdyby nie pewne drobiazgi, można by pomyśleć, że naprawdę jesteś zakochany.
- Nastieńko - Damir czule wziął ją za rękę - jak jeszcze mogę ci dowieść, że mówię szczerze? Jestem już tutaj dwa dni...
- Trzy - poprawiła spokojnie Nastia.
- Co?
- Jesteś tu nie dwa dni, ale trzy. To są właśnie te drobiazgi, które nie pozwalają mi uwierzyć w twoją szczerość. Nie pytam cię, dlaczego kłamiesz, przyjmuję to jako fakt. Jesteś już dużym chłopcem, Damir, niedługo stuknie ci czterdziestka, i jeżeli kłamiesz, to masz w tym jakiś

interes. I nie próbuj mi niczego wyjaśniać. Po prostu przyjmij do wiadomości: nie wierzę w ani jedno twoje słowo. Ale to mi zupełnie nie przeszkadza rozmawiać z tobą na tematy niewymagające prawdomówności. Na przykład na temat twojej pracy. Wiesz, spodobał mi się twój film. Chciałabym go obejrzeć do końca. Mogę?

– Możesz. – Jego głos stał się chłodny. – Twoja bezpośredniość mnie dobija. Wszystkich tak traktujesz?

– Jak – tak?

– Nie grasz w karty. Rozstawiasz nie tylko kropki nad „i", ale i znaki przestankowe. Pewnie nawet nie masz przyjaciół, prawda?

– Prawda – przytaknęła Nastia. – Mam ukochanego mężczyznę, który zastępuje mi wszystkich przyjaciół razem wziętych.

– Anastazjo – jęknął Damir. – Jesteś nie do wytrzymania. Że też mnie podkusiło, żeby się w tobie zakochać. No dobrze, oglądaj film, a ja tymczasem zrobię kawę.

Na ekranie już całkiem dorosły wnuk przeżywał tragedię samotności. „Odebrałeś mi dar słowa – wyrzuca dziadkowi. – Nie potrafię normalnie wyrażać swoich uczuć, potrafię tylko grać. Straciłem wszystkich przyjaciół, odchodzą ode mnie kobiety, bo nie umiem mówić i mogę się z nimi porozumiewać tylko za pomocą muzyki". „Za to stworzyłeś wielką, nieśmiertelną muzykę" – odpowiada umierający niewidomy starzec. „Nie chcę tego! Chcę mieć żonę, dzieci, przyjaciół, chcę być taki jak wszyscy!" „Człowiek, który tworzy wielką muzykę, nie może być taki jak wszyscy – mówi dziadek. – Skoro masz dar, musisz zapomnieć o zwykłym życiu z jego regułami i innymi głupstwami. To nie dla ciebie. Ty jesteś geniuszem". Starzec powoli gaśnie, a wnuk, stojąc u jego wezgłowia, krzyczy z rozpaczą: „Nie chcę być geniuszem! Nie chcę, nie chcę, nie chcę!..." I nagle, uświadamiając sobie, że nie potrafi wyrazić słowami całego bólu, całej nienawiści do dziadka, do samego siebie, do muzyki, chwyta skrzypce i zaczyna grać. Koniec.

Nastia uznała, że to wspaniały film. Damir jest naprawdę utalentowany, bez dwóch zdań. Film ukazał w całej pełni jego zdolności muzyczne, a i scenariusz także był nietuzinkowy.

– Podobało ci się? – Damir zajrzał jej w twarz.

– Bardzo – odrzekła szczerze Nastia. – Masz coś jeszcze?

– Nie, przywiozłem tylko jedną kasetę, chciałem ją pokazać Reginie.

„Ciekawe, co jej w takim razie pokazywałeś? Za jaką pracę tak bezlitośnie cię krytykowała i nazwała chałturszczykiem? Za tę? Jeśli mnie pamięć nie myli, dzisiaj po południu stanowczo oznajmiłeś, że Regina Arkadjewna jeszcze tego filmu nie widziała. Znowu kłamiesz, Damirze Ismaiłow. Ale nie będę cię łapać za słówka i demaskować twoich kłamstw. Nie jestem w pracy. No, powiedzmy, że postawiłabym cię w niezręcznej sytuacji, wykazałabym, jakim jesteś niezręcznym kłamcą i jaka ja jestem przenikliwa. I co dalej? Nie mamy ze sobą nic wspólnego. Chcesz kłamać – proszę bardzo, kłam sobie. Mnie to nic nie obchodzi".

Potem Damir długo i czule całował Nastię, gładząc ją po plecach i pieszczotliwie przegarniając palcami jej długie włosy, i znowu Nastia wewnętrznym metronomem odmierzała każdą chwilę, powtarzając sobie w duchu, że jest cyniczna, oziębła i całkowicie pozbawiona romantyzmu. „Jestem moralnym potworem – powiedziała sobie nie wiadomo który już raz w ciągu ostatnich dni. – Czemu nie potrafię się rozluźnić i rozkoszować zalotami przystojnego i utalentowanego mężczyzny? Czemu jest mi to obojętne?" Tym razem wyrozumiale policzyła do dwunastu. Potem wstała, życzyła mu dobrej nocy i poszła do siebie.

Paweł Dobrynin miał wypracowaną przez lata twardą zasadę: nigdy nie pozostawał u kobiety do rana. Pojęcia „rano" nie wiązał z jakimś określonym położeniem wskazówek zegara. Główne kryterium stanowiły dlań poranne czynności: mycie, rozmowy, wspólne śniadanie, jednym słowem, wszystko, co w taki czy inny sposób przypominało życie rodzinne. Nawet jeśli budził się w cudzym łóżku o dziesiątej rano, natychmiast ubierał się i wychodził. Tak było mu wygodniej.

Oderwawszy się od wspaniałego ciała brunetki, Paweł spojrzał na zegarek – wpół do czwartej. Dwieście tysięcy mam już w kieszeni, pomyślał z zadowoleniem. Pora iść do siebie i choć trochę się przespać.

Brunetka odniosła się do tej decyzji ze zrozumieniem i nie zatrzymywała go. Widocznie ma taki sam charakter, szuka chwilowej rozrywki, a nie stałego partnera.

Paweł podszedł do drzwi numeru 240 i cichutko zapukał. Nie słysząc ze środka żadnych szmerów, świadczących o tym, że sąsiad się obudził i zaraz mu otworzy, zapukał głośniej. Cisza. Ostrożnie nacisnął klamkę. Drzwi lekko ustąpiły. A to drań, rozzłościł się Dobrynin, śpi jak zabity w niezamkniętym pokoju. Tyle razy mu powtarzał, żeby nie zostawiał otwartych drzwi: jego, Pawła, skórzana kurtka, aparat fotograficzny, odtwarzacz i inne duperele kosztują kupę szmalu, a w dodatku w ich numerze leży wspólna kasa, stawki nie tylko jego i Nikołaja, ale także Żeńki. Co za cholerna lekkomyślność.

Paweł zapalił górne światło i chciał zdrowo obsztorcować przyjaciela. Ten leżał bez ruchu, owinięty kołdrą i odwrócony do ściany.

- Hej, Kolanycz! – zawołał głośno Dobrynin. – Obudź się! Okradli nas.

Nikołaj ani drgnął. Paweł podszedł i potrząsnął go za ramię. Krzyk uwiązł mu w gardle.

- Co robić? – spytała z przestrachem Swietłana Kołomijec. Siedziała na tapczanie z nogami spuszczonymi na podłogę, owinięta kocem.

- Musimy stąd spieprzać, póki po nas nie przyjechali. Mamy do dyspozycji około czterech godzin.

Wład powoli chodził po pokoju, trzęsło go i zupełnie nie mógł się rozgrzać.

- Cały kłopot w tym, że nie mamy gdzie się podziać. Natychmiast nas znajdą – ładna dziewczyna i liliput. Interesująca parka, nic dodać, nic ująć.

- Może po prostu wyjdźmy stąd, póki ich nie ma, i schowajmy się – zaproponowała Swietłana. – Znajdziemy jakąś piwnicę albo opuszczony dom i przeczekamy jakiś czas, co?

- Zapomniałaś o najważniejszym. Jestem narkomanem. Wyobrażasz sobie, co się będzie ze mną działo jutro? Ile mamy pieniędzy?

- Ja mam najwyżej jakieś dwieście tysięcy. A ty?

- Tylko na bilet powrotny.

- Może uda nam się przed świtem wyjechać z miasta? Spróbujmy. Wiesz, gdzie jest dworzec?

- Nie mam pojęcia, przyleciałem samolotem. A ty?

- Ja też. Komunikacja nie chodzi, na ulicach pusto, nie ma kogo zapytać o drogę. Może wziąć taksówkę?

- Odpada. W normalnych miastach w naszych czasach zwykli taksiarze nie pracują w nocy. Tylko mafijni. Wpadlibyśmy im prosto w łapy.

- A może nam się uda, co, Wład? Weźmiemy prywatnego.

– Zwariowałaś? Jaki prywatny kierowca o czwartej rano wpuści do samochodu obcych ludzi? A gdyby nawet wpuścił, to tylko w jednym celu: żeby ich wywieźć w ustronne miejsce i obrabować.

– Ale Władiczku, tak nie można! – Dziewczyna chlipnęła żałośnie. – Jeżeli zaczniemy w każdym człowieku widzieć przestępcę, to w ogóle przepadliśmy. A jakieś wyjście musi być, słyszysz? Musi i już. Ja nie chcę umierać. Wład, jesteś przecież mężczyzną, wymyśl coś.

– A więc tak, kotku. – Wład zatrzymał się na sekundę, po czym podjął miarowy spacer po pokoju. – Jeżeli nie wydostaniemy się stąd do rana, to koniec z nami. Próbować stąd wyjechać to wielkie ryzyko, może być tylko gorzej. Wyjście jest jedno – zostać. W tym celu musimy się oboje przebrać. Ty w swojej sukience z lat pięćdziesiątych od razu rzucasz się w oczy. O mnie szkoda nawet mówić, drugoklasista w dorosłym ubraniu. Poza tym potrzebujemy forsy na żarcie i na działkę. Tyle że nie mam pojęcia, skąd ją wziąć, nikogo w tym mieście nie znam. Ale jeśli rozwiążemy problem ubrania, forsy i działki, mamy szansę się z tego wywinąć. Tylko nic nie mów przez pięć minut, muszę się zastanowić.

Swieta zamarła, wtulona w kąt kanapy. Boże, w jakąż straszną historię się wpakowała! Nadal nie rozumiała, na jakiej podstawie Wład uznał, że chcą ją zabić, ale uwierzyła mu bez zastrzeżeń. Przecież by sobie tak nie żartował. A może pójść na milicję? Opowiedzieć im wszystko, tak jak było. Musiałaby się przyznać, że jest prostytutką i miała zamiar wystąpić w filmie porno. To, oczywiście, przestępstwo, ale ona przecież sama się zgłosi, a to uwalnia od odpowiedzialności karnej. A co z Władem? Zamkną ich oboje, to pewne, nawet jeśli są niewinni. I narkotyku mu na tacy nie przyniosą. Biedny krasnal! Wykończy się w celi.

Swieta zastanawiała się nad sposobem zdobycia pieniędzy. Sprzedać szarą skórzaną kurtkę, złoty łańcuszek i pierścionek? Na taki cel wcale nie szkoda. Ale w nocy, w obcym mieście i od ręki? Nie uda się opylić za więcej niż jedną trzecią ceny. A nawet nie wiadomo, gdzie tu jest nocny bazar i czy w ogóle jest. Mogłaby spróbować zarobić zwykłym starym sposobem, ale istnieje wielkie ryzyko natknięcia się na miejscową mafię, kontrolującą prostytucję. A wtedy na pewno nie wyjdzie z tego żywa. Więc co robić?

Nagle Wład się zatrzymał.

– Dobrze znasz miasto, z którego przyjechałaś? – zapytał.

– Oczywiście. Wychowałam się tam.

– Na ile sektorów ono jest podzielone?

– Jakich sektorów? – nie zrozumiała Swieta. – Chodzi o dzielnice?

– Ile grup mafijnych kontroluje twoje miasto? – wyraźnie powtórzył pytanie Wład.

– A skąd ja mam to wiedzieć? – wybuchnęła dziewczyna. – Już całkiem ci odbiło?

– Posłuchaj, kotku. W mieście, z którego ja przyjechałem, jest ich cztery. W niektórych miastach jest ich po dwie, w innych – po dziesięć. Rozumiesz, do czego zmierzam?

– Nie. Nic nie rozumiem. – Znów zaczęła pochlipywać.

– Jeżeli wplątaliśmy się w układy z jakąś mafią, to musimy się skontaktować z inną. Oni nam na pewno pomogą.

– Dlaczego mieliby nam pomagać?

– Na pewno ze sobą konkurują. Przyswajasz? Jeśli jedna grupa będzie na nas polować, to druga zapewni nam ochronę. Na bank mają jakieś porachunki, a w takiej grze wszystkie atuty są dobre. I właśnie musimy się stać takimi atutami. Szkoda tylko, że oboje jesteśmy w Mieście obcy. Trudno się połapać. Ale zaryzykować można. Zacznijmy od geografii. Pamiętasz, gdzie znajduje się biuro, w którym przeprowadzali z tobą „rozmowę wstępną"?

– Nie, nie znam nawet adresu. W ogłoszeniu była podana skrzynka kontaktowa, i nie tu, tylko w innym mieście. W odpowiedzi, którą otrzymałam, było napisane, że mam przyjechać tutaj, ale termin przyjazdu podać wcześniej na tamten adres. Tu odebrali mnie z lotniska i samochodem przywieźli do Siemiona.

– Nie zapamiętałaś drogi?

– Nie. W ogóle mam złą orientację w terenie. Na basen zawieźli mnie wieczorem, było już ciemno. Tutaj też przywieźli wieczorem.

– To marnie. Nie mamy praktycznie żadnej informacji. Mnie także odebrali z lotniska i przywieźli tutaj. Wprawdzie było to rano, ale i ja nie zapamiętałem drogi, nie myślałem, że to mi będzie potrzebne. Spróbujmy podejść do problemu z drugiej strony.


– Jak mogłeś do czegoś takiego dopuścić, Siemion?

– Nie miałem wyjścia. Poznał mnie. Pięć lat trenowaliśmy w tej samej drużynie, mnóstwo razy spaliśmy w jednym namiocie. On był przecież pewien, że mnie wsadzili, i to na piętnaście lat.

– Z powodzeniem mogłeś już wyjść na wolność.

– Akurat! Za morderstwo połączone z gwałtem? Już widzę, jak by mnie wypuścili! Sprawa była głośna, cała drużyna o tym wiedziała. Kiedy uciekłem, wszystkich chłopaków i trenera przesłuchiwali po dziesięć razy, wypytywali, czy nie wiedzą, gdzie się mogłem ukryć. A ja od tej pory nawet nosa nie pokazałem w Moskwie, przyczaiłem się, skombinowałem lewe dokumenty. Wydawało się, że sprawa przyschła, nikt mnie do dziś nie znalazł. I trzeba trafu – pojawia się Kolka Alfierow, stary kumpel.

I poznał mnie, cholernik, chociaż minęło już tyle lat. Po powrocie do Moskwy zacząłby opowiadać wszystkim naszym wspólnym znajomym, że spotkał mnie w Mieście. Miałem liczyć na to, że milicja się o tym nie dowie? Na pewno znalazłby się ktoś, kto by zakablował. Albo z uczciwości, albo złośliwie. Tym bardziej że Ałfierow widział mnie z Zaripem.

– Zanim go?...

– W trakcie. Zarip mi charczy w rękach, a tu zza krzaków wyłania się Ałfierow i rzuca się do mnie jak do najlepszego przyjaciela. To co miałem robić? Spojrzał na Zaripa i skamieniał z przerażenia, a ja patrzę na niego, znaczy na Kolkę, i główkuję, co mam teraz z tym wszystkim zrobić. No i musiałem skręcić mu kark.

– To wszystko komplikuje. Kotek, co ty na to?

– Zwłok Ałfierowa nie mogliśmy ukryć jak zwykle. To przecież kuracjusz, będą go szukać. Dlatego przenieśliśmy go do numeru i tam zostawiliśmy. Mieszka z jakimś palantem, który nie wyłazi z cudzych łóżek. Zajmą się przede wszystkim nim, spróbują przykleić mu zabójstwo z zazdrości albo w czasie wspólnej libacji. Wszystko zrobiliśmy czyściutko. Użyliśmy wejścia służbowego i windy towarowej, nikt nas nie widział.

– A Zarip?

– Zaripa na razie zanieśliśmy do pawilonu, nie mogliśmy przecież zostawić go w alei. Samochód pojechał zatankować. Jak wróci, zawieziemy go do studia.

– Jesteś pewien, że Zaripa nie będą szukać? Jego rodzina wie, dokąd pojechał?

– Jego rodzina wie, że on jest chory psychicznie, więc nie może pracować długo w jednym miejscu. Kursuje między Miastem a swoją wsią, niekiedy nie ma go w domu po kilka tygodni, i nikt się nie denerwuje, nie szuka go. Baba z wozu, koniom lżej. Kiedyśmy się zorientowali, że Zarip wymknął się spod kontroli i trzeba go zlikwidować, planowaliśmy zainscenizowanie samobójstwa na wypadek, gdyby go jednak szukano. Samobójstwo w stanie ostrej psychozy to nic dziwnego. Ale przez Ałfierowa bałem się ryzykować. W takim spokojnym mieście dwa trupy jednego dnia – to by wyglądało podejrzanie.

– A może go wywieźć poza granice obwodu? Niech go tam znajdą...

– Nie mamy czasu. W tej sytuacji wywiezienie ciała do innego obwodu odpada. Nie umiemy legalizować trupów, więc nie powinniśmy się do tego brać. Boję się, że z Ałfierowem wyszło nam niezręcznie, ale na to już nic się nie poradzi. Dotychczas wszystkie nasze sprawki udawało nam się ukrywać, w żadnej nie wdrożono śledztwa. Dyletancka inscenizacja samobójstwa tylko by pogorszyła sprawę. Zlikwidujemy go w studiu, jak zwykle.

– Która godzina?

– Za pięć czwarta. Do jakiejś siódmej rano trupa Ałfierowa raczej nie znajdą. Skoro jego sąsiada do pierwszej w nocy nie było w numerze, to albo wróci później, nic nie zauważy i położy się spać po ciemku, albo przyjdzie dopiero rano. Powinniśmy zdążyć.

– Tak? – Kotek miękko podniósł się z kanapy i wyjrzał przez okno. W bramę sanatorium wjechały dwa wozy milicyjne z niebieskimi kogutami. – Wygląda na to, że już nic nie zdążymy. Rozejdźmy się teraz. Chwała Bogu, że przynajmniej Assanow wyjechał.


Młody oficer operacyjny, siedzący naprzeciw Nasti, wyglądał na zmęczonego, twarz miał szarą, oczy przygasłe. Nic dziwnego, myślała, pracują w „Dolinie" od czwartej rano, a teraz już prawie południe. I wiedziała, że mogłaby pomóc.

– Nazwisko, imię, imię ojca?

– Kamieńska Anastazja Pawłowna.

- Data i miejsce urodzenia?
- Moskwa, tysiąc dziewięćset sześćdziesiąty.
- Adres zamieszkania?
- Moskwa, Szosa Szczełkowska 42, mieszkania 51.
- Miejsce pracy?
- Główny Urząd Spraw Wewnętrznych, Moskwa.

Spodziewała się, że teraz pracownik miejscowej milicji ze zdziwieniem podniesie na nią oczy, uśmiechnie się radośnie i wszystko potoczy się zwykłym trybem: ona włączy się w dochodzenie, będzie analizować informacje, słowem, będzie robić to, co umie i lubi. Już za chwilę...

- Znała pani Nikołaja Ałfierowa?
- Tak.
- Kiedy widziała go pani ostatni raz?

Początkowo Nastia odpowiadała na pytania rzetelnie, przypominając sobie najdrobniejsze szczegóły i nawet formułując wstępne wnioski. Ale oficer, który przedstawił się jako Andriej Gołowin, jakby nie zauważał jej wysiłków. I nie próbował niczego z nią omawiać. Tylko zadawał pytania. To nic, myślała Nastia, jest zmęczony, przesłuchał już tyle osób, nie powinnam mieć do niego pretensji.

Kiedy rozmowa dobiegła końca, Nastia powiedziała ostrożnie:

- Panie lejtnancie, jeśli mogę w czymś pomóc, to z przyjemnością...

- W porządku, proszę wypoczywać, poradzimy sobie jakoś bez pani pomocy. - Gołowin machnął ręką, a w jego głosie było tyle lekceważenia, że Nastia poczuła się, jakby dostała prztyczka w nos. Odtrącili ją jak małego kundelka, który bezczelnie pcha się do miski przygotowanej dla rodowodowego dobermana.

109

Do obiadu było jeszcze sporo czasu, więc postanowiła pójść na pocztę, odebrać obiecany przez ojczyma przekaz i przy okazji do niego zadzwonić.

W Moskwie na Pietrowce 38 pułkownik Gordiejew prowadził poranną operatywkę.

– Otrzymaliśmy informację z Miasta o znalezieniu zwłok niejakiego Nikołaja Ałfierowa, zamieszkałego w Moskwie, pracującego w spółce akcyjnej „Nord Trade Limited". Czy ktoś z was o nim słyszał?

– Na naszym odcinku nie – odpowiedział natychmiast skory do śmiechu Kola Siełujanow, jeden z najbardziej doświadczonych pracowników sekcji. – Trzeba zapytać sąsiadów.

Miał na myśli sekcję do walki z przestępstwami gospodarczymi.

– Zapytaj. – Wiktor Aleksiejewicz skinął głową. – Idź tam od razu, bo może będziemy musieli coś postanowić.

Siełujanow wrócił po dziesięciu minutach.

– Sytuacja jest niejasna, panie pułkowniku. Tę firmę dobrze znają, chodzą koło niej jak koty koło śmietany, ale na razie nie mają się o co zaczepić. Chociaż są pewni, że tam coś śmierdzi. Uważają za bardzo prawdopodobne, że zabójstwo kierowcy dyrektora może mieć moskiewskie korzenie.

– A proszą o pomoc? – Gordiejew wyjął z ust zausznik okularów, który swoim zwyczajem gryzł, zastanawiając się nad jakimś ważnym problemem.

– No... – Siełujanow uśmiechnął się. – Robią aluzje.

– Ach, robią aluzje. – Pączek westchnął, znów wsadził do ust zausznik, zamyślił się, po chwili otrząsnął. – Nawiasem mówiąc, w Mieście w sanatorium „Dolina" wypoczywa właśnie nasza Nastazja. Gdzie ten telefonogram? Dopiero co miałem go w ręku. A, jest! Zgadza się, Ałfie-

110

row też wypoczywał w „Dolinie". I tam go zabito. Ciekawe, co? Weźmiemy to pod uwagę.

Eduard Pietrowicz Denisow nie posiadał się z furii.
– Może mi ktoś wreszcie wytłumaczyć, co się dzieje w tej cholernej „Dolinie"? Cztery miesiące siedzi tam wasz człowiek i nic. A teraz mamy zabójstwo. Czemu tak milczysz, Kola, powiedz coś.

Szef wywiadu Anatolij Starkow w skupieniu gryzł kostki palców. Dziś w nocy otrzymał od Żeni Szachnowicza sporo nowych informacji, co prawda niepowiązanych i dość chaotycznych... Potrzebował czasu, żeby je przemyśleć, a tu masz ci los – zabito jakiegoś moskwianina. Facet kręcił się koło tej całej Kamieńskiej, której Szachnowicz za nic nie potrafił rozgryźć. Czy jedno z drugim jakoś się wiąże?

Starkow spojrzał spode łba na człowieka z miejskiego urzędu spraw wewnętrznych. A ten dlaczego nic nie mówi? On też ponosi odpowiedzialność. Starkow nie lubił go, ale szanował. Wprawdzie zachowuje się wyniośle, pracuje jednak uczciwie i zawsze w razie potrzeby pomaga, jeszcze ani razu nie odmówił, nawet gdy chodziło o drobiazgi. Widać, że Eduard Pietrowicz trzyma go silną ręką. No dobrze, skoro facet milczy, to on, Starkow, wyłoży swoją kartę. To wprawdzie blotka, ale a nuż okaże się atutowa?

– W Mieście są dwie osoby, które usiłują się przed kimś ukryć. Przed godziną zadzwonił do mnie Igor, odpowiedzialny za hotele, i powiedział, że wcześnie rano, około szóstej, kiedy dziewczynki wychodzą z numerów hotelowych, jedną z nich zaczepiła młoda kobieta z ośmio-, dziewięcioletnim dzieckiem i poprosiła o pomoc. Powiedziała, że jest prostytutką, a w Mieście znalazła się z powodów, których wolałaby nie ujawniać.

111

W domu, w którym ją umieszczono, wybuchł pożar. Nie chciałaby ściągać kłopotów na swych opiekunów i zwracać się o pomoc do milicji. W spalonym mieszkaniu zostały jej dokumenty, pieniądze, odzież. Przestrzegano ją surowo, żeby się nie pokazywała na ulicy, więc poprosiła, żeby ją gdzieś przechować, ona skontaktuje się ze swymi opiekunami i poprosi, by ją zabrali. Nasza dziewczynka nie odmówiła pomocy. One też mają jakąś swoją solidarność. Ale oczywiście zameldowała o wszystkim Igorowi. Sprawdziłem, pożar był rzeczywiście. Straż przybyła na miejsce o wpół do piątej rano.

– Ciekawe – włączył się człowiek z milicji. – O trzeciej czterdzieści do dyżurnego dzwonią z „Doliny" z zawiadomieniem o znalezieniu trupa. A mniej więcej pół godziny później na drugim końcu Miasta wybucha pożar. To daje do myślenia.

– Gdzie jest teraz ta kobieta z dzieckiem? – zapytał Denisow.

– U nas. Zaraz ją zabraliśmy – szybko odpowiedział Starkow.

– Przywieźcie ją tutaj, sam z nią porozmawiam. A pana uprzedzam – zwrócił się do człowieka z milicji – macie stanąć na głowie, ale za wszelką cenę wykryć sprawcę zabójstwa w „Dolinie". To jest ważne i dla mnie, i dla pana. Jeśli w Mieście pojawiła się konkurencja, muszę mieć wolne ręce do walki z nią. Dlatego nie zamierzam dzielić się z wami swymi dwiema możliwościami. A poza tym muszę zrozumieć, co tu się dzieje.

Pierwsza część planu powiodła się świetnie. Kiedy z mieszkania buchnął dym, Swieta i Wład wyskoczyli na ulicę, z najbliższego automatu wezwali straż pożarną i odczekali, aż zbierze się tłum. O tak wczesnej porze ludzi przyszło oczywiście niewielu, ale dość na to, by nie zwracając na siebie uwagi, dowiedzieć się, gdzie jest najdroższy hotel. Wład wymyślił taką legendę, żeby jak najmniej ryzykować, gdyby im się jednak nie udało i gdyby znów trafili w ręce tych, którym chcieli uciec. Jeśli opuściliby mieszkanie bez żadnych wyjaśnień, od razu stałoby się jasne, że zaczęli coś podejrzewać, czegoś się domyślać, i ci ludzie na pewno postanowiliby ich zlikwidować. A ucieczka przed pożarem to rzecz zupełnie naturalna. Wład szczególnie nalegał, by dla bezpieczeństwa podkreślać, że nie chcą narażać na kłopoty swoich opiekunów.

Schronienie znaleźli. Teraz pozostawało tylko ustalić, w czyje łapy trafili: tych, którzy wynajęli ich do zdjęć, czy ich konkurencji. Szans mieli pięćdziesiąt procent, ale to i tak lepiej niż mieć stuprocentową pewność śmierci. Wład nie miał wątpliwości, że zginąć miała nie tylko Swietłana. Jeśli dobrze odgadł, mieli ją zabić na jego oczach, a to oznaczało, że jego również nie pozostawiliby przy życiu.


Kiedy z mieszkania miejscowej prostytutki przewieziono ich w inne miejsce, Wład, nie mając zaufania do inteligencji swej towarzyszki, zaczął ją instruować.

– O filmach ani słowa. Rozumiesz? Opowiadasz o ogłoszeniu, o rozmowie, o basenie, o sułtanie tureckim. Niczego nie zmyślaj, mów tylko prawdę. A o filmach ani piśnij.

– Dlaczego? – nie mogła zrozumieć Swietłana.

– Dlatego że nie wiadomo, do kogośmy trafili. Ogłoszenie w gazecie, skrytka pocztowa – to są rzeczy znane nie tylko tobie i mnie. Są całkowicie legalne i fakt, że o nich wiemy, nie stanowi dla nas żadnego niebezpieczeństwa. A filmy to zupełnie inna sprawa. Jeśli zaczniemy o tym mówić, nie wiadomo, co im przyjdzie do głowy. Nie mam przekonujących argumentów, nawet sam nie wiem, dlaczego nie powinniśmy opowiadać o zdjęciach. Ale czuję, że nie powinniśmy.

– Dobrze, nic nie powiem – zgodziła się pokornie Swieta.

W ciągu tych kilku godzin, które spędziła z Władem, przyzwyczaiła się już na nim polegać. Ten mały człowieczek troszczy się o nią, jest mądrzejszy, bystrzejszy, on ją ocali. Żeby się tylko nie załamał z braku działki. Swieta pomyślała, że jest gotowa oddać ostatnią sztukę biżuterii i pójść do łóżka z każdym, kto się nawinie, byle tylko zdobyć dla Włada narkotyk. Jeżeli on postanowił ją uratować, to i ona musi się o niego zatroszczyć. A przecież jest prawdziwym aktorem, pomyślała z zachwytem. Kiedy tłoczyli się wśród gapiów zgromadzonych przy pożarze, i potem, pod hotelem, nie odstępował jej ani na chwilę, stał, obejmując jej biodra i kryjąc twarz w fałdach jej sukni. Jak prawdziwe przestraszone dziecko. Oczywiście, przy dziennym świetle nie uda się ukryć rzeczywistego wieku Włada, ale bądź co bądź, jeżeli są poszukiwani, to trochę zyskali na czasie. Kobieta z dzieckiem to nie to samo co prostytutka z liliputem.

Nastia Kamieńska szybko stukała na maszynie, popatrując w angielski tekst. Już się wciągnęła w styl McBane'a, we właściwą mu budowę frazy, w słownictwo. Tłumaczyło się jej dobrze, łatwo, fabuła była interesująca i Nastia starała się ze wszystkich sił całkowicie pogrążyć w pracy. Ale coś nie pozwalało jej cieszyć się przekładem. I Nastia wiedziała, co to takiego. Obraza.

Usiłowała wymyślać rozmaite usprawiedliwienia dla Andrieja Gołowina, ale mimo woli wspominała, jak stała samotnie na peronie miejskiego dworca w zimnej październikowej mżawce, jak, przemagając ból, taszczyła

114

w jednej ręce ciężką torbę ze słownikami, a w drugiej
– maszynę, jak dawała łapówkę recepcjonistce, jak potem
płakała w pokoju z bólu i upokorzenia. Wspominała też
poczerwieniałą twarz Gordiejewa, kiedy prosił szefa miejskiej milicji, by jej pomógł. Wszystko to składało się na
jedną wielką o b r a z ę, tak silną i dojmującą, że Nastia
przestała się czuć osobą spokojną i racjonalną, obojętną
i zimnokrwistą, za jaką się zazwyczaj uważała. „No proszę
– pomyślała – okazuje się, że ja też mam normalne ludz-
kie odruchy. Żal mi starej Reginy Arkadjewny, samotnej
nauczycielki, oszukiwanej bezczelnie przez ulubionego
ucznia. Nawet trochę mi żal tego Koli Alfierowa – fajny,
dobroduszny chłopak, całkowicie bezinteresowny. Ale co
najciekawsze – czuję się obrażona. Nie myślałam, że jestem do tego zdolna! No, no, Kamieńska!"

Była nieco zdziwiona, że przez cały dzień nie zajrzał
do niej Damir. To jasne, że nie jest w niej zakochany, ale
przecież do czegoś była mu potrzebna i wczoraj, i przedwczoraj. I co, dziś już Damir jej nie potrzebuje? Ciekawe
dlaczego. Chociaż, przypomniała sobie nagle, pewnie jest
u niego Regina. Po obiedzie starsza pani wstąpiła do niej
i uprzedziła, że idzie do Damira obejrzeć jego pracę, nawet namawiała Nastię, by z nią poszła. Nastia wykręciła
się jakoś: film już widziała, a nie chciała, żeby staruszce
było przykro, że jej ukochany Damir zdążył pokazać film
komuś wcześniej niż jej. Sąsiadka nie przejęła się specjalnie zamieszaniem wokół zabójstwa. Przypominała Nasti
starego, mądrego żółwia, którego już nic w życiu nie jest
w stanie zadziwić. Pewnie siedzi teraz w apartamencie
Damira, pociąga koniaczek i rozbiera na części składowe
film, który tak się Nasti spodobał. Ciekawe, jakie znajdzie
w nim usterki?

W ostatnich dwóch dniach kładła się spać grubo po
północy. Teraz zmęczenie dało o sobie znać. Norma

przekładu została wykonana i Nastia z czystym sumieniem położyła się wcześniej.

## ROZDZIAŁ 6
### Dzień siódmy

Wiktor Aleksiejewicz Gordiejew udzielał ostatnich wskazówek Jurze Korotkowowi, którego postanowiono wysłać do Miasta dla zbadania sprawy zabójstwa moskwianina Nikołaja Ałfierowa. Przez cały wczorajszy dzień ludzie Gordiejewa zbierali informacje o denacie, pracując ramię w ramię z chłopcami z sekcji przestępstw gospodarczych, nie dogrzebali się do niczego istotnego, było jednak bardzo prawdopodobne, że zabójstwa dokonano na zlecenie.

Gordiejew zadzwonił do Miasta do swego kolegi Siergieja Michajłowicza, szefa miejscowego wydziału kryminalnego.

– Jak tam moja pracownica? Wypoczywa? – spytał na początek.

W słuchawce zapadło milczenie. Gordiejew zaniepokoił się.

– Chyba nie zapomniałeś, Siergieju Michajłowiczu? Obiecałeś mi odebrać ją z dworca i pomóc w załatwieniu jednoosobowego pokoju. No i co?

– Nie miałem głowy, Wiktor, sam wiesz, jakie mam życie. Zleciłem to jednemu z chłopaków, on powinien był wszystko załatwić.

– A sprawdziłeś, czy załatwił? Nie denerwuj mnie, Siergieju Michajłowiczu. Jeśli z moją pracownicą jest coś nie tak, będę to sobie wyrzucał do końca życia. To przecież ja ją namówiłem, żeby pojechała do sanatorium.

- Nie przejmuj się, Wiktorze. To obowiązkowy chłopak, na pewno wszystko załatwił. Zresztą zaczekaj, zaraz sprawdzę.

Gordiejew usłyszał, jak Siergiej Michajłowicz wybiera numer na innym aparacie.

- Gdzie Stiepan? Niech tu do mnie przyjdzie.

- Póki czekasz na tego swojego Stiepana, powiedz mi, co to za moskwianin został zamordowany w waszej „Dolinie"? - wtrącił Gordiejew.

- Już wiesz - mruknął z niezadowoleniem Siergiej Michajłowicz. - To twój klient?

- Nie. Nic nie wykryliście, póki ślad był gorący?

- Nie, na razie nie wyszło. A co, masz jakieś sugestie?

- Mamy podstawy przypuszczać, że to było zlecenie z Moskwy. Przyjmiesz mojego wywiadowcę?

- Jasne, niech przyjeżdża. Poczekaj, przyszedł Stiepan.

Słysząc głuchą ciszę, Gordiejew domyślił się, że jego rozmówca przykrył słuchawkę ręką. Rozmowa się przeciągała, co nie wróżyło nic dobrego. Wreszcie dał się słyszeć głos Siergieja Michajłowicza, tym razem dość niepewny.

- No więc tak, Wiktorze... po tę twoją dziewczynę nikt nie wyszedł. Nie wyrobili się. Akurat nie było ani jednego wolnego wozu, wszystkie były zajęte.

- A chłopa z dwiema rękami też nie miałeś? - rozzłościł się nie na żarty Gordiejew. W takich chwilach, pełen aż gęstej, wyrywającej się na zewnątrz furii, naprawdę wydawał się okrągły jak pączek, zgodnie z przezwiskiem nadanym mu jeszcze w młodości. - O ile sobie przypominam, nie prosiłem cię o samochód. Prosiłem, żeby ktoś po nią wyszedł i odprowadził ją do sanatorium. Specjalnie podkreślałem, że nie wolno jej dźwigać, że ma chory kręgosłup. A załatwiliście jej przynajmniej pokój?

- Tak. Co prawda, nie mogliśmy jej zawiadomić, do kogo ma się zwrócić, ale najwyraźniej sama się połapała, że powinna się powołać na nas.

- W jaki sposób mogła się powołać na was, skoro nawet nie wiedziała, czy raczyliście zadzwonić do sanatorium? Nie spodziewałem się tego po tobie, Siergieju Michajłowiczu. Bardzo mnie zawiodłeś. No dobra, do rzeczy. Jutro przyjedzie do was major Korotkow. Po niego nie musicie wychodzić, sam sobie poradzi. To wszystko.

Wiktor Aleksiejewicz ze złością cisnął słuchawkę. Jura Korotkow w milczeniu przeczekiwał burzę. Kiedy Pączek przestał rysować na kartce rombiki i sięgnął po okulary, co oznaczało, że jest gotów do pracy, Jurij odważył się odezwać.

- Jak pan myśli, pułkowniku, czy w sanatorium wiedzą, że Nastia pracuje w wydziale kryminalnym?

Gordiejew wzruszył ramionami.

- Jeżeli dzwonili w jej sprawie z komendy miejskiej, to pewnie wiedzą. Ale może być i tak, że administracja sanatorium wie, a kuracjusze nie. Warto by to dokładniej sprawdzić. Nastię trzeba koniecznie wykorzystać, mogła widzieć i słyszeć mnóstwo ciekawych rzeczy. Musimy się też zastanowić, czy włączyć ją do śledztwa jako naszego pracownika, czy zostawić jako „wolnego strzelca". Od tego zależy też twoje działanie w „Dolinie".

- Proponuję, żebyśmy nawiązali z nią kontakt przez Leonida Pietrowicza.

- Dobry pomysł. - Pączek z aprobatą kiwnął głową. - Lonia to stary wywiadowca, zorientuje się, co i jak. Musimy się tylko zastanowić, jak uprzedzić Nastię, że jedziesz właśnie ty, a nie wymienić twojego nazwiska. Nie wiadomo przecież, z jakiego telefonu będzie rozmawiała. Jeśli z automatu, to sprawa jest prosta. Ale nie będziemy ryzykować. No, pomyśl, co ona o tobie wie? Chodzi o coś neutralnego, w rodzaju hobby albo ulubionej potrawy.

Jura zadumał się. No właśnie, co? Jeżeli nie można podać imienia i nazwiska, miejsca pracy, to co?

– Zna imię mojej bliskiej znajomej – powiedział niepewnie.

– Bardzo bliskiej?

– Bardzo.

– Może być. Idź, załatw delegację, a ja zadzwonię do Loni.

Ojczym Nasti był bardzo zżyty z Gordiejewem; wiele lat pracowali razem w organach ścigania, a od kilku lat Leonid Pietrowicz wykładał na wydziale prawa. Wiktor Aleksiejewicz mógł na nim całkowicie polegać.


Masażysta Kotek miał prawdziwie zwierzęcy instynkt. Pod pretekstem gry w preferansa zebrał w pustym numerze Damira, Siemiona i Chemika, żeby się zastanowić nad sytuacją i nad tym, jak dalece jest ona dla nich niebezpieczna. O pożarze i zniknięciu Swietłany Kołomijec i liliputa Włada już wiedzieli. Należało podjąć decyzję, czy warto ich szukać, czy, uwzględniając wynikłe komplikacje, pozostawić na pastwę losu. I właśnie w trakcie dyskusji Kotka tknęło złe przeczucie, że Siemion coś przemilcza.

– Marcew to rozsądny facet, nie będzie nalegał na natychmiastowe wykonanie zamówienia. Miesiąc temu miał atak i liczy, że zostało mu w zapasie jeszcze jakieś dwa, trzy miesiące. Przez ten czas znajdziemy nowych ludzi i wszystko zrobimy. Teraz załóżmy, że dziewczyna i liliput, ratując się przed pożarem, gdzieś uciekli i będą próbowali znaleźć nas przez milicję. Mogą to zrobić?

– Nie powinni – odrzekł z przekonaniem Siemion. – Nie mają ani adresów, ani telefonów. Tylko numer skrytki pocztowej w innym mieście, ale tam jest tyle podstawionych osób, że i za sto lat do nas nie dotrą. Karła wiozłem z lotniska swoim samochodem ze zmienionymi numerami, nie widział żadnego z wynajętych kierowców. Dziewczyna jeździła ze mną i z Garikiem, ale zawsze wieczorem, o zmroku albo po ciemku. Wątpię, czy zapamiętała coś konkretnego.

– Czy oprócz tych dwojga mamy w Mieście jakieś „ogony"? Coś, na co może się natknąć milicja?

Głos Siemiona wydawał się równie pewny jak zawsze, ale coś było nie tak... Kotek wyostrzył uwagę. Gdzieś tu czai się niebezpieczeństwo. Spojrzał na Chemika.

– Jesteś pewien swojej dziewczynki? Nie zrobi nam żadnej niespodzianki?

– Coś ty, Kotek. To się przecież nie zaczęło wczoraj. Skoro Wiera milczała tyle czasu, to czemu nagle miałaby się zbuntować?

– Zdawało mi się, że ostatnio urządzała jakieś ekscesy. Chyba się nie mylę?

– Nie przejmuj się. To zwyczajne dziewczęce kaprysy. Nagle nie spodobał jej się Assanow. Ale tkwi po uszy w takim gównie, że wytrzyma, nawet gdybyś ją położył z krokodylem.

– No dobra, musimy ci zaufać. Damir, a jak twoja wielka miłość? Jak się czuje?

– Moim zdaniem, ona niczego nie czuje. Zimna jak kamień – próbował zażartować reżyser. – Nic jej nie bierze. Ale jedno mogę powiedzieć na pewno: nami się nie interesuje. Żadnych pytań, żadnych aluzji. Zajmuje się własnym zdrowiem i tłumaczeniem. Jestem pewien, że nie zauważyła nic podejrzanego.

– Możesz zaręczyć, że nie wykryła Zaripa?

– Krzyczałem i wołałem ją w parku tak głośno, że chyba zagłuszyłem wszystkie dźwięki w promieniu kilometra. Od razu odwróciła się do mnie i wcale nie wyglądała na przestraszoną. Raczej była zamyślona. Od momentu, jak Zarip zaczął jej szukać, starałem się być z nią cały czas. Z jednej strony, ochraniałem ją przed tym świrem, z drugiej – próbowałem się zorientować, czy go nie spostrzegła. Nie, jest absolutnie spokojna, nie boi się ciemności, nie boi się chodzić sama ani po nieoświetlonych korytarzach, ani późno wieczorem po parku. Gdyby cokolwiek ją niepokoiło, na pewno jakoś by to okazała.

– Cóż, to wydaje się przekonujące. Przeszukałem jej numer, nie ma tam nic, co by wskazywało na zainteresowanie Kamieńskiej nami. Siemion!

– Co? – Siemion drgnął zaskoczony.

– Zdaje mi się, że masz jeszcze coś do powiedzenia. Gadaj, nie ściemniaj.

Siemion złamał się i opowiedział o zabójstwie Gruszyna, które przez długi czas ukrywał.

– Jak śmiałeś to przed nami ukryć, sukinsynu? – Kotek już nie mruczał łagodnie, ale syczał. – Rozwaliłeś człowiekowi łeb i przez cztery miesiące ani słowa. Powiesić cię za to to mało!

– Za blisko się do nas dobrał. Dowiedział się o Makarowie i już się posuwał dalej...

– Od kogo się dowiedział? Sprawdziłeś to przynajmniej, zanim mu dałeś po łbie? Idioto!

– Nie miałem kiedy sprawdzić. Pętał się koło studia, akurat wychodziła stamtąd Wiera, i zapytał, czy w tym domu mieszka Makarow. Całe szczęście, że akurat zszedłem, żeby zamknąć drzwi, i usłyszałem, jak rozmawiają. Co miałem robić? Powiedziałem mu, że jestem Makarow, zaprosiłem do środka i... Nie mogłem go ukryć, musiałem wyrzucić ciało na ulicę.

– Dobrze, że miałeś na tyle rozumu, żeby go nie ukrywać. Jeżeli ktoś go nasłał, a prawdopodobnie była to milicja, postawiliby wszystkich na nogi, gdyby zniknął. A tak, jeżeli mieliśmy szczęście, mogli uznać, że zabito go w pijackiej burdzie. Ale tak czy owak, Siemion, nie wolno ci było ukrywać takiej rzeczy. Jeżeli coś wyniuchał, to znaczy, że zostawiliśmy jakieś ślady, daliśmy komuś powód do niepokoju. Czujemy się pewnie, a tu się okazuje, że od czterech miesięcy ktoś nas śledzi. Cóż. Musisz się zmywać z Miasta. I ty też, Chemik. Ja nie mogę wyjechać, bo jestem pracownikiem sanatorium, w którym popełniono morderstwo. Muszę być na miejscu, żeby nie wzbudzać podejrzeń.

– A co ja mam robić? – odezwał się Damir. – Wykupiłem skierowanie na siedem dni i wszystkim opowiadałem, że mam tu sprawy akurat na tydzień. Nie mogę przecież po trzech dniach wyjechać!

– Co do ciebie, jeszcze nie podjąłem decyzji. Powiem ci wieczorem. No, idźcie już.

Kotek został sam, leżał przez chwilę zwinięty w kłębek na łóżku i w zamyśleniu darł na drobne kawałki kartkę z zapełnionym cyframi zapisem partii preferansa, na wypadek gdyby ktoś wszedł do pokoju. Potem z kieszeni luźnej kolorowej kurtki wyjął telefon i wyciągnął antenę.

– Mam coś do omówienia – powiedział.

– Nie teraz. Później – usłyszał w odpowiedzi.


Dwudziestopięcioletni Aleksander Kazakow, ksywa Chemik, nie chciał wyjeżdżać z Miasta. Bał się, że Wiera Denisowa zacznie go szukać, i kto wie, do czego to może doprowadzić. Przecież nie opowie jej o zabójstwach.

Wieroczkę poznał rok temu, kiedy odbywał w szkole praktykę nauczycielską, ucząc chemii i biologii. Początkowo nie zwrócił na nią uwagi, nawet nie podejrzewając, jak silne zainteresowanie „dorosłym" życiem kryje się za tą niewinną anielską buzią. Sasza ani się spostrzegł, kiedy konsultacje z chemii w pustej klasie po lekcjach stały się codzienne, pokazywanie kolanek – coraz bardziej

122

ostentacyjne, zapach perfum – wyzywający. Wieroczka okazała się dziewczynką z charakterem; zakochała się w Saszy i konsekwentnie zmierzała do celu, nie wstydząc się tego, że się narzuca i że może się wydawać zepsuta. Kazakow obserwował ją przez kilka tygodni, oceniając warunki zewnętrzne, inteligencję i nietuzinkowy sposób myślenia, gotowość do swobody seksualnej, po czym zagrał *va banque*.

– Wiero – powiedział męczeńskim tonem, robiąc smutne oczy – kocham cię. Ale świat, w którym żyjemy, nas nie zrozumie. Masz dopiero trzynaście lat, a ja dwadzieścia cztery. Jeżeli staniemy się sobie prawdziwie bliscy, wsadzą mnie do więzienia. Zdajesz sobie z tego sprawę?

– Bzdury – oświadczyło ze spokojem prześliczne dziecię. – Już dawno nie jestem dziewicą. Od piątej klasy gramy w butelkę.

To rozwiązało Chemikowi ręce. Mieć do zdjęć kategorii B stałą dziewczynę było o wiele bezpieczniej, niż za każdym razem dobierać nową. W kategorii A występowały dorosłe kobiety, bynajmniej nie wszystkie były prostytutkami, ale milczały – wszystkie. Z nimfetkami zawsze było i trudniej, i bardziej niebezpiecznie. Wiera stała się dla Kazakowa cennym odkryciem, zwłaszcza od kiedy wymyślił na jej użytek legendę o ucieczce za granicę, w którym to celu należało zgromadzić pieniądze. Nie posiadał się ze zdziwienia, że taka bystra, niepospolita dziewczynka mogła uwierzyć w podobne brednie. W pewnym momencie nawet zaczął podejrzewać, że mała tylko udaje taką ufną. Ale wszystkie podejrzenia rozwiały się pewnego wieczoru, który spędzali z Wierą u niego w domu.

– Moglibyśmy następnym razem pojechać do nas na daczę, ale nie lubię tam jeździć – powiedziała Wiera. – Od czasu jak wyjechała Lilia, jest mi tam smutno.

– Kto to jest Lilia? – zapytał Chemik, wygodniej układając się na poduszce.

– Lilia to kochanka dziadka. Młodsza od niego o czterdzieści lat. Ach, jak dziadek ją kochał! – Wiera westchnęła z zawiścią. – Kilka razy do roku zabierał ją za granicę, to do modnych kurortów, to na zwiedzanie jakichś muzeów. Kiedyś jej się wymsknęło, że chciałaby zobaczyć prawdziwy angielski park, i dziadek zawiózł ją do Anglii. Lilia była wesoła i bardzo dobra. Dziadek kupił jej mieszkanie, ale o wiele bardziej podobało się Lilii na daczy. Potrafiła całymi dniami siedzieć na werandzie i patrzeć na drzewa. Potem dziadek wydał ją za mąż za jakiegoś biznesmena i wyjechała z mężem do Wiednia. Przed wyjazdem zabrała mnie ze sobą na daczę, chodziła po ogrodzie, głaskała wszystkie drzewa. I strasznie płakała. Mówiła, że lata spędzone z moim dziadkiem były najlepszym okresem w jej życiu. Kiedy jestem na daczy, zawsze mi się przypomina, jak płakała, i też robi mi się smutno.

– A dlaczego dziadek sam się z nią nie ożenił?

– Coś ty? – Wiera uniosła się na poduszce i ze zdumieniem spojrzała na Chemika. – A babcia? On się nie chce z nią rozwodzić.

„Ona nie jest ze zwykłej zamożnej rodziny – pomyślał wówczas Chemik. – Ta rodzina ma tyle pieniędzy, że zupełnie inaczej podchodzi do życia. Dla nich wyjazd do Rzymu czy Paryża to to samo, co dla mnie podróż do Charkowa czy Omska. Nic dziwnego, że mała mi wierzy. A cóż to wielkiego: wyjechać za granicę. Ciekawe, kim jest ten jej dziadek?"

Nie próbował jednak pytać o to Wieroczki, żeby nie budzić jej podejrzeń. Dowiedział się tego okrężną drogą. Dowiedział się – i przeraził. Ale na wycofanie się było już za późno, do tego czasu Wiera Denisowa zdążyła wystąpić w pięciu czy sześciu filmach, znała osobiście Siemiona i Damira oraz wiedziała, gdzie mieści się studio.

Pozostawało tylko liczyć na łut szczęścia. Ale żeby go sobie zapewnić, należało ze szczególną starannością podtrzymywać wiarę dziewczynki w to, że on, Sasza Kazakow, jest w niej bez pamięci zakochany i nie wyobraża sobie życia bez niej. I Sasza się starał. Starał się ze wszystkich sił. No więc jak ma wyjechać? Mała jeszcze pomyśli, że ją rzucił.

Siódmego dnia pobytu w „Dolinie" wszystko się dla Nasti zmieniło. Poprzedniego dnia położyła się wcześnie z zamiarem wyspania się jak należy i była strasznie zdziwiona, kiedy obudziła się jeszcze przed świtem i uświadomiła sobie, że nie chce już spać. Dla Nasti, prawdziwej „sowy", wczesne wstawanie było prawdziwą torturą. Chwilę przewracała się pod kołdrą, próbując ułożyć się wygodniej i jeszcze trochę pospać, wkrótce jednak porzuciła próżne wysiłki i przestała się oszukiwać. Czuła, że znów jest w pracy.

Przez sześć dni udawało się jej wmawiać sobie, że to „nie jej sprawa", że nie jest na służbie, ale leczy się i wypoczywa. Przez sześć dni ignorowała sygnały wysyłane przez podświadomość, kiedy coś wypadło z normalnej, logicznej koleiny. Przez całych sześć dni starała się nie być milicjantką, i to z takim powodzeniem, że zniżyła się do niewybaczalnych babskich ambicji i głupich pretensji. Dość tego wiecznego przełamywania samej siebie, zadecydowała wreszcie, będę żyć tak, jak chcę. A chciała przede wszystkim pomyśleć.

Wygrzebała się z łóżka i wzięła prysznic. Jak zwykle przed pójściem do pracy wykonała gimnastykę umysłową, żeby wprowadzić mózg w stan gotowości. Dziś wybrała zasady stawiania pytań przy dopełnieniu bliższym w językach grupy ugrofińskiej. Kiedy się uporała z zadaniem, jednocześnie obniżając temperaturę wody w prysznicu tak, że ledwie mogła wytrzymać, poczuła znajome radosne ożywienie. Postanowiła nie iść na śniadanie, zaparzyła sobie kawę i wzięła się do roboty.

Około jedenastej zeszła do holu i kupiła wszystkie będące w sprzedaży gazety, łącznie z poniewierającymi się pod ladą folderami reklamowymi sprzed miesiąca. Wsadziła gruby plik pod pachę, wyszła z budynku i prawie przez godzinę snuła się po sanatoryjnym parku, zmieniwszy nieco zwykłą leczniczą marszrutę. Posiedziała na ławce, czytając gazety, wróciła do siebie i zaczęła rysować na kartce skomplikowane esy-floresy.

W połowie dnia miała już dość logiczny obraz, w którym było sporo białych plam, ale wiedziała mniej więcej, jak można je wypełnić, co powinna sprawdzić i wyjaśnić. Uraza do oficera, który przesłuchiwał ją wczoraj, minęła bez śladu. Wiedziała, że jako osobę, która widziała denata zapewne tuż przed śmiercią, będą ją przesłuchiwać jeszcze raz. Może to będzie inny oficer, a może nawet śledczy. Nie będzie taki zmęczony i zły i Nastia wyłoży mu wszystkie swoje koncepcje.

Śledczy przyjechał rzeczywiście. Oddano mu do dyspozycji jeden z niezajętych numerów, dokąd po kolei wzywał świadków. Anastazja Kamieńska była jedną z pierwszych osób, z którymi śledczy chciał rozmawiać. Uznała to za dobry znak.

Przysięgła sobie, że zachowa zimną krew. Nie pierwszy rok pracowała w organach ścigania i dobrze wiedziała, jak się odnoszą milicjanci w terenie do przybyszów z Moskwy. Nieżyczliwość starannie maskowali ostentacyjną uprzejmością, ale gdy tylko za pracownikiem stołecznej milicji czy ministerstwa zamykały się drzwi, dawali upust emocjom. Wydelegowani z Moskwy wywiadowcy, nie znając terenu, często wprowadzali zamęt w starannie prowadzonym śledztwie, na które poświęcono wiele czasu i sił. Trzeba ich było lokować w hotelu, załatwiać a to łączność z Moskwą, a to transport, poić wódką, udając gościnnych gospodarzy, i takie najazdy nie przynosiły nic poza bólem głowy. Oczywiście, bywały wyjątki. A mówiąc uczciwie, wyjątków było więcej niż przypadków potwierdzających regułę. Tak czy owak, nastawienie do „pomocników" z centrali pozostawiało wiele do życzenia.

Biorąc to wszystko pod uwagę, Nastia postanowiła być wyjątkowo delikatna. Nie będzie się pchać ze swymi wnioskami, gdy tylko przestąpi próg, ale zaczeka na sprzyjający moment, kiedy śledczy sam poruszy konkretny problem. Bądź co bądź, myślała, zabójstwo to zabójstwo, i po prostu grzech nie pomóc kolegom, skoro ma się możliwość.

Śledczy przyjął ją uprzejmie, łaskawie pozwolił palić, skoro sobie życzy. Chudość czyniła go młodzieńczo niezgrabnym, ale poorana zmarszczkami twarz i rzadkie włosy wymownie świadczyły o jego wieku. Garnitur odprasowany, koszula świeża, krawat dobrze dobrany.

Nastia spodziewała się, że śledczy zajmie się hipotezą zabójstwa z zazdrości, kontynuując koncepcję przyjętą poprzedniego dnia. On jednak zaczął ją pytać o to, kto kiedy przyjechał i czy nikt w jej obecności lub za jej pośrednictwem nie próbował nawiązać znajomości z Ałfierowem. Domyśliła się, że sprawdza hipotezę o zabójstwie na zlecenie. Gołowin powiedział jej wczoraj, że denat był kierowcą w jakiejś firmie, woził samego dyrektora generalnego. Zapewne miejscowa milicja już się skontaktowała z Moskwą, pomyślała Nastia. Tylko patrzeć, a zjawi się ktoś od Pączka. To poprawiło jej humor.

– Anastazjo Pawłowno, czy może pani podać dzień, w którym Ałfierow pojawił się w sanatorium?

– Nie, nie mogę. Zauważyłam go dopiero wtedy, gdy podszedł do mnie w parku. Ale przecież dzień przyjazdu powinien być podany w jego skierowaniu i w książce meldunkowej.

Śledczy całkowicie zignorował tę uwagę, jakby jej w ogóle nie słyszał.

– A Dobrynin zaczepił panią przed Ałfierowem czy po?

– Po. Następnego dnia.

– Może prosił, żeby go pani poznała z Ałfierowem?

– A po co? – zdziwiła się Nastia. – Przecież mieszkali w jednym pokoju.

I znowu śledczy zupełnie nie zareagował, tylko zadał następne pytanie:

– Który z nich, Ałfierow czy Dobrynin, powiedział pani, że mieszkają w jednym pokoju?

– Dobrynin. *À propos*, w jadalni też siedzieli razem.

– Dlaczego *à propos*? – spytał ze znużeniem śledczy.

– Dlatego że to znaczy, że przyjechali jednocześnie. Proszę spytać dietetyczkę, ona to panu wyjaśni. – Nastia była już zła, ale w porę się opanowała. „Wytrzymaj” – powiedziała sobie.

– Kto jeszcze zalecał się do pani tu, w sanatorium?

– Damir Łutfirachmanowicz Ismaiłow; przyjechał z Nowosybirska, zajmuje apartament na pierwszym piętrze.

– Nie prosił, żeby go pani poznała z Ałfierowem?

– Nie.

– Nie wypytywał pani o niego albo o Dobrynina?

– Nie.

– Zjawił się przed Ałfierowem czy później?

– Nie wiem, kiedy przyjechał Ałfierow, i nie potrafię powiedzieć, kiedy zjawił się w Mieście Ismaiłow, ale nie później niż w piątek dwudziestego drugiego października. Może wcześniej, ale jestem całkowicie pewna, że nie później. A sam Ismaiłow powiedział panu, kiedy przyjechał?

– Anastazjo Pawłowno, już nie po raz pierwszy zadaje mi pani pytania. Nie chciałem być nieuprzejmy, więc początkowo próbowałem dać pani do zrozumienia, jak dalece jest to nie na miejscu. Skoro jednak nie rozumie pani aluzji, zmuszony jestem przypomnieć, że jako świadek powinna pani odpowiadać na pytania, a nie je zadawać. Pani wybaczy.

„Wytrzymaj – powiedziała sobie Nastia, zaciskając zęby. – Wytrzymaj. Dla dobra sprawy".

– Wspomniała pani, że w zakładzie brali udział trzej mężczyźni. Wie pani, kto był trzecim uczestnikiem gry?

– Nie przedstawił mi się. Dobrynin mówił, że ten trzeci ma na imię Jewgienij i pracuje w sanatorium jako elektryk. Alfierow temu nie zaprzeczył. Ale...

– Chwileczkę – przerwał jej śledczy. – Chce pani powiedzieć, że zawierając znajomość z niejakim Jewgienijem, nawet go pani nie zapytała, jak się nazywa? Jak pani może to wyjaśnić?

– Mogę to wyjaśnić tylko tym, że nie miałam żadnego zamiaru zawierać z nim znajomości. Dwa razy próbował nawiązać ze mną rozmowę i dwa razy te próby udaremniłam. Właśnie dlatego nie pytałam go o imię, żeby nie myślał, że chcę podtrzymać rozmowę i w ogóle nawiązać znajomość. Czy wyrażam się jasno?

– Anastazjo Pawłowno, radzę zmienić ton. Fakt, że jest pani pracownikiem moskiewskiego Głównego Urzędu Spraw Wewnętrznych, nie czyni jeszcze z pani wybitnej specjalistki od rozwiązywania zagadek kryminalnych. Jeśli się pani wydaje, że wie pani lepiej niż ja, jakie pytania należy zadawać przy dochodzeniu w sprawie zabójstwa, ośmielam się panią zapewnić, że jest pani w błędzie. Pracuję w tym zawodzie od wielu lat i proszę mi wierzyć, mam wystarczające doświadczenie, żeby utrzymać wykrywalność przestępstw na poziomie dziewięćdziesięciu sześciu procent. W Moskwie, gdzie raczy pani pracować, wykrywalność podobnie ciężkich przestępstw jest o wiele niższa. Mam rację? Dlatego przestrzegajmy, proszę, reguł gry: ja będę zadawał pytania, jakie uznam za stosowne, i oczekiwał od pani zgodnych z prawdą odpowiedzi, a pani z kolei będzie tylko odpowiadała na moje pytania i nic poza tym. I bez emocji, zwłaszcza negatywnych. Kontynuujmy. Czy po tym pierwszym razie Jewgienij próbował jeszcze panią zagadywać?

– Nie, więcej się do mnie nie zbliżał.

„Oczywiście, że próbował. Nasłał na mnie najpierw ciamajdę Ałfierowa, ukrywając przed nim, że sam już poniósł porażkę. Nie mógł tego powiedzieć Koli wcześniej, bo ten by od razu zrezygnował. Potem napuścił na mnie nieodpartego Paszę Dobrynina. Ponieważ daleko mi do Marilyn Monroe, Paszę trzeba było czymś podbechtać. Właśnie dlatego genialny Żenia wymyślił sztuczkę z podwyższeniem stawki. Był pewien, że Ałfierowi się nie uda, i wtedy stawkę na mnie trzeba będzie podnieść na tyle, by zainteresowało to Dobrynina. A żeby Pasza mocniej chwycił przynętę i z entuzjazmem zaczął się zalecać do takiej szarej myszki jak ja, właśnie jemu Żenieczka wyznał, że on sam połamał sobie na mnie zęby. Żenia jest młody, przystojny i rywalizacja z nim to nie wstyd. Poza tym, jak widać, jest sprytny i wyrachowany. Ale pan, panie śledczy, nie chce przecież słuchać moich komentarzy. Zadał pan pytanie – a ja na nie odpowiedziałam".

– Proszę mi powiedzieć, Anastazjo Pawłowno, czym wyjaśnić okoliczność, że odrzuca pani konsekwentnie Jewgienija Szachnowicza, Nikołaja Ałfierowa, Pawła Dobrynina i nagle sama pani podchodzi wieczorem do Ałfierowa i z własnej inicjatywy nawiązuje z nim rozmowę?

– Wydał mi się szczery i bezinteresowny. Przy pierwszym kontakcie robił wrażenie niedorozwiniętego umysłowo, ale później, po rozmowie z Dobryninem, wszystko, co wydawało mi się dziwne, wyjaśniło się i zobaczyłam charakter Nikołaja w zupełnie innym świetle. Dlatego nie widziałam nic złego w tym, że w czasie spaceru przez kilka minut z nim porozmawiam.

„Na widok Nikołaja w parku poczułam chłód w żołądku, a zwykłam ufać swemu organizmowi. Jeżeli organizm mówi mi: uwaga! – wiem, że muszę go usłuchać. Niestety, w ostatnim tygodniu wielokrotnie naruszyłam tę zasadę. Rozmawiałam z nim, próbując odszukać klawisz, po którego naciśnięciu mózg znowu wyśle swój ostrzegawczy sygnał. I znalazłam go, kiedy wyszło na jaw, że Szachnowicz ukrył przed Nikołajem to, czego nie ukrywał przed Dobryninem. W tym momencie byłam już pewna, że Szachnowicz z jakiegoś powodu szukał do mnie dojścia, i popędziłam do siebie, żeby przemyśleć tę sprawę do końca. Niestety, przeszkodził mi Damir. Ale tego też panu nie opowiem, ponieważ dał mi pan do zrozumienia, że jestem głupia i moje przemyślenia nie zasługują na pańską uwagę".

– Jak długo rozmawiała pani w parku z Alfierowem?

– Jakieś dziesięć minut.

– Patrzyła pani na zegarek?

– Wypaliłam jednego papierosa. To trwa około dziesięciu minut.

– Co było potem?

– Potem wstałam i poszłam aleją w stronę części mieszkalnej, bo chciałam wrócić do swego numeru.

– Spotkała pani kogoś po drodze?

– Tak, Ismaiłowa. Zawołał mnie, podeszłam i razem wróciliśmy do sanatorium.

– Poza Ismaiłowem nikogo pani nie widziała?

– Nie.

– A czy widziała pani kogoś w holu?

– Naturalnie. Siedziała tam recepcjonistka, a kilka osób rozmawiało w kącie na fotelach.

– Może je pani wymienić?

– Nie, nie znam ich.

– A może mogłaby pani je zidentyfikować?

– Nie. Nie przyglądałam im się. Poza tym ci ludzie byli dość daleko ode mnie.

– Po powrocie do sanatorium poszła pani do siebie?

– Nie.

– A dokąd?

– Do numeru Ismaiłowa.

– Po co?

– Po to.

Zapadło nieprzyjemne milczenie. Wreszcie śledczy zapytał z uśmiechem:

– Anastazjo Pawłowno, jak mam rozumieć pani odpowiedź? Jako informację czy jako impertynencję?

– Jako informację. Powiedzmy, że mam ubogie słownictwo.

– Dobrze, załóżmy, że poszła pani do Ismaiłowa na intymną schadzkę, o czym wstydzi się pani powiedzieć głośno. Ile czasu spędziła pani w jego numerze?

– Sporo. Zdążyłam obejrzeć prawie połowę pełnometrażowego filmu, wypić kawę i nawet porozmawiać z Ismaiłowem. W sumie około dwóch godzin.

– I przez cały ten czas Ismaiłow znajdował się w pokoju?

– Tak.

– Nigdzie nie wychodził?

– Nie.

– Jest pani tego całkowicie pewna?

– Tak.

– Zdaje pani sobie sprawę, że pani zeznania to jedyne potwierdzenie alibi Ismaiłowa na czas zabójstwa? Nieścisłości w zeznaniach mogą mieć bardzo przykre następstwa.

„Nie powinien pan mnie straszyć, nawet w tak kulturalnej formie. Mógłby pan zwrócić uwagę, że wszystkie moje zeznania są wyjątkowo precyzyjne. W ten prymitywny sposób usiłuję pana przekonać, że rozumiem, co pan robi, że wiem coś niecoś o prowadzeniu śledztwa. A już zwłaszcza o wykrywaniu zabójstw, jako że pracuję w sekcji ciężkich przestępstw kryminalnych".

– Zdaję sobie z tego sprawę. Nie mam zamiaru osłaniać Ismaiłowa. Mówię wyłącznie prawdę.

– Dlaczego, Anastazjo Pawłowno? Skoro przyjmuje pani umizgi mężczyzny i przychodzi do jego pokoju na intymną schadzkę, byłoby rzeczą zupełnie naturalną, gdyby chciała mu pani oszczędzić nieprzyjemności. Czemu więc nie przejawia pani takiej chęci?

– Dlatego że jestem osobą o normalnym intelekcie i zdrowej psychice. Na razie jeszcze potrafię nie mieszać przyjemności, jaką sprawiają mi męskie awanse, z poczuciem obowiązku obywatelskiego, który zakazuje mi składania fałszywych zeznań.

„W rzeczywistości poszłam do jego pokoju nie, jak pan to nazwał, na intymną schadzkę. Była to gra, w którą Damir grał z konieczności, a ja – z ciekawości. On odgrywał amanta, ponieważ do czegoś byłam mu potrzebna, a ja udawałam, że mu wierzę, bo chciałam zrozumieć, po co to wszystko robi. A teraz interesuje mnie to jeszcze bardziej, bo nagle jakoś przestałam być Damirowi potrzebna. Szkoda, że nie chce pan ze mną o tym porozmawiać".

Nastia krótko i treściwie odpowiadała na pytania śledczego, prowadząc z nim w duchu obszerny dialog. Tak się szykowała na tę rozmowę, że nie mogła się pogodzić z tym trzymaniem jej na dystans. Może nie głośno, może tylko w myślach, ale i tak powie wszystko, co uważa za istotne.

– Czy wracając z pokoju Ismaiłowa, przechodziła pani obok numeru 240?

– Nie wiem, gdzie jest numer 240. Jeżeli w tym samym skrzydle, co apartament, to przechodziłam. Jeżeli w innym – to nie przechodziłam.

– Nie patrzyła pani na numery pokojów, idąc korytarzem?

– Nie. Poza tym w korytarzu było ciemno.

– Ismaiłow panią odprowadzał?

– Nie.

– Dlaczego?

– Nie było takiej konieczności. Nie boję się chodzić po ciemku i nie ma obawy, żebym zabłądziła.

„W świetle tego, co Damir mówił mi w dzień, wydało mi się co najmniej dziwne, iż nie zaproponował, że mnie odprowadzi. Czy to znaczy, że poprzedniego wieczoru i w pierwszej połowie następnego dnia istniało jakieś niebezpieczeństwo, czy miało nastąpić jakieś niepożądane zdarzenie, któremu mogła zapobiec obecność Damira? A tamtego wieczoru niebezpieczeństwo początkowo było, nie bez powodu przecież Damir miotał się po parku i mnie szukał, a potem nagle znikło bez śladu i Ismaiłow nawet nie próbował odprowadzić mnie o drugiej w nocy z pierwszego piętra na czwarte".

– Dziękuję pani, Anastazjo Pawłowno. Nie jest to nasze ostatnie spotkanie, będę musiał przesłuchać panią jeszcze raz.

– Pozwoli pan, że jednak zadam jedno pytanie?

– Proszę. Ale nie mogę obiecać, że na nie odpowiem.

„Pocierp jeszcze trochę, za chwilę wszystko się wyjaśni".

– Czy w kieszeniach Alfierowa albo w jego pokoju nie znaleziono paczki papierosów Ascor? Czarne tekturowe pudełko ze złotymi literami.

– Nie. Nie ma pani więcej pytań, Anastazjo Pawłowno? A więc jeszcze raz dziękuję, miłego dnia.

Nastia nie pamiętała, jak doszła do swego pokoju. Niczego już nie rozumiała. No dobrze, śledczy to cham, który uważa, że omawianie spraw zawodowych z kobietą jest poniżej jego godności. Ale przecież poza tym nie jest chyba głupi? Dlaczego w takim razie zupełnie nie zareagował na jej ostatnie pytanie? Powinien, był wręcz zobowiązany zapytać ją, co to za paczka i czemu miałby ją mieć Ałfierow! Wtedy ona powiedziałaby mu, że zapomniała tej paczki na ławce. Gdyby Nikołaj jej nie zauważył, to inna sprawa. Ale jeśli zauważył i niósł w ręku albo włożył do kieszeni, to powinni ją przy nim znaleźć. Znaleźli? Nie. No to gdzie ona jest? Wypadła, kiedy go mordowano? A więc nie zabito go w pokoju. Dalsze wnioski były dla Nasti oczywiste. I nie mogła pojąć, czemu nie były równie oczywiste dla przesłuchującego ją śledczego.

Zamknęła drzwi od środka i powoli, z wysiłkiem, zaczęła robić sobie kawę. Ręce jej drżały, palce były zdrętwiałe i odmawiały posłuszeństwa, nogi były jak z drewna. Przed oczami migały wstrętne czarne plamki, jakby po pokoju wirował cały rój much. W środku, w duszy, rozlewał się stopniowo śmiertelny chłód, zdawało jej się, że nawet palce u rąk i nóg stały się lodowate. Radość z pracy gdzieś znikła. Powróciła za to obraza, a wraz z nią smutek i zniechęcenie.

Ludzkość dzieli się na Mężczyzn i Kobiety. Ta banalna prawda, zamiast być po prostu stwierdzeniem biologicznego faktu, stopniowo stała się regułą, wytyczną, według której ludzkość zaczęła budować swój chwiejny układ socjalny. W miarę posuwania się owej budowy reguła nieco się rozszerzyła. Tak więc obok podstawowych kategorii Mężczyzn i Kobiet pojawiły się kategorie dodatkowe, by tak rzec, fakultatywne, Kobietopodobnych Mężczyzn i Mężczyznopodobnych Kobiet. Kategorie fakultatywne traktowane są jako nonsens zasługujący na umieszczenie w księdze ginących gatunków.

Kierując się podstawową zasadą, ludzkość zaczęła wymyślać różniące się stopniem trudności gry: oddzielne dla mężczyzn, oddzielne dla kobiet, oddzielne dla drużyn mieszanych. I była tak pochłonięta procesem segregacji społeczno-płciowej, że nie spostrzegła, jak granice, które początkowo były jakieś nierzeczywiste i też stanowiły raczej rytuał, część gry, nagle stały się jak najbardziej prawdziwe – żelazobeton, którego nie jest w stanie przebić ani najbardziej postępowy umysł, ani najnowocześniejsza broń.

Gotowaniem i szyciem powinna się zajmować kobieta. Wykrywaniem przestępstw – mężczyzna. I koniec. Święty Boże nie pomoże. Ciekawe, że mężczyzna może też z powodzeniem być krojczym i projektantem odzieży. Ives Saint-Laurent, Wiaczesław Zajcew czy mistrz kobiecych fryzur Vidal Sassoon wspaniale potwierdzają tę tezę. I nie mniej ciekawe, że wykrywaniem przestępstw także może się zajmować kobieta.

Kobiet śledczych jest chyba nawet więcej niż mężczyzn. Ale przecież organy ścigania to domena czysto męska i ani się waż tam pchać, głupia babo. Na czym bowiem tradycyjnie opierała się praca stróżów prawa? Śledzenie, zasadzki, pogonie, strzelanina – gry i zabawy, zaspokajające chłopięcą potrzebę romantyzmu. W podobnym duchu przedstawiały rzecz utwory literackie i publicystyczne oraz przekazywane ustnie ballady i opowieści. Jakoś nikt nie lubił mówić o tym, że wykrywanie przestępstw to praca umysłowa, nieefektowna, nierzucająca się w oczy. Że zanim się zademonstruje spektakularne wyczyny, trzeba wiele godzin prześlęczeć za biurkiem, w skupieniu przetrząsając w myśli miejsca, adresy, życiorysy, pseudonimy, znaki szczególne, cechy charakterystyczne mowy i zachowania, i dopiero potem ruszać „w śmiertelny bój". Że zanim się popędzi trzema wozami na sygnale, by zatrzymać uzbrojonego bandytę przy użyciu broni i napakowanej muskulatury, trzeba długo i żmudnie zbierać informacje, analizując wszystkie posunięcia bandyty i sporządzając jak synoptyk prognozę jego posunięć na dzień następny.

Warto również zauważyć, że gry uprawiają tylko ludzie. Życie jest dalekie od tych głupstw i płynie zgodnie z własnymi prawami; nawiasem mówiąc, nie wymyślonymi, jak zasady gry, ale absolutnie obiektywnymi. Ten obiektywny tok życia, w który wplata się także przestępczość, nieustannie wymaga od ludzi, by kierowali się nie regułami swoich gier, ale normalnymi prawami obiektywnej rzeczywistości. I jeżeli, aby wykryć przestępstwo, trzeba dokonać analizy informacji, zająć się jej gromadzeniem i badaniem, jej sprawdzaniem i systematyzacją, to pozwólcie się tym właśnie zająć. I nie walcie na jedną kupę pracy analitycznej i pozostałych aspektów roboty dochodzeniowej. Każdy powinien robić to, co najlepiej umie, a nie to, co mu nakazuje Najwyższa Reguła. Jeśli umiesz dobrze strzelać i szybko biegać – ujmuj przestępców. Jeśli potrafisz zrozumieć cudzą duszę i znaleźć do niej klucz – prowadź przesłuchania. Jeśli umiesz opracowywać informacje – rób to nie dla samego siebie, ale dla wspólnej sprawy, dla kolegów. I nie powinno stanowić żadnej różnicy, na jaką literę zaczyna się nazwa twojej płci – na „m" czy na „k".

Wiktor Aleksiejewicz Gordiejew dawno zrozumiał rozbieżność między prawami życia a regułami gry i kiedy tylko warunki mu na to pozwoliły, zaczął tę swoją koncepcję wprowadzać w życie. Z czasem okazało się, że nieźle mu to wyszło. Zebrał w swojej sekcji ludzi, z których każdy umiał coś robić bardzo dobrze. Na przykład Wołodia Łarcew był znakomitym psychologiem i doradzał wszystkim, jak rozmawiać z tym czy innym człowiekiem, by wydobyć z niego to, co się chce. Wesoły Kola Siełujanow jak własnych pięć palców znał Moskwę ze wszystkimi przechodnimi podwórkami, zaułkami i ślepymi uliczkami i nie miał sobie równych w opracowywaniu tras – pieszych i samochodowych. Młody, czarnooki Misza Docenko był niezastąpiony w pracy z naocznymi świadkami – tak długo i cierpliwie obrabiał zeznania, że udawało mu się wyciągnąć z człowieka każdy drobiazg, który ten widział, słyszał lub zapamiętał. A Nastia Kamieńska była analitykiem. I chociaż początkowo przyjęto ją w sekcji Gordiejewa z wielkim sceptycyzmem, jako że wszyscy poza Pączkiem długo jeszcze prowadzili zwykłe gry, to teraz nie tylko ją lubili i cenili, ale byli gotowi zdmuchiwać jej pył sprzed stóp.

A tu Nastia znalazła się na cudzym boisku, na którym toczyła się stara gra wedle starych prawideł: baba to nie człowiek, nie ma czego szukać w wydziale kryminalnym. Kobieta nigdy, w żadnych okolicznościach nie może być mądrzejsza od mężczyzny, toteż nigdy nie wykona lepiej niż on umysłowej części pracy dochodzeniowej, a o fizycznej nawet szkoda gadać. Ludzkość, w tym także pojedynczy jej przedstawiciele – detektywi, zrozumiała już całą głupotę i niewygodę dawno wymyślonych reguł, ale na razie nie znajduje w sobie sił psychicznych do przełamania własnym wysiłkiem wzniesionych niegdyś barier.

A co ma robić Nastia Kamieńska, skoro przedstawiciele obcego terytorium już dwa razy ją odtrącili – najpierw oficer operacyjny Andriej Gołowin, potem śledczy (przedstawił się, ale tak niewyraźnie, że Nastia nie dosłyszała nazwiska)? Czyż może powiedzieć któremuś z nich: słuchaj, sprawdź tam... zrób to i to... uwierz mi, mam rację... Nie, na takie słowa może sobie pozwolić tylko ktoś, kto już pograł z miejscową milicją we wszystkie możliwe i niemożliwe gry, w tym także w nie całkiem przyzwoite. A jeżeli jesteś kobietą i, co więcej, pchasz się do wykonywania czysto męskiej roboty, a w dodatku usiłujesz radzić mężczyznom, jak tę robotę wykonywać, to masz, kochana, zero szans. O czym Kamieńska już się zdążyła przekonać. W Mieście od samego początku potraktowano ją niepoważnie, nie ukrywając przekonania, że kobieta w organach ścigania to zwykłe nieporozumienie. A kiedy popełniono morderstwo i Nastia zaproponowała swoje usługi, bez ogródek dano jej do zrozumienia, że kobieta powinna znać swoje miejsce i na nim pozostać.

Nastia bardzo się starała tego nie słyszeć. Szczerze chciała pomóc i w tym celu gotowa była poświęcić miłość własną. Ale wszystko ma swoje granice. Opanowanie i rozsądek też. Pokonawszy pierwszą falę obrazy i nawet posunąwszy się na jej grzbiecie daleko do przodu, trafiła na drugą falę i zachłysnęła się nią.

Ktoś pukał do drzwi już drugi raz. Za pierwszym razem, jakąś godzinę temu, Nastia przyczaiła się, leżąc na łóżku, i udała, że jej nie ma. Teraz tłumaczyła, stuk maszyny roznosił się daleko i nie wypadało nie otworzyć.

– Anastazjo, co się dzieje? Proszę mi pokazać swoją książeczkę zabiegów – zażądał surowo lekarz prowadzący Michaił Pietrowicz. – Tak myślałem. Dwa dni z rzędu opuszcza pani zabiegi i nie ćwiczy w basenie. Jest pani chora? Dlaczego pani nie przychodzi na posiłki?

– Ja... Źle się czuję – wymamrotała niepewnie Nastia.

– To czemu pani do mnie nie przyjdzie? Zwracam pani uwagę, że to jest sanatorium, a nie pole namiotowe. W razie najdrobniejszych kłopotów ze zdrowiem – natychmiast do lekarza. Zrozumiano?

– Zrozumiano. Już mi wszystko przeszło. Jutro zacznę chodzić na posiłki i na zabiegi. Słowo honoru, Michaile Pietrowiczu.

– Powiedzmy. Chcę wiedzieć, na czym polega pani złe samopoczucie. Czemu straciła pani apetyt? Może zaleciłem niewłaściwą kurację?

– To raczej na tle nerwowym. Lekka depresja – odparła z uśmiechem Nastia.

– Tak na panią podziałał ten nieszczęśliwy wypadek?

– To też. Ale proszę nie zwracać na mnie uwagi, doktorze. To zwykła chandra. Dzisiaj, jeżeli pan pozwoli, jeszcze trochę się posmucę, a jutro od rana wszystko będzie w porządku.

Lekarz wyszedł niezadowolony, ale nie mógł nic poradzić na upór Nasti. Kategorycznie odmówiła zejścia na kolację.

A Damir wciąż nie przychodził...

Około dziesiątej znów zapukano do drzwi. W progu ukazała się Regina Arkadjewna.

– Telegram do pani, Nastiusza. Przechodziłam koło recepcji i dyżurna poprosiła, żeby go pani przekazać.

Sąsiadka wręczyła jej rozpieczętowany blankiet depeszy. I któż to był taki ciekawy, przemknęło Nasti przez głowę, któż to nie wytrzymał i otworzył telegram? „Proszę zadzwoń pilnie do domu całuję tata". Poczuła się nieswojo. Gdyby w domu stało się coś poważnego, to w depeszy nie byłoby uspokajającego słowa „proszę". Kiedy się mówi „proszę", to jest to prośba, a nie rozkaz, a prośby można przecież nie spełnić. Z drugiej strony – „pilnie". A cóż się mogło wydarzyć tak niezwykłego? Przecież zaledwie wczoraj do niego dzwoniła po otrzymaniu przekazu.

– Co ja mam zrobić? – zapytała bezradnie Nastia. – Ojciec prosi, żebym natychmiast zadzwoniła do domu, ale iść do Miasta jest już za późno, poczta działa do dwudziestej pierwszej.

Regina Arkadjewna stanowczo wzięła Nastię za rękę.

– Chodźmy. W takich skrajnych wypadkach istnieje wyjście awaryjne. Może będziemy miały szczęście i uda się pani zadzwonić z gabinetu dyrektora.

Nastia wlokła się za sąsiadką, czując się jak owca prowadzona na rzeź. Sądząc ze wszystkiego, ojczym chce jej przekazać jakąś informację od Gordiejewa. Już sam fakt, że szef nie próbuje się z nią porozumieć przez tutejszą milicję, był bardzo wymowny. Na przykład, że Gordiejew bada grunt, czy nie dałoby się Nasti wykorzystać w dochodzeniu. Pewnie zamierza kogoś przysłać i sposób działania uzależnia od tego, kim jest dla gości sanatoryjnych Nastia Kamieńska: tłumaczką czy pracownikiem Głównego Urzędu Spraw Wewnętrznych.

Przy gabinecie dyrektora powinien być sekretariat, rozmyślała Nastia, a w nim może się znajdować drugi aparat. W takiej sytuacji dzwonienie do domu od dyrektora to niewybaczalna głupota. Ktoś może podsłuchać rozmowę. Wykręcić się? Ale pod jakim pretekstem? Dostałaś telegram z domu z prośbą, żebyś zadzwoniła, natychmiast prowadzą cię do telefonu, a ty? Łamiesz po drodze nogę? Nie ma wyjścia, trzeba dzwonić z tego telefonu, który proponują. „Może jednak nic się nie stanie – uspokajała samą siebie Nastia. – Kto by chciał podsłuchiwać moje telefony? Zwyczajna tłumaczka dzwoni do domu do kochanego tatusia. Co w tym dziwnego? Jakoś to będzie, jakoś to będzie" – powtarzała sobie w duchu.

Tymczasem doszły z Reginą Arkadjewną do pokoju dyżurnej pielęgniarki.

– Oluszko – serdecznie zwróciła się do niej Regina – mogłabyś nam otworzyć gabinet Gieorgija Wasiljewicza? Moja sąsiadka dostała telegram z domu i musi pilnie zamówić międzymiastową.

Ola bez słowa kiwnęła głową i wyjęła z szuflady pęk kluczy. Po wejściu do sekretariatu Nastia od razu spojrzała na biurko: tak jest, kilka aparatów, jeden na pewno połączony z dyrektorskim telefonem miejskim. Może zadzwonić stąd? Wtedy miałaby pewność, że w gabinecie dyrektora nikt nie podniesie słuchawki. Ale tutaj one obie, Olga i Regina, będą nad nią stać jak kat nad grzeszną duszą...

Pielęgniarka tymczasem otworzyła gabinet dyrektora, zapaliła światło i zrobiła ręką zapraszający gest. Przepuściwszy Nastię, delikatnie zamknęła drzwi między gabinetem i sekretariatem, a Nastia ledwie się powstrzymała, żeby nie krzyknąć: „Proszę nie zamykać, żebym mogła widzieć biurko sekretarki i telefony".

Jakoś to będzie, nic złego się nie stanie, jakoś to będzie, powtarzała sobie, wybierając kierunkowy i numer mieszkania rodziców.

– Halo! – odezwał się w słuchawce głos Leonida Pietrowicza i w tej samej sekundzie wrażliwe ucho Nasti pochwyciło ledwie dosłyszalne, miękkie pyknięcie, nawet nie pyknięcie, ale jakieś syczenie. A więc nie udało się.

– Tatku, to ja. Mów głośniej, bardzo słabo cię słychać, tu jest jakiś pogłos. Co się stało?

– Nastasja! – Leonid Pietrowicz podniósł głos, chociaż słyszalność była doskonała. Nie zignorował wzmianki o „jakimś pogłosie". – Komu zostawiłaś klucze od swojego mieszkania?

– Margaricie Josifownie z szóstego piętra. Przecież specjalnie zostawiłam ci kartkę, żebyś nie zapomniał.

– Ależ pamiętam – w głosie ojca brzmiała wyraźna irytacja – pamiętam, jak napisałaś kartkę, jak ją położyłaś na lodówce, ale kiedy mi była potrzebna, nie mogłem jej znaleźć.

– Po co ci klucze? – spytała podejrzliwie Nastia.

– Wyobraź sobie, przyjaciel Ludy Siemionowej przyjeżdża służbowo. Ludoczka pyta, czy nie można by go ulokować u ciebie. Wie, że jesteś w sanatorium.

– Dlaczego akurat u mnie? – Nastia starała się nadać swemu głosowi ton niezadowolenia. – Luda ma chody w hotelu, niech go tam umieści.

– Ależ, dziecino, nie bądź nieużyta. Oni się kochają, a w hotelach, sama wiesz, jaki rygor. No, co ci zależy?

Nastia czuła, że myśli w jej głowie wirują szybciej, niż ona zdąża je sobie uświadamiać. Oto decydujący moment rozmowy, od niego zależy, jak się będzie zachowywał po przybyciu do Miasta Jura Korotkow, który już od ponad roku ma poważny romans z Ludmiłą Siemionową, występującą w ubiegłym roku jako świadek w sprawie o zabójstwo. Co odpowiedzieć? Wziąć na siebie odpowiedzialność i powiedzieć, że jej „nie zależy", zapominając o tajemniczym gościu, który czegoś szukał w jej pokoju, i o innych szczegółach?

– Ach, ta Ludmiła – westchnęła do słuchawki – wykorzystuje to, że nigdy nie sprawiam jej zawodu. Ale jeżeli się dowie jej ślubny, to nie moja wina, Luda zachowuje się wyjątkowo nieostrożnie, mówię ci. No i u mnie jest straszny bałagan, pakowałam się w takim pośpiechu, że bielizna osobista leży chyba rozrzucona po całym pokoju.

– Nie szkodzi, to swoi ludzie. Pod jakim numerem mieszka Margarita Josifowna?

– Szóste piętro, mieszkania 43. Mama nie dzwoniła?

– Nie. No, to wypoczywaj, kotku. Dzięki. Całuję.

Nastia odłożyła słuchawkę i szybko otworzyła drzwi do sekretariatu. Pusto, światło zgaszone. W holu pielęgniarka Ola paliła, wypuszczając dym przez otwarty lufcik. Papieros, jak zauważyła Nastia, był wypalony prawie do filtra, a więc siostra nie zapaliła go dopiero co. W sekretariacie nie czuło się dymu. Jeżeli ktoś podsłuchiwał rozmowę, to nie była to Ola. Więc kto?

Nastia odwróciła się błyskawicznie, rzuciła do biurka i lekko przesunęła dłonią po wszystkich słuchawkach. Żadna nie była cieplejsza niż inne, żadna nie świadczyła o tym, że przez kilka minut ktoś trzymał ją w ręku i dosłownie przed dziesięcioma sekundami odłożył. Sprawdzić swoich podejrzeń sama Nastia nie mogła, toteż postanowiła poczekać na przyjazd Korotkowa.

– Człowiek, którego szukamy, znajduje się teraz w sanatorium „Dolina". Wszystko na to wskazuje. Po pierwsze, dziewczynę wożono na basen do sanatorium, co do tego nie ma wątpliwości: wysoka żelazna brama, ułożony z kafelków pejzaż na ścianie. W Mieście są tylko cztery baseny i z opisu pasuje ten jeden. Po drugie, w czasie kiedy Swietłanę wiozą na basen, Szachnowicz nie ma dostępu do sporej części pięter. Nie udaje mu się zebrać informacji o mieszkańcach numerów od 344 do 358, od 401 do 412 i od 509 do 519. Wcześniej nie miał takich trudności. To nasuwa myśl o zorganizowanym przeciwdziałaniu. Po trzecie, mieszkająca w numerze 513 niejaka Kamieńska z Moskwy zachowuje się bardzo nietypowo jak na kuracjuszkę, a jednocześnie krążą pogłoski, że pracuje w MSW. Ona nie może nie wiedzieć o tych pogłoskach, ale z jakiegoś powodu ich nie dementuje. To daje powody do przypuszczeń, że ta legenda jest jej na rękę, i w świetle przedstawionych wyżej wydarzeń jej zachowanie wydaje się jeszcze bardziej podejrzane. Po czwarte, w sanatorium popełniono morderstwo, w związku z którym najbardziej intensywnie są przesłuchiwani właśnie Kamieńska i jej kochanek Ismaiłow. Podobno oni ostatni widzieli zabitego przed śmiercią.

– Pokazał pan Swietłanie i Władowi zdjęcie Ismaiłowa?

– Tak. Nigdy go nie widzieli.

– Dziwne. Ale wygląda na to, że masz rację, Tola. Ten człowiek, Makarow, którego tyle czasu szukamy, znajduje się teraz w sanatorium. Wiele tu niejasności, nie wszystko się zgadza, są nawet wyraźne sprzeczności, ale one właśnie świadczą o tym, że coś się dzieje. Przecież dawniej nic takiego się nie zdarzało, prawda?

– Prawda, Eduardzie Pietrowiczu.

– Bądź tak dobry i zaproś do mnie naszego przyjaciela z milicji.

Kiedy Starkow wyszedł, Eduard Pietrowicz wrócił do swego gabinetu i zaczął intensywnie myśleć. Dziewczyna i liliput to fantastyczny sukces, w każdym razie teraz już wiadomo, czym się zajmuje jakaś obca organizacja na jego, Denisowa, terytorium. Mniej jasne jest, po co to robi. A już zupełnie nie wiadomo – co to za jedni.

A kim jest kochanka Ismaiłowa Kamieńska? Szachnowiczowi nie udało się niczego o niej dowiedzieć. To bardzo niepokojące. Żeby Żenia nie potrafił zdobyć zaufania kobiety! Widocznie Kamieńska ma coś do ukrycia i dlatego jest taka zamknięta w sobie. Należy się nią zająć.

Pozostaje jednak jeszcze jedna kwestia, nie mniej skomplikowana. Zabójstwo w „Dolinie" musi być wykryte za wszelką cenę. Z jednej strony on, Denisow, musi się rozprawić z tą bandą obcych. Z drugiej strony, jeśli przestępstwo nie zostanie wykryte, zwiąże mu to ręce przynajmniej do końca roku. Z wynegocjowanych w lipcu dwóch możliwości zorganizowania zabójstwa, które z pewnością nie zostanie wykryte, jedną już wykorzystał, żeby spacyfikować zuchwałego gangstera z sąsiedniego obwodu, który zajmował się wymuszeniami. Drugą możliwość Eduard Pietrowicz zamierzał wykorzystać przeciw jednemu ze swych podopiecznych, jeżeli potwierdzą się informacje zdobyte przez wywiad i zostanie udowodnione, że gość związał się z mafią narkotykową i pozwala jej prać pieniądze w swoim banku. Sprawdzanie informacji ma się zakończyć już wkrótce. Jeśli podopiecznego trzeba będzie ukarać, to nie można czekać do następnego roku: przez pozostałe dwa miesiące zdążyłby narobić takich szwindli, że Miasto nie uniknęłoby inwazji handlarzy narkotyków. Do tego stanowczo nie można dopuścić. Winowajcę należy sprzątnąć, póki nie narobił większych kłopotów. Jeżeli zabójstwo w sanatorium nie zostanie wykryte, Eduard Pietrowicz nie może naruszyć zawartej z milicją umowy, żeby nie ściągnąć na nią kontroli z ministerstwa, zaniepokojonego gwałtownym spadkiem wykrywalności przestępstw. Musi więc zrobić wszystko, żeby zabójstwo w „Dolinie" zostało wykryte. Może pomóc finansowo, dać ludzi, sprzęt – stać go na to. W ten sposób zachowa możliwość policzenia się z nielojalnym podopiecznym, jeśli zajdzie taka konieczność.

Człowiek z komendy nie kazał na siebie długo czekać. Poważny, elegancki, niemal przystojny, gdyby nie zbyt małe, głęboko osadzone oczy ukryte za przydymionymi szkłami okularów. Denisow bez wstępów przystąpił do rzeczy.

– Po pierwsze: chcę wiedzieć, co za towarzystwo uwiło sobie gniazdko w „Dolinie". Po drugie: chcę, żeby zabójstwo w sanatorium zostało wykryte. Jak pan tego dokona, uczciwie czy nieuczciwie, to nie moja rzecz. Sprawa ma być rozwiązana i przekazana do sądu. I to jak najszybciej. Jutro proszę mi zameldować, jakiej pan potrzebuje w tym celu pomocy. Jeżeli znajdzie pan prawdziwego zabójcę – tym lepiej. Jeżeli nie – trudno. Jak pan na pewno rozumie, muszę zachować swoją rezerwę.

– Rozumiem. – Człowiek w okularach skinął głową. – A po trzecie?

– Po trzecie: chcę wiedzieć, co to za jedna ta Kamieńska. Wypoczywa w „Dolinie", zajmuje numer 513. Szachnowicz połamał sobie na niej zęby. Ciekaw jestem dlaczego.

– Kiedy chce pan otrzymać informacje o Kamieńskiej?

– Nie będę pana poganiał. Umówmy się na jutro. Przyjdzie pan do mnie w sprawie wykrycia zabójstwa i przy okazji pogadamy o Kamieńskiej.

– W takim razie do jutra, Eduardzie Pietrowiczu.

– Do jutra, mój drogi. Niech pan przyjedzie wieczorkiem, koło siódmej – zjemy razem kolację.


Późnym wieczorem odbyło się spotkanie Kotka z jego szefem.

Kotek siedział w swoim mieszkaniu, rozwalony w fotelu, z wygodnie wyciągniętymi nogami, i pociągał z butelki ciepłe piwo.

– Kazałem Siemionowi i Chemikowi wyjechać z Miasta.

– Słusznie. Siemion przestaje nad sobą panować, robi się niebezpieczny. A Damir?

– Damir będzie musiał zostać. Jeszcze go będą przesłuchiwać. Moim zdaniem, podejrzewają go o to morderstwo.

– Zabawne. A co z naszą tłumaczką?

– Ją też przesłuchiwali. Mam wrażenie, żeśmy się co do niej mylili. Ona nie jest z milicji.

– Dobrze by było. A jeśli z milicji, to co ona tu robi? Czy może się to wiązać z tym, co Siemion nabroił latem?

– Mało prawdopodobne. Minęło już tyle czasu... Po cóż by mieli tak długo czekać?

– Masz rację, Koteńku. Możliwy jest też trzeci wariant: Kamieńska jest z milicji, ale przyjechała tutaj nie służbowo, tylko na urlop. Jak myślisz, czy w takim wypadku może być dla nas niebezpieczna?

– Myślę, że nie.

– Warto, żeby Damir trochę jej popilnował. Spotykają się?

– Nie widzieli się już dwa dni.

– A to ciekawe! Gdzież ona się podziewa?

– Siedzi w numerze i pracuje. Maszynę słychać na całym piętrze. Po prostu Damir się nią nie interesuje. Po co mu ona? Ochraniał ją przecież tylko przed Zaripem.

147

– To niedobrze, Kotek. Nie popisałeś się. Damirowi trzeba przemówić do rozumu. Zajmij się tym.

– I co ja mu powiem? Przecież ustaliliśmy, że on nie może wiedzieć, że ona jest z milicji.

– Powiedz mu, co chcesz. Na mnie powołaj się tylko w ostateczności. Wytłumacz tej artystycznej duszy, że nie można zalecać się do kobiety i zapewniać jej o szaleńczej miłości, a potem nagle zniknąć. Przekonaj go, że baba może się obrazić, a przecież tylko ona jest w stanie potwierdzić jego alibi na czas zabójstwa. Nie wolno mu jej do siebie zrażać. Nie ma nic straszniejszego niż zemsta odtrąconej kobiety. Takie argumenty go przekonają.

– Takie chyba tak – zgodził się Kotek, pociągnął duży łyk i odstawił butelkę.

– Zrób, co się da, mój drogi. Dopilnuj, żeby Damir nie odstępował Kamieńskiej. Niech jej bardziej nadskakuje.

## ROZDZIAŁ 7
### Dzień ósmy

Prosto z lotniska Jura Korotkow przyjechał do Miejskiej Komendy Milicji. Pracownicy wydziału kryminalnego opowiedzieli mu szczegółowo o wszystkim, czego udało im się dowiedzieć w ciągu dwóch dni, jakie minęły od znalezienia zwłok Alfierowa.

– Wczoraj Siergiej Michajłowicz rozmawiał z pańskim szefem, więc już zaczęliśmy weryfikować hipotezę o zabójstwie na zlecenie. Na razie nic nie wykryliśmy.

– A są inne hipotezy? – zapytał Korotkow.

– Zazdrość i pieniądze. Urządzili tam sobie nielegalny totalizator. Zakładali się o kobiety – stawka sto tysięcy rubli. Wyobraża pan sobie?

– Nieźle! – Jura wybuchnął śmiechem. – Ilu było graczy?

– Z tego, co wiemy, trzech. Sam zamordowany, jego sąsiad z pokoju Paweł Dobrynin i pracownik sanatorium Szachnowicz.

– Co ze świadkami?

– Od razu pierwszego dnia przesłuchaliśmy wszystkich co do jednego, odwaliliśmy gigantyczną robotę. Większość oczywiście nic nie wie ani o okolicznościach zabójstwa, ani o samym Ałfierowie. Tych, którzy coś nieco wiedzieli, następnego dnia przesłuchał śledczy. Niestety, jest ich niewielu.

– Proszę mi podać szczegóły – powiedział Jura.

Śniadolicy Andriej Gołowin zajrzał do notesu.

– Przede wszystkim Dobrynin i Szachnowicz. Dalej małżeństwo z Tuły, ich sąsiedzi od stolika, którzy słyszeli, jak ci dwaj rozmawiali o wynikach gry. Kobiet, które podrywali uczestnicy zakładu, jest zaledwie pięć. No i jeszcze kilka osób, które w taki czy inny sposób zetknęły się z Ałfierowem. To już cała lista.

Gołowin położył przed Jurą kartkę z nazwiskami, miejscem pracy i (w wypadku kuracjuszy) numerem pokoju. Przebiegając wzrokiem listę, Korotkow od razu natknął się na nazwisko „Kamieńska". Obok widniała notatka: „Moskiewski Główny Urząd Spraw Wewnętrznych, pokój 513".

– Interesuje mnie świadek Kamieńska – zwrócił się do Gołowina.

– Anastazja Pawłowna Kamieńska, rok urodzenia sześćdziesiąty – zaczął energicznie Andriej, zaglądając w notatki – przyjechała do „Doliny" dwudziestego października, skierowanie wykupiła wcześniej w Moskwie, jeszcze w sierpniu. Ałfierow też kupował skierowanie w Moskwie, ale znacznie później, na początku października, tak że wątpliwe, czy Kamieńska przyjechała tu specjalnie, żeby się spotkać z Alfierowem.

„Co on plecie? – pomyślał ze zgrozą Korotkow. – W zasadzie wszystko w porządku, powinien sprawdzać ludzi zamieszanych w zabójstwo na zlecenie. Ale przecież nie Aśkę... Czyżby nic im nie powiedziała?"

– Moim zdaniem, świadek Kamieńska – spokojnie ciągnął tymczasem Andriej – najbardziej pasuje do hipotezy o zabójstwie z zazdrości albo dla korzyści materialnej.

– Proszę to wyjaśnić – zażądał krótko Korotkow.

– Konsekwentnie próbowali ją podrywać wszyscy trzej uczestnicy totalizatora, i wszyscy trzej rzekomo ponieśli porażkę. Ale osobiście jakoś trudno mi w to uwierzyć.

– Dlaczego?

– Gdyby pan widział tę Kamieńską oraz Dobrynina i Szachnowicza, też by pan nie uwierzył. Dobrynin i Szachnowicz to przystojni faceci, każdy w swoim stylu, jeden blondyn, drugi brunet, obaj prawdziwi supermani. A w dodatku przy forsie. A Kamieńska jest bezbarwną, nieciekawą, nieśmiałą kobietą. Nie ma powodzenia u mężczyzn. Więc czy to prawdopodobne, że będąc na urlopie, nie wdałaby się we flirt z takimi przystojniakami?

– Nie rozumiem jednak, w czym pan tu widzi oszustwo? Powiedział pan „rzekomo ponieśli porażkę".

– Zakładam, że Kamieńska przyjęła zaloty, jeśli nie wszystkich trzech, to przynajmniej jednego, i z jakiegoś powodu zarówno ona, jak i jej partner postanowili ukryć to przed pozostałymi.

– I jakiż jest, pańskim zdaniem, ten tajemniczy powód? – Jura panował nad sobą z coraz większym trudem.

– Uczestnicy totalizatora ustalili pewien warunek, przy którym przegranie zakładu podwajało stawkę na konkretną kobietę. Jeżeli na przykład pan pierwszy podejmuje się poderwać damę, to stawka wynosi sto tysięcy. Jeżeli nic panu z tego nie wyszło, stawka wzrasta do dwustu dla tego, który przystępuje do gry w drugiej kolejności. Jeśli drugi też przegra, startuje trzeci przy stawce czterysta. I tak dalej. Można też zagrać drugą rundę, odpowiednio zwiększając stawki.

– No i co z tego? – nie zrozumiał Jura. – Jaki to ma związek z fałszywymi zeznaniami?

– Bardzo prosty. Załóżmy, że Kamieńską poderwał pierwszy, który do niej wystartował. Nawiasem mówiąc, nie wykluczam, że w sferze seksualnej mogła się okazać o wiele atrakcyjniejsza, niż na to wygląda. Ona i jej pierwszy partner spodobali się sobie i postanowili oszukać pozostałych, udając, że zakład został przegrany. Oczywiście, gracz na tym tracił, zamiast schować do kieszeni dwieście tysięcy, musiał wyłożyć sto. Ale za to stawka za Kamieńską wzrosła, następny gracz był z góry przegrany i jego stawkę podzielili między siebie pozostali. Ten sam los czekał trzeciego. W rezultacie, jeżeli nie pomyliłem się w rachunkach, pierwszy partner Kamieńskiej mógł zarobić na swym niewinnym oszustwie czterysta tysięcy, gdyby udało mu się doprowadzić grę do drugiej rundy. Powtórna próba któregokolwiek z dwóch graczy podniosłaby stawkę do ośmiuset tysięcy, a gdyby udało się nakłonić także drugiego, wygrana byłaby kolosalna. Taki miły szwindelek bezwzględnie mógłby się stać przyczyną zabójstwa. Przyzna pan, że to sporo pieniędzy.

– Sporo – powtórzył cicho Korotkow. „To jakiś koszmar... Pomysłowa hipoteza, którą koniecznie należałoby sprawdzić, gdyby nie chodziło o Aśkę".

Oderwał wzrok od listy świadków.

– Gdzie pracuje Kamieńska?

– Tam jest przecież napisane. U was, w Moskwie, w Wydziale Kryminalnym.

– Gdzie konkretnie, w jakiej sekcji? – nie ustępował Korotkow.

Andriej przekartkował notes, z wysiłkiem usiłując sobie przypomnieć.

– Nie pamiętam – wykrztusił wreszcie.

– Nie pamięta pan czy nie wie? – Cierpliwość Jury wreszcie się wyczerpała.

Gołowin milczał ponuro, usiłując zrozumieć, czemu ten niewysoki osiłek z Moskwy się go czepia.

– Przepraszam, majorze, ale nie widzę różnicy. Może Kamieńska pracuje w sekretariacie albo w księgowości, ale dla nas jest tylko świadkiem i nikim więcej.

– Sprawdzał pan jej dokumenty czy zapisał pan miejsce pracy na podstawie jej słów?

– Na podstawie słów. Okazała dowód osobisty, ale tam miejsce pracy nie figuruje.

– A pan był taki ufny, że nie poprosił jej o pokazanie legitymacji służbowej. Tak?

– Niech pan posłucha, przyjechałem na miejsce zdarzenia o czwartej rano, przedtem miałem dyżur przez dwie doby i, zamiast pójść spać, do kolacji przesłuchiwałem ludzi w sanatorium. Tak, nie poprosiłem jej o legitymację, ponieważ uznałem, że byłaby to niepotrzebna strata czasu. Jeżeli Kamieńska znajdzie się w grupie podejrzanych, i tak sprawdzą ją w miejscu pracy i kłamstwo wyjdzie na jaw. A dopóki o nic jej nie podejrzewamy, ma prawo podać dowolne miejsce pracy, nie wpływa to w żaden sposób na jej status jako świadka. I na stosunek do jej zeznań również. Następnego dnia rozmawiał z nią śledczy, możliwe, że widział jej dokumenty, i gdyby coś go zaniepokoiło, natychmiast by nas zawiadomił. Czyż nie mam racji?

– Nie, Andrieju, nie ma pan racji. Mam zamiar powiedzieć panu teraz parę przykrych słów, proponuję zatem, abyśmy przeszli na „ty".

– Nie widzę związku – rzekł Gołowin, marszcząc brwi.

152

- To po to, żeby ci było łatwiej mi odpowiadać. Okej? No więc Kamieńska nie pracuje ani w sekretariacie, ani w księgowości. Anastazja jest doświadczonym, wysoko wykwalifikowanym pracownikiem wydziału kryminalnego, pracujemy oboje w tej samej sekcji. To wręcz wyjątkowe szczęście, że znalazła się w sanatorium na kilka dni przed zabójstwem. Jest bardzo spostrzegawcza, mogła widzieć mnóstwo interesujących rzeczy, a przede wszystkim - mogła z nich wyciągnąć jeszcze bardziej interesujące wnioski. I nie uwierzę, że nie próbowała podzielić się z wami swoją wiedzą. Przyznaj się, Andriej, czy proponowała ci pomoc?

- Tak. Powiedziała, że będzie jej miło, jeśli się nam przyda... Coś w tym rodzaju.

- A ty? Coś ty jej odpowiedział? Podziękowałeś?

- Nie.

- Nawet nie powiedziałeś „dziękuję"? Ty ciamajdo! Jak ci się wydaje, czy ona się obraziła?

- Nie zwróciłem uwagi. Ale twarz jakby jej skamieniała, to zauważyłem.

- To niedobrze. Chociaż jest jeszcze nadzieja. Skoro ani pisnęła o tym, że pracuje w wydziale kryminalnym, to można przypuszczać, że i innym się z tego nie zwierzała. Więc warto spróbować ją wykorzystać. Masz plan piętra?

Jura uważnie przestudiował plan czwartego piętra i od razu rzuciła mu się w oczy pewna dziwna rzecz.

- Numer 513 jest dwuosobowy?

Andriej pochylił się nad planem.

- Sądząc ze wszystkiego - tak. O, widzi pan? Pokój jest większy niż sąsiedni numer na prawo i taki sam jak pokój po lewej stronie. W „Dolinie" pokoje są ułożone symetrycznymi parami: dwa pojedyncze - dwa dwuosobowe.

- Kto mieszka w pokoju z Kamieńską?

– Ona mieszka sama, nie ma sąsiadki.

– A kim są ludzie z pokojów po prawej i lewej stronie?

– Po prawej – przemiła staruszka, najstarsza nauczycielka naszej szkoły muzycznej, Regina Arkadjewna Walter. Po lewej – małżeństwo z Kramatorska, on naczelny inżynier zakładów przemysłowych, ona księgowa.

– Z małżeństwem z Kramatorska Aśka chyba raczej nie utrzymuje kontaktów – powiedział w zamyśleniu Korotkow. – Do naszej Kamieńskiej bardziej pasuje stara nauczycielka muzyki. Poprosimy ją, żeby przedstawiła mnie Anastazji.

Regina Arkadjewna natychmiast odpowiedziała na pukanie i powitała gości życzliwym uśmiechem.

– Dzień dobry, Regino Arkadjewno, pamięta mnie pani? Moje nazwisko Gołowin, niedawno z panią rozmawiałem.

– Witam, witam, naturalnie, że pana pamiętam. A to – spojrzała na Korotkowa – pański kolega?

– Zgadła pani. Na imię mi Jura, też pracuję w wydziale kryminalnym. Regino Arkadjewno, mamy do pani prośbę, dość niezwykłą i bardzo delikatnej natury. Rozumie pani, chodzi o zabójstwo, to poważna sprawa i bardzo liczymy na pani pomoc.

– Mój Boże! – Starsza pani roześmiała się. – Taki długi wstęp, jakby zamierzał pan prosić mnie o pieniądze.

– Zamierzamy prosić panią, żeby poznała pani Jurę ze swoją sąsiadką.

Regina Arkadjewna nie umiała ukryć zaskoczenia.

– Z Nastieńką? Ale po co takie podchody? Nastia to urocze stworzenie, bardzo życzliwe i serdeczne. Może pan do niej zapukać i na pewno pana nie wyrzuci. Po cóż panu moje pośrednictwo?

– Powiedziałem przecież, Regino Arkadjewno, że to prośba delikatnej natury. Nie chcielibyśmy, żeby pani sąsiadka Kamieńska wiedziała, że Jura pracuje w milicji. Dlatego potrzebna nam jest legenda, o której uwiarygodnienie chcemy prosić właśnie panią. Niech pani przedstawi Jurę jako swojego ucznia albo kuzyna. Zresztą jako kogokolwiek, byle nie milicjanta.

Starsza pani usiadła ciężko, opierając się na lasce, i popatrzyła z uwagą najpierw na Korotkowa, potem na Gołowina.

– Czy mam przez to rozumieć, że Nastia jest o coś podejrzana? Bo inaczej po cóż byłaby ta cała maskarada?

– Kochana Regino Arkadjewno – Gołowin błagalnie złożył ręce – niech mnie pani nie zmusza do zdradzania tajemnic służbowych, bo stracę szacunek dla samego siebie. Jeżeli nie chce nam pani pomóc, to poproszę, by pani o wszystkim zapomniała, i zwrócę się do kogoś innego. Chociaż, przyznam szczerze, pani odmowa wszystko nam mocno skomplikuje. Jest pani dla Jury idealną legendą, przyjaźni się pani z Kamieńską, wasze profesjonalne zainteresowania są całkowicie różne, pani jest muzykiem, ona – tłumaczką, więc takie niewinne oszustwo nigdy nie wyjdzie na jaw. A bardzo pomogłaby pani w śledztwie.

– Dobrze, zrobię to, o co pan prosi. Ale stawiają mnie panowie w bardzo trudnej sytuacji. Ogromnie polubiłam moją sąsiadkę, powiem więcej, to wspaniała kobieta, inteligentna, wykształcona. Może panowie o tym nie wiedzą, ale Nastia zna biegle pięć języków europejskich. To osoba prawa i uczciwa. Jeżeli mają panowie podstawy, by jej nie ufać, to wasza sprawa. W końcu na tym polega wasza praca. Ale ja nie mam takich podstaw. I bardzo trudno będzie mi ją oszukiwać. Mam już sześćdziesiąt siedem lat, moi drodzy, w tym wieku trzeba naprawdę ważkich przyczyn, żeby oszukiwać kogoś dwa razy młodszego od siebie. Postawcie się na moim miejscu: przedstawiam pana Nastieńce, wasza znajomość jakoś tam się rozwija, pan plecie jej nie wiadomo co, a potem ona przychodzi i zaczyna mi opowiadać o moim rzekomym uczniu, przytaczać historie z jego życia i zwierzać się, czy się jej spodobał, czy nie. Chociaż ona jest bardzo subtelna i jeżeli pan się jej nie spodoba, głośno o tym nie powie. Ale jaka będzie moja rola? Mam słuchać i przytakiwać, wiedząc, że wszystko to kłamstwo? I czuć się jak ostatnia świnia? Powiedziałam już, że nie odmawiam. Ale chcę, by panowie uświadomili sobie dokładnie, na co mnie narażają. Niech pan już idzie, Andrieju, nie jest pan nam więcej potrzebny, teraz zastanowimy się z Jurą, jak wyreżyserować ten spektakl.

Nastia dotrzymała słowa danego lekarzowi, od rana zaliczyła wszystkie zapisane w książeczce sanatoryjnej zabiegi: borowinę, masaż, basen, a po obiedzie zamierzała pójść na spacer. Balkonowe drzwi sąsiadki były uchylone i Nastia słyszała przytłumione głosy. Kiedy wkładała adidasy i okręcała szyję długim białym szalem, mężczyzna wyszedł na balkon i powiedział dość głośno, zwracając się do Reginy Arkadjewny:

– Dobrze, dobrze, ciociu Rino, przestań gderać, będę palił na balkonie. Uch, ależ zimno! Co z ciebie za ciotka, chcesz wykończyć własnego krewniaka!

Nastia zamarła z kurtką w rękach. Jurka! Przyjechał Jurka Korotkow! Jaki kochany ten Pączek! Ciekawe, co tym razem wymyślił? Co robić? Czekać, aż Jurka objawi się ze swoją legendą, czy samej iść się przedstawić?

Nastia postanowiła zaczekać. Ukazanie się Jury na balkonie uznała nie za zaproszenie, ale za uprzedzenie, by w odpowiednim momencie zapanowała nad swoją twarzą. A skoro ma czekać, to w sposób jak najbardziej naturalny, pomyślała, i jak gdyby nigdy nic poszła na spacer.

Znajomość została zawarta przed kolacją, kiedy Nastia była już po spacerze i po zrobieniu normy przekładu. Jura Korotkow przedstawił się jako siostrzeniec Reginy Arkadjewny, Nastia udawała, że jest znudzona i rada by co prędzej znaleźć się w swoim pokoju.

– Czy po kolacji mógłbym zaprosić panią na spacer? – spytał z galanterią siostrzeniec Jura.

– Dziękuję – odrzekła bez entuzjazmu Nastia. – Byłam już dziś na spacerze.

– A na wieczorek taneczny? Pani tańczy? – nie poddawał się siostrzeniec.

„Nie tańczę. Chociaż umiem tańczyć wszystkie modne obecnie tańce. Co prawda, nie sprawia mi to żadnej przyjemności i bardzo mnie męczy, jak każde udawanie, ale mogę się zmusić do tańca, jeśli trzeba. Ale ja jako ja, Nastia Kamieńska, nie tańczę".

I tu szczęśliwym trafem do pokoju Reginy Arkadjewny wszedł bez pukania Damir.

– Nie przeszkadzam? – Spojrzał pytająco na nauczycielkę, potem na Nastię, a Jurę ostentacyjnie zignorował.

– Oczywiście, Jura, bardzo chętnie pójdę z panem potańczyć – zaszczebiotała Nastia. – Wie pan co, chodźmy do mnie, wypijemy kawę, zamiast iść na kolację, a potem pójdziemy na wieczorek. Niech Regina Arkadjewna i Damir Łutfirachmanowicz pogawędzą sobie sami.

Regina Arkadjewna i Damir nawet nie zdążyli otworzyć ust, kiedy Nastia, uśmiechając się zalotnie, chwyciła Korotkowa pod rękę i wyszła. Już zza drzwi dobiegły ją słowa:

– Dostałeś nauczkę, Damir. Nie potrafisz się zalecać do wartościowych kobiet. Sprzątają ci je sprzed nosa.

W swoim numerze Nastia wepchnęła Korotkowa do łazienki i wreszcie dała upust histerycznemu śmiechowi, wtulona nosem w jego gruby sweter. Kiedy się uspokoiła, weszli do pokoju, Nastia włączyła czajnik i spytała szeptem:

– Porozmawiamy teraz czy poczekamy do tańców?

– Lepiej będzie na tańcach – tak samo cicho odparł Jura. – Teraz będziemy po prostu odgrywać rozmowę. Twoja sąsiadka ma otwarte drzwi balkonowe, więc lepiej opowiadaj mi powieść, którą właśnie tłumaczysz. Szczegółowo i z komentarzami. Żeby było do śmichu.

Czas płynął tak wolno, że Nastia gotowa już była pójść do holu i przestawić wskazówki zegara, żeby tańce zaczęły się szybciej. Musieli czekać zaledwie godzinę, ale czasem bywa to bardzo trudne.

Wreszcie znaleźli się na parkiecie, gdzie, objęci, wolno przestępowali z nogi na nogę, zadowoleni ze zbyt głośnej muzyki, która kiedy indziej by ich irytowała, a dziś była niemal aniołem stróżem. Policzek przy policzku, z ustami przy samym uchu partnera, Nastia Kamieńska i Jura Korotkow prowadzili nieśpieszną rozmowę.

– Dobrze, że przyszedł Damir. Inaczej musiałabym odmówić pójścia na tańce.

– Dlaczego? Dbasz o reputację?

– Ogólnie rzecz biorąc, tak. Po pierwsze, ani razu przez cały tydzień nie byłam na wieczorku i wyglądałoby co najmniej dziwnie, gdybym nagle zgodziła się pójść z tobą. Po drugie, uważa się powszechnie, że miałam romans z Damirem i że on mnie rzucił. Dlatego jestem taka zgnębiona i nie reaguję na twoje awanse. Nie chcę iść na spacer, nie chcę do kina, nie chcę na tańce... Aż tu nagle pojawia się Damir – i natychmiast lecę na wieczorek. Wszystko rozegraliśmy jak z nut.

– No dobrze, a gdyby ten twój Damir nie przyszedł?

– Coś bym wymyśliła. Na tańce, oczywiście, nie zgodziłabym się iść, ale ty byś mnie zaczął prosić i prowokować... Zrobiłbyś to, prawda? A ja bym uległa. Teraz mi wytłumacz, co to wszystko ma znaczyć.

Przegadali prawie godzinę, milknąc tylko wtedy, kiedy cichła muzyka. Potem poszli do baru. Nastia oczywiście wolałaby iść do parku, ale musiałaby wrócić do siebie po kurtkę i szal, a wówczas istniałoby niebezpieczeństwo natknięcia się na Reginę Arkadjewnę, na co Nastia jeszcze nie była gotowa.


Jura za nic nie mógł uwierzyć w to, że Nastia mówi poważnie.

– Zrozum, Jura, nie chcę mieć z tymi ludźmi nic wspólnego. Nie chcę i już. I zostawmy ten temat.

– Ależ, Asiu, to głupie. To jakaś dziecinada – zdumiewał się Korotkow. – Jak możesz ty, mądra, dorosła kobieta, obrażać się na swoich kolegów? Wielkie rzeczy, byli nieuprzejmi! I co, powiesisz się z tego powodu?

– Po co zaraz się wieszać? – Nastia uśmiechnęła się lekko. – Po prostu można ich zignorować, co też czynię. Nie byli wobec mnie po prostu „nieuprzejmi". Wyrzucili mnie na zbity pysk jak żebraczkę, która jęczy z wyciągniętą ręką pod drzwiami wytwornej willi.

– Asieńko, oni wszystko zrozumieli, wyrazili skruchę i są gotowi zaakceptować twoją współpracę. Nie wiedzieli przecież, że jesteś z sekcji Gordiejewa.

– Bo nie chcieli wiedzieć. Wyznają jedną twardą zasadę: „Wszystkie baby są głupie". To porządni faceci i dobrzy fachowcy. Ale nie lubię ludzi kierujących się tą zasadą. Brzydzę się nimi. Niech sobie żyją długo i szczęśliwie, niech im Bóg błogosławi, ale nie zmuszaj mnie do współpracy z nimi. Nie będę im pomagać.

– Aśka, co chcesz w ten sposób osiągnąć? Żeby sam szef wydziału padł ci do nóg? Wtedy się zgodzisz?

- Nie. - Nastia uśmiechnęła się prowokacyjnie. - Za późno. Gdyby dzisiaj, przed twoim przyjazdem, przyszli do mnie z normalnym, ludzkim słowem, wszystko było-by inaczej. Myślisz, że nie próbowałam się przemóc? Myślisz, że nie szukałam dla nich usprawiedliwienia? Od samego początku, od chwili, kiedy nie spełnili prośby Pączka i nie wyszli po mnie na dworzec.

- Ale pokój załatwili, tak jak obiecali.

- Tak? Nic nie załatwili. Musiałam prosić i się upokarzać.

- Ale przecież mieszkasz sama w dużym numerze - zdziwił się Jura.

- Dałam łapówkę - odparła bez ogródek Nastia. - No więc próbowałam wymyślić wszelkie możliwe i niemoż-liwe wytłumaczenia dla twojego Gołowina i dla śledczego, znosiłam to, póki mogłam, a potem zapytałam samą sie-bie: a właściwie z jakiej racji? Oni są przekonani, że sami sobie poradzą, po co ja się pcham ze swoją kobiecą po-mocą? Jak mnie będą potrzebować, to sami przyjdą. A ja nie będę się dąsać i krygować, odgrywać skrzywdzoną niewinność. Jeśli mnie poproszą, to pomogę.

- No więc proszą! Czego jeszcze chcesz?

- Nie, Korotkow, to nie oni proszą. To ty prosisz. A oni nie raczyli podnieść tyłka z krzesła i porozmawiać ze mną jak z człowiekiem. Nie musieliby przepraszać, tyl-ko porozmawiać! Ale gdzież tam, prosić babę o pomoc to poniżej ich godności. Ale tobie nie odmówię, Jurik. Tego możesz być pewien. Tylko weź pod uwagę, że kiedy zbadasz swoją hipotezę i wyjedziesz, oni nie usłyszą ode mnie ani słowa. Myślę, że będzie lepiej, jeżeli uprzedzisz ich z góry, żeby potem nie było nieporozumień. I weź mnie za rękę, bo tak poważnie rozmawiamy, że z boku wygląda to na dysputę naukową.

Damir długo nie mógł zrozumieć, o co chodzi Kotkowi.

– Musisz się nadal zalecać do Kamieńskiej. Spędzaj z nią jak najwięcej czasu.

– Ale to przecież niebezpieczne. Mówię ci, że interesuje się nią wydział kryminalny, sam dopiero co się przypadkiem dowiedziałem. O coś ją podejrzewają i zaczęli inwigilować. Jak się będę przy niej kręcił, to wezmą się i do mnie. Hej, boli! – Damir kapryśnie zmarszczył nos.

Kotek, masujący wprawnie nogi Damira, uśmiechnął się z zadowoleniem. Właśnie chciał, żeby bolało.

– Pocierp, pocierp, nie bądź dzieckiem – odpowiedział przyjaźnie. – Mogą ją podejrzewać o wszystko: o kradzież, oszustwo, prostytucję, handel narkotykami. Ale mogą ją również podejrzewać o to, o co powinni podejrzewać nas. Kapujesz? To jest szansa, której nie można przegapić. Może twoje zabiegi pójdą na marne, a może i nie. Jeżeli ment kręci się koło twojej panienki, dlatego że wiąże jej osobę z tym, co zdarzyło się latem i teraz, to mamy realną możliwość dowiadywania się na bieżąco, w jakim kierunku zmierza śledztwo, co wiedzą, a czego nie. Musisz tylko dokładnie ją o wszystko wypytywać.

– Nie wiem, czy mi się to uda, Kotek. Nie mam na nią żadnej przynęty. Ona się mną zupełnie nie interesuje – poskarżył się Ismaiłow.

– Jak to? – Kotek przerwał masaż i wyprostował się. – To wy nie?...

– Właśnie w tym sęk, że nie. Mam takie dziwne wrażenie, że ona się ze mnie śmieje. Rozumiesz, niby na wszystko pozwala, nie udaje cnotki, ale coś mnie krępuje. Nie wiem co, ale coś przeszkadza.

– Może się z ciebie śmiała, dopóki myślała, że jest górą. A teraz, kiedy poważnie wzięła się do niej mentownia, nie będzie jej do śmiechu. Od razu zacznie sobie cenić życzliwe zainteresowanie i współczucie, zobaczysz. Nie poddawaj się, Damir! Teraz się obróć, zrobię ci plecy.

Eduard Pietrowicz odkroił równiutki kawałek mięsa, zanurzył go w sosie i włożył do ust. Jego współbiesiadnicy – szef wywiadu Starkow, szef kontrwywiadu Kriwienko i człowiek z milicji – jedli w skupieniu. Mięso było cudownie przyrządzone, sos – zachwycający, owoce – świeże, wino – doskonałe. Denisow potrawy wymagające szczególnych starań – mięso i ryby – zawsze przyrządzał osobiście i robił to z zamiłowaniem, przyjemnością i wyjątkowym profesjonalizmem. Całą resztę powierzał Alanowi, byłemu szefowi kuchni dużej restauracji, znawcy sekretów kulinarnych i niemal członkowi rodziny – Alan mieszkał u Denisowów, zajmując jeden z mnóstwa pokoi, jakie uzyskano po połączeniu pięciu mieszkań znajdujących się na jednym piętrze.

Po gorącym daniu Alan podał w gabinecie Denisowa kawę i herbatę i zaczął sprzątać ze stołu w jadalni. Czterej mężczyźni podnieśli się nieśpiesznie i przeszli do drugiego pokoju. Dopiero przy herbacie zaczęli omawiać sprawy, w związku z którymi się dziś spotkali.

– Zacznę od pytania trzeciego, ponieważ sądzę, że może się okazać istotne w kontekście dwóch pozostałych – zaczął człowiek w okularach.

Denisow przyzwalająco skinął głową.

– Anastazja Pawłowna Kamieńska, przebywająca w sanatorium „Dolina" w numerze 513, pracuje w Moskiewskim Wydziale Kryminalnym. Przyjechała do sanatorium na wypoczynek i leczenie, nie ma żadnych dodatkowych zadań. Moskiewscy koledzy cenią ją wyjątkowo wysoko, podkreślają jej nieprzeciętną inteligencję, oryginalny sposób myślenia, wysoki poziom umiejętności analitycznych. Kamieńska jest spostrzegawcza, powyciągała istotne wnioski z mnóstwa drobiazgów, z którymi zetknęła się w czasie pobytu w sanatorium. Ale wszystko to poszło na marne, ponieważ moi koledzy nie potrafili znaleźć z nią wspólnego języka. Kamieńska zaproponowała swoją pomoc w wykryciu zabójcy, ale jej propozycja nie została przyjęta. Dziś mamy poważne podstawy do przypuszczeń, że jest obrażona i kategorycznie odmawia współpracy z naszymi funkcjonariuszami. To wszystko, jeśli chodzi o pytanie trzecie.

– Przejdźmy do drugiego. Co trzeba zrobić, żeby zamknąć śledztwo w „Dolinie"?

– Skonsultowałem się ze śledczym prowadzącym sprawę. Zgodził się ze mną, że jeszcze jedno niewykryte zabójstwo nie przyniesie Miastu nic dobrego, już i tak jest ich zbyt dużo. Hipotezy wstępne to „zlecenie" z Moskwy i porachunki finansowe. W związku z hipotezą morderstwa na zlecenie z Moskiewskiego Wydziału Kryminalnego przyjechał major Korotkow, który pozostanie tu do momentu, kiedy hipoteza albo się potwierdzi, albo upadnie, innymi słowy, do wyjaśnienia przestępstwa. Nam ten major nie jest tu potrzebny, toteż postanowiliśmy stworzyć i zrealizować jego wersję zabójstwa Alfierowa i jak najszybciej formalnie rozwiązać sprawę. W tym celu potrzebujemy tego oto. – Wręczył Denisowowi kilka spiętych spinaczem zapisanych ręcznie kartek.

– Teraz ostatnia kwestia: jak wyjaśnić, co się dzieje w „Dolinie" i kto naprawdę zabił Alfierowa. I tu mamy zbyt mało możliwości. Proponuję, Eduardzie Pietrowiczu, by pan rozważył, czy nie warto wykorzystać Kamieńskiej.

– Cóż, myśl jest niezła. Zastanówmy się nad tym.

Denisow spojrzał na Starkowa i Kriwienkę, uśmiechnął się do nich szeroko, zapraszając do rozmowy, i nalał sobie drugą filiżankę herbaty. Wieczorami starał się nie pić kawy.

Pomysł Korotkowa był prosty i, jak uważał sam jego autor, wielofunkcyjny. Robiąc z Nasti osobę podejrzaną, którą interesuje się moskiewska milicja kryminalna, w dodatku zaraz po zabójstwie Ałfierowa, chciał całkowicie zdezorientować przeciwnika, oczywiście przy założeniu, że ten znajduje się gdzieś w pobliżu. Jura liczył na to, że osoby zamieszane w mordestwo postarają się zbliżyć z Nastią, żeby z pierwszej ręki otrzymywać informacje o tym, w jakim kierunku zmierza śledztwo, jakie milicja ma poszlaki i jakie hipotezy rozpracowuje. Jeśli pomysł wypali, można będzie wykorzystać Kamieńską jako źródło dezinformacji. Trzecim celem Jury było stworzenie legendy i dla Nasti, i dla siebie samego. Ona – tajemnicza postać, którą o coś podejrzewają, a więc pewnie jednak nie pracuje w milicji. Jeżeli krążyły jakieś pogłoski, to teraz powinno być dla wszystkich jasne, że była to pomyłka. On zaś, major Korotkow z wydziału kryminalnego, ostentacyjnym zainteresowaniem Kamieńską będzie maskował swoje prawdziwe zamiary.

Hipoteza zabójstwa na zlecenie składała się z dwóch części. Pierwsza: Ałfierowa zabili swoi na polecenie dyrektora generalnego firmy „Nord Trade Limited", ponieważ kierowca wiedział o sprawach, o których wiedzieć nie powinien, i z jakiegoś powodu stał się niebezpieczny. Druga: zabójstwo kierowcy to próba zastraszenia dyrektora generalnego, ostrzeżenie ze strony konkurencji albo gangu wymuszającego haracze. Korotkow przywiózł z Moskwy szczegółowe opisy osób, które mogły być wykonawcami zlecenia, więc, wedle jego przewidywań, powinny były próbować nawiązać kontakt z Nastią. Przynęta miała zadziałać także w wypadku, gdyby motyw zabójstwa był zupełnie inny, ale zabójca nadal przebywał w Mieście. Cały ten plan mógł się jednak rozsypać jak domek z kart, gdyby staruszka sąsiadka okazała się zbyt rzetelną pomocnicą i trzymała język za zębami. Wtedy nikt by się nie dowiedział, że Nastią interesują się organy ścigania. Do tego nie można było dopuścić. Nastia i Korotkow mocno się nagłowili nad tym, jak sprowokować Reginę Arkadjewnę i skłonić ją, by się komuś wygadała z sekretu.

– Może się nie wymądrzajmy i powiedzmy jej to wprost? – zaproponował Jura.

– W żadnym wypadku. Zapominasz o jej ulubionym uczniu Ismaiłowie. Jemu opowie na pewno, nie jest przecież żadną agentką wywiadu, tylko zwyczajną staruszką o normalnych ludzkich odruchach. Przed nim niczego nie będzie ukrywać. Nie, Reginę musimy wykorzystać bez jej wiedzy. Niech Ismaiłow też myśli, że jestem tłumaczką o ciemnej przeszłości.

## ROZDZIAŁ 8
### Dzień dziewiąty

Z samego rana do Reginy Arkadjewny przyszła siostra zabiegowa, żeby jej zmienić kompres na nodze, która znów dokuczała. Zręcznie smarując lekarstwem zaogniony fragment skóry, rzuciła mimochodem:

– Odwiedził panią wczoraj bardzo atrakcyjny mężczyzna. I, nawiasem mówiąc, cały wieczór spędził z pani sąsiadką spod 513.

– To mój siostrzeniec – odpowiedziała spokojnie Regina Arkadjewna, starając się nie krzywić z bólu.

– Naprawdę? – Pielęgniarka podniosła na starszą panią zdumiony wzrok. – Kto by pomyślał, że pani ma siostrzeńca! Tyle lat się pani u nas leczy i zawsze pani mówiła, że jest zupełnie samotna. A tymczasem wcale pani nie jest samotna, tylko skryta, Regino Arkadjewno. – Dziewczyna zachichotała. – Proszę się przyznać, to pani cichy wielbiciel, tak? A może nieślubny syn? No, no, no, Regino Arkadjewno!

Starsza pani nie mogła powstrzymać uśmiechu.

– A co, Lenoczko, spodobał się pani? Chciałaby go pani poznać?

– A jest nieżonaty?

– Nie wiem. – Regina Arkadjewna gwałtownie urwała.

– Jak to? Jest pani siostrzeńcem i pani nie wie? Oj, coś pani kręci.

Dziewczyna starannie położyła kompres i zaczęła bandażować chorą nogę.

– Och, za stara jestem na takie gierki – westchnęła starsza pani. – Powiem pani prawdę, Lenoczko, tylko niech mnie pani nie wyda. Słowo?

– Słowo! – Lenoczka zrobiła wielkie oczy.

– On jest z milicji – rzekła Regina Arkadjewna, zniżając głos do szeptu. – W związku z tym zabójstwem... Rozumie pani? Ale moja sąsiadka nie powinna o tym wiedzieć. Przedstawił się jej jako mój krewny.

– Ależ to ciekawe! – westchnęła dziewczyna z rozczarowaną miną. – Ale nie dla mnie taki facet. Wszyscy milicjanci są nudni i żonaci. Chociaż gdyby był kawalerem, to jeszcze bym się zastanowiła. No, Regino Arkadjewno, gotowe. Wieczorem ma dyżur Tamara, ona zmieni pani opatrunek. Proszę jak najmniej chodzić.

– Dziękuję, kochanie.

Regina Arkadjewna sięgnęła do patery z owocami i wzięła duży czerwony owoc granatu.

– Proszę, Lenoczko, niech mi pani zrobi przyjemność i weźmie. Przy moim ciśnieniu granaty są niewskazane. Ale trudno przecież oddawać, kiedy się je dostaje w prezencie.

- Proszę, to dla pana. - Lena wręczyła Korotkowowi uczciwie zapracowany granat. - Nie lubię ich. Wolałabym, żeby mnie poczęstowała jabłkiem. Cóż, nasza Regina nie umie dotrzymywać sekretów. Wszystko mi wypapłała, poczciwina.

- A ty umiesz? - zapytał z uśmiechem Jura. - Mogę na tobie polegać? Lena, kupię ci trzy kilo jabłek, nie, pięć kilo, jeśli mnie nie zawiedziesz. Tylko żebyś nie przesadziła, dobra?

W restauracji było ciepło, przytulnie i strasznie drogo. Nastia, spojrzawszy na menu, dosłownie straciła mowę.

- Przy takich cenach nie przełknę ani kęsa - wyznała.

- Pleciesz głupstwa - odparł Damir, przywołując gestem kelnera. - Nie powinnaś przełknąć kęsa z zupełnie innego powodu. Zamówić zupę julienne?

- Zamów. Jaki powód masz na myśli?

Damir nie zdążył odpowiedzieć, kiedy podszedł do nich kelner. Przyjął zamówienie i od razu zaczął przynosić pieczywo, napoje, zakąski. Nastia milczała cierpliwie, czekając, kiedy będzie można wrócić do rozmowy.

- Nie odpowiedziałeś mi. Jakie mam powody do zdenerwowania, Damir?

- Twojego nowego wielbiciela - odparł zagadnięty niedbale, nakładając jej na talerz zimne mięso i pokrojone warzywa.

- A co? Jesteś zazdrosny? - zapytała niewinnie Nastia.

- Jeszcze jak. Mnie z pogardą odtrąciłaś, za to związałaś się z milicjantem. Zdumiewający wybór u istoty tak subtelnej jak ty. Czego jak czego, ale tego się nie spodziewałem!

„Upuścić widelec? Nie, lepiej się zakrztusić. Nie należy przesadzać. Byłoby głupio uwierzyć mu od pierwszego słowa i wpaść w panikę".

- Z jakim milicjantem, Damirze? O kim ty mówisz?

- O tym, z którym wczoraj poszłaś na tańce. Cóż za czuła para!

- Głuptasie, to przecież siostrzeniec Reginy. Nie powiedziała ci?

- Powiedziała, a jakże. Za to inni ludzie mi podpowiedzieli, że to najprawdziwszy gliniarz, przyjechał z Moskwy specjalnie po twoją duszę. No i jak się teraz czujesz?

- Nie wiem. - Nastia wzruszyła ramionami. - Moim zdaniem, to jakieś nieporozumienie. Co interesującego może we mnie widzieć gliniarz? Opowiadasz jakieś bajki, Damirze Łutfirachmanowiczu.

- Twoja lekkomyślność doprowadza mnie do szału - powiedział z irytacją Ismaiłow. - Bądź łaskawa potraktować tę sytuację poważnie. Ja nie pytam, czy masz na sumieniu jakieś grzechy. Sama sobie odpowiedz na to pytanie. A jeszcze lepiej - przypomnij sobie, o czym on z tobą rozmawiał, czym się interesował. A wtedy zrozumiesz, dlaczego się koło ciebie kręci.

„Chyba mnie przekonał. Wystarczy już tego udawania głupiej. Pora zaczynać".

- Damir - powiedziała Nastia powoli, nie odrywając oczu od talerza - powiedz, czemu się tak tym przejmujesz? Przecież, jeżeli znowu nie kłamiesz, ten gliniarz dobiera się do mnie, a nie do ciebie. Więc dlaczego się tak denerwujesz?

- Dlatego że jestem ostatnim idiotą - rzucił gniewnie Damir. - Dlatego że się o ciebie martwię. Dlatego że chcę ci pomóc, o ile to jest w ogóle możliwe. Jeżeli nie radą, to przynajmniej wsparciem i współczuciem. Jesteś w stanie w ogóle pojąć takie proste rzeczy czy masz w głowie wyłącznie wysoce skomplikowane konstrukcje myślowe?

„A to sukinsyn! Trafił w dziesiątkę! Gdybyś ty wiedział, Damirze Ismaiłow, jak dalece masz rację! Właśnie tym się gryzę przez ostatnie dni. Czyżby to było aż tak widoczne? A może po prostu strzelałeś na ślepo?"

– Rzeczywiście mogę liczyć na twoją radę i wsparcie? – Głos musi lekko drżeć, jak przed poważnym wyznaniem.

– Możesz. I tak obiecałem śledczemu, że zostanę, on chce mnie jeszcze raz przesłuchać. Wykupię następne skierowanie i będę cały czas przy tobie. Chcesz?

Nastia skinęła głową, po czym podniosła na niego skruszony wzrok.

– I nie odsuniesz się ode mnie, nie zaczniesz o mnie myśleć źle, nawet jeśli...

– Jeśli co?

– Jeśli się okaże, że ten milicjant ma podstawy... Damir, znalazłam się w bardzo trudnej sytuacji. Nie mogę ci teraz wszystkiego opowiedzieć, ale później może się dowiesz. Oczywiście, trochę zawiniłam. Ale nie zabiłam tego chłopca, Alfierowa. Wierzysz mi? – „No, dosyć. To powinno wystarczyć".

– Wierzę, Nastieńko, oczywiście, że ci wierzę. Wystarczy na ciebie spojrzeć, żeby uwierzyć. Czy mogłabyś zadać taki potężny cios? No, napijmy się.

– Napijmy się – z ulgą szepnęła Nastia. Pierwszy akt spektaklu dobiegł końca. Można ogłosić antrakt.

Denisow uważnie przeglądał się w lustrze. Stary już jest. Ma dość tej całej krzątaniny. Dopóki była przy nim Lilia, miał zapał, energię, chęć do działania, miał siły. Nie docenił Lilii, stary dureń, myślał, że kupił jej młodość i czułość, a z wdzięczności za „wierną służbę" wyszukał jej bogatego męża, austriackiego przemysłowca. Pocieszał się, że tam jej będzie lepiej, że sobie na to zasłużyła.

A potem przyszła Wieroczka, ukochana wnusia, i opowiedziała, jak pojechała z Lilią na daczę przed samym jej

169

odjazdem, jak Lilia płakała i co mówiła. Ale czyż on, w jego wieku, mógł przypuszczać, że ona go naprawdę kocha? Eduard Pietrowicz nie chciał się oszukiwać, żeby się potem nie rozczarować. No i okazało się, że oszukał sam siebie. Drugiej takiej Lilii w życiu nie spotka i powoli wszystko utraci dlań sens. Pieniędzy ma już tyle, że powiększanie kapitału nie sprawia mu radości. Radość sprawia mu teraz tylko jedno – wydawanie pieniędzy. Czuje wtedy swą potęgę, moc budzenia ludzkiej wdzięczności.

Zestarzał się Eduard Pietrowicz. Dopóki była Lilia, jeździł z nią na śródziemnomorskie plaże, na narty do szwajcarskich kurortów, twarz miał stale lekko opaloną, sylwetkę szczupłą i chyba nawet mniej zmarszczek. Teraz Denisow widział w lustrze zaczynającą opływać tłuszczykiem twarz, na policzkach czerwone starcze żyłki, ciało mu obwisło, zarysował się brzuch. Nie da się uciec przed starością...

Nagle uśmiechnął się do swego odbicia. A jednak zdarzają się jeszcze w jego życiu interesujące momenty. Na przykład teraz ma przed sobą ciekawe zadanie: jak zmusić kogoś, by spełnił swój zawodowy obowiązek za pieniądze, ale nie za państwową pensję, tylko za pieniądze jego, Denisowa, a mówiąc prościej – za brudne mafijne ruble. Chociaż można też zapłacić w dewizach. Osoba ta, sądząc ze wstępnych danych, jest nietuzinkowa, wręcz krnąbrna. Cóż, tym lepiej, tym ciekawiej. Eduard Pietrowicz wiedział, że nigdy nie robił nieodpartego wrażenia na kobietach, nie miał męskiego wdzięku, owej samczej atrakcyjności. Z Kamieńską będzie musiał walczyć innymi środkami.

No, co tam porabia Starkow? Denisow spojrzał na zegarek – do wyznaczonego spotkania pozostało siedem minut. Nacisnął dzwonek do kuchni. Natychmiast zjawił się Alan, malutki, okrągły, brodaty, podobny do wesołego krasnala.

– Zrób mi koktajl mleczny, Alan. Za pięć minut przyjedzie Tola Starkow, posiedź z nami, posłuchaj, o czym będziemy mówić. Niewykluczone, że zjawi się gość, kobieta.

– Kiedy mam podać kolację, Eduardzie Pietrowiczu?

– Trochę później, Alan, po naszej rozmowie z Tolą.

– Oczekuje pan jeszcze kogoś? Na ile osób nakryć?

– Dzisiaj nadal jestem sam, Wiera Aleksandrowna jeszcze przez tydzień zostanie u siostry. Nakryj na dwie osoby, posiedzisz ze mną.

– Dobrze.

Pociągając małymi łyczkami smaczny koktajl (mleko, żółtko, świeżo wyciśnięty sok z antonówki), Denisow słuchał uważnie swego szefa wywiadu.

– Mieliśmy mało czasu, Eduardzie Pietrowiczu, więc informacje są tylko wyrywkowe. Kamieńska jest leniwa i lubi komfort. Najlepiej się czuje, siedząc przy biurku lub leżąc na kanapie. Sądząc ze wszystkiego, gospodarstwem domowym się nie zajmuje.

– Skąd takie wiadomości?

– Od pokojówki, która sprząta w jej numerze. To kobieta doświadczona i spostrzegawcza, potrafi określić charakter człowieka po jednej popielniczce z niedopałkami. Można jej ufać.

– No, no. Idźmy dalej.

– Kamieńska dużo pali i pije dużo kawy.

– Marka?

– Tutaj ma puszkę rozpuszczalnej kawy brazylijskiej. U siebie w domu też pije rozpuszczalną, nie chce jej się parzyć prawdziwej. Jeśli to możliwe, wybiera cappuccino.

– Papierosy?

– Tutaj pali ascory, ale woli papierosy mentolowe. Markę zmienia rzadko, kupuje od razu po kilka kartonów.

– Odzież, kosmetyki?

– Tu sprawa jest dość niejasna, Eduardzie Pietrowiczu. Poprosiliśmy Tatianę Wasiljewnę, żeby się przyjrzała Kamieńskiej, kiedy ta była dzisiaj w ciągu dnia w restauracji z Ismaiłowem.

Tatiana Wasiljewna była dyrektorem Miejskiego Domu Mody i osobistą krawcową Wiery Aleksandrowny, żony Denisowa, a jednocześnie doradczynią samego Eduarda Pietrowicza.

– Z Ismaiłowem? Aha, to ten jej kochanek. No i co powiedziała Tatiana?

– Powiedziała, że Kamieńska nosi nie to, w czym jej do twarzy, ale to, w czym czuje się wygodnie. Sądząc z mimiki i ruchów, potrafi być bardzo atrakcyjna, jeśli jej na tym zależy. Ale na co dzień ubiera się bardziej niż skromnie i wygląda absolutnie niepozornie.

– Ciekawe! – prychnął Denisow. – Z tego wynika, że siedząc w knajpie z kochankiem, nie stara się być atrakcyjna?

– Wygląda na to, że tak, Eduardzie Pietrowiczu.

– Co jadła w restauracji?

– To, co było w menu. Ale w rozmowie z kelnerem ustaliliśmy, że nie przepada za mięsem i bardzo lubi różne warzywa. Sądząc z pytań, jakie zadawała, nie je rzeczy bardzo słonych i ostrych, a warzywa woli nie surowe, tylko duszone.

– Co pije?

– Trudno powiedzieć. W restauracji pytała o martini, ale nie mieli. Piła sok pomarańczowy. Wypiła też, co prawda, jeden kieliszek wina, które zamówił Ismaiłow, ale nie do końca i skrzywiła się.

– Co jeszcze?

– Nie lubi głośnej muzyki. W ogóle nie lubi hałasu w tle. Pokojówka twierdzi, że radio w numerze Kamieńskiej stale jest wyłączone z gniazdka i przewód z wtyczką przez cały jej pobyt leży na szafie w tym samym położeniu. Najwyraźniej ani razu nie włączała radia.

– Poważna dama – uśmiechnął się Denisow. – Nawet nie słucha wiadomości.

– Za to czyta gazety, chociaż nieregularnie. Przez pierwszy tydzień w numerze nie było ani jednej, potem pojawił się od razu cały plik.

– To dobry znak, Tola, to bardzo dobry znak – ożywił się Eduard Pietrowicz. – Coś ją nagle zainteresowało. Widać nie jest aż tak leniwa i apatyczna, jak by to wynikało z twojego raportu. Proszę, mów dalej.

– W sanatorium kuruje stary uraz kręgosłupa. Siedzenie w miękkich, głębokich fotelach sprawia jej ból, stara się wybierać krzesła albo kanapy z twardym, prostym oparciem.

– Cenna obserwacja. A jak się układają jej stosunki z naszym dzielnym wydziałem kryminalnym? Czy udało się temu z Moskwy, jak mu tam...

– Korotkowowi – podpowiedział szybko Starkow.

– Tak, Korotkowowi. Udało mu się ją namówić?

– Jak na razie nie. Kamieńska odmawia kategorycznie, chociaż bez histerii.

– Czym to uzasadnia?

– Proszę, zapisałem prawie dosłownie: „Nie chcę mieć nic wspólnego z ludźmi, którzy uważają, że baba to nie człowiek".

– Sam to słyszałeś?

– Siedziałem przy sąsiednim stoliku, kiedy mówiła to do majora ze stolicy. Warto podkreślić, Eduardzie Pietrowiczu, że ona wspaniale nad sobą panuje. Rozmowa nie należała do przyjemnych, ale Kamieńska przez cały czas się uśmiechała i ani razu nie podniosła głosu. Dlatego nie dosłyszałem nawet połowy z tego, co mówiła.

– Nie szkodzi, to wystarczy. Dziś wieczorem przemyślę te informacje, a jutro rano możesz zaczynać. Dzięki, Tola.

Kiedy drzwi zamknęły się za Starkowem, Denisow odwrócił się do Alana notującego coś w kącie, przy małym stoliku.

– Co powiesz, Alan?

Alan wsunął rozcapierzone palce w gęste włosy, potem zebrał garścią rozłożystą brodę i przygryzł wargę.

– Kawior i łosoś odpadają. Z pańskich popisowych befsztyków też trzeba zrezygnować.

– Karp w śmietanie? – zaproponował niepewnie Denisow.

– Gdyby chodziło tu o pańskiego konkurenta, zgodziłbym się. Teraz mało kto umie ładnie jeść rybę i radzić sobie z ośćmi. To gościa denerwuje. Jeżeli zamierza pan ją do czegoś namówić, nie radziłbym podawać ryby. Chyba że jesiotra bez ości.

– Zgoda – przytaknął Eduard Pietrowicz. – Co jeszcze proponujesz?

– Co do tych słonych potraw, to może ona ma problemy z nerkami i nie wolno jej pić dużo płynów, bo od tego puchnie twarz. Z drugiej strony, dużo pali, więc powinna mieć pragnienie. Myślę, że trzeba podać pomarańcze, a jeszcze lepiej – grejpfruty. Są bardzo orzeźwiające. Obrać, ładnie pokroić i zaserwować z lodem. O całą resztę sam zadbam: warzywa, napoje, fotele z wysokim oparciem. Wszystko sobie zapisałem.

– Dziękuję, Alan, kochany. Co ja bym bez ciebie zrobił?

– Na którą godzinę mam to przygotować?

– Gdybym to ja wiedział...

Podczas gdy Eduard Pietrowicz zastawiał sieci, w które chciał złowić Anastazję Kamieńską, sama Nastia wraz z Jurą Korotkowem wyciągała z wody własne sieci i stwierdzała z rozczarowaniem, że na razie nikt się w nie nie złapał.

– Koło mnie kręci się tylko Ismaiłow. Co prawda, zachowuje się dokładnie tak, jak przepowiedziałeś, ale on nie jest mordercą. Od chwili, kiedy rozstałam się z Ałfierowem w parku, do drugiej w nocy cały czas był ze mną. Patolog nie mógł się pomylić co do czasu zgonu?

– Wykluczone. – Jura pokręcił głową. – Ty rozstałaś się z Ałfierowem o 23.50, zwłoki zostały zbadane w miejscu ich znalezienia o 4.20 rano. Czas zgonu – orientacyjnie północ plus minus piętnaście minut. Upłynęło zbyt mało czasu, żeby lekarz mógł się pomylić o półtorej, dwie godziny. Nawet o tym nie myśl. Pomyśl raczej o czymś innym: znalazłem jednak twoje papierosy.

– Gdzie?! – Nastia aż podskoczyła.

– W pobliżu służbowego wejścia do sanatorium. Opakowanie jest ciemne, na gołej ziemi go nie widać, jeśli się specjalnie nie szuka. Co na to powiesz?

– Coś niecoś powiem. Po co Ałfierow miałby iść do wejścia służbowego, skoro główne jest o wiele bliżej? Ścieżka spacerowa tam nie biegnie. To znaczy, że albo szedł tamtędy w jakimś celu, może za kimś, albo już martwego wniesiono go do środka wejściem służbowym. Zapomnijmy na chwilę o zabójstwie na zlecenie i zastanówmy się, jak to się mogło stać, że człowieka, który dopiero co siedział sobie spokojnie na ławce w parku i niczego się nie obawiał, pięć minut później ktoś zabija mistrzowskim ciosem karate. Nie uważasz, że to bardzo wygląda na zabójstwo spontaniczne?

– W takim razie należy przypuszczać, że Ałfierow coś zobaczył. Coś, co nie było przeznaczone dla jego oczu.

Albo kogoś, kogo nie powinien był widzieć. Masz pomysł, jak to sprawdzić?

– Mam. Częściowo można to sprawdzić tutaj. Ale najważniejsze rzeczy przez Moskwę.

Nastia umilkła i przez jakiś czas szła zamyślona, podrzucając stopami opadłe liście.

– Jurik, pamiętasz, co ci mówiłam wczoraj wieczorem o gazetach?

– W ogólnych zarysach.

– W kraju dopiero co zaszły poważne wydarzenia. Oboje pamiętamy, co było w tym okresie w prasie. Rady walczyły z rządem. A w Mieście – zdumiewająca jednomyślność, żadnych incydentów, całkowity spokój. Zaraz po stłumieniu puczu rada miejska cicho i spokojnie złożyła swoje pełnomocnictwa i niemal na tacy, ze słowami dozgonnej wdzięczności, przekazała je komu trzeba. Zadałam sobie trochę trudu, poszłam do skrzydła zabiegowego, gdzie zawsze leży pełno gazet, żeby pacjenci nie nudzili się w kolejce, i znalazłam nawet numery sprzed dwóch miesięcy. Wszystko tu jest pod kontrolą i rządzi jedna żelazna ręka. Spacerowałam po Mieście i patrzyłam na ceny w komercyjnych butikach: są niższe niż w Moskwie i wszędzie prawie jednakowe. Rozrzut w granicach normy, w centrum nieco wyższe, na obrzeżach niższe, tak jak powinno być przy rozsądnie zorganizowanym handlu. Czytałam w gazetach rubrykę kryminalną. Jura, w tym mieście nie ma przestępczej konkurencji. Rozumiesz? Żeby zjadłam na takich analizach, robię je przecież dla wszystkich dzielnic Moskwy. I mogę ci powiedzieć z całym przekonaniem: w Mieście jest jedna mafia. Tylko jedna. Ale za to prawdziwa. Nie zorganizowana grupa uzbrojonych bandziorów, ale potężna struktura, która kupiła na pniu wszystkie organa władzy i samorządu. Niewykluczone, że także organa spraw wewnętrznych. Nawet na pewno, jeśli to prawdziwa mafia. I myślę sobie tak.

Jeżeli zabójstwo Alfierowa nie jest moskiewskie, ale, że tak powiem, rodzimej produkcji, to nigdy nie zostanie wykryte. Wszelkie nasze żałosne próby, żeby coś przedsięwziąć, doprowadzą tylko do tego, że chłopcy z kryminalnego będą mieli nieprzyjemności. Wszyscy oni mogą sobie być najuczciwsi, ale wystarczy jeden skorumpowany szef, żeby im zamknąć usta. Oni tu żyją własnym życiem, to życie jakoś się ustabilizowało, wszystkich to urządza, mieszkańcy, moim zdaniem, też są ze wszystkiego zadowoleni. I nagle zjawiamy się my i zaczynamy się im plątać pod nogami. I nie ma z nas żadnego pożytku, tylko same szkody.

– A jeżeli to jednak jest zabójstwo na zlecenie?

– A ty sam w to wierzysz?

– Szczerze mówiąc, nie bardzo. Chłopcy harują od trzech dni uczciwie, nie obijają się – i nic, żadnej poszlaki. A wiadomo z doświadczenia, że w takich wypadkach poszlaki wychodzą na jaw już w pierwszej dobie śledztwa. Inna rzecz, że praktycznie nigdy nie wykrywa się sprawcy, ale sam fakt zlecenia najczęściej jest oczywisty.

– Mamy jeszcze jedną hipotezę. Alfierowa nie zabito na zlecenie, ale jego śmierć nie jest też dziełem miejscowej mafii. To może być jakiś przypadkowy incydent. Może twój Gołowin ma rację i chodziło tu o te kretyńskie zakłady. Ale nie z moim udziałem. A może w Mieście pojawiło się jakieś przestępcze ugrupowanie, niezwiązane z miejscową mafią, i biedny Kola zupełnie przypadkiem nadepnął im na odcisk. W takim razie mamy szansę rozwiązać sprawę, nie łamiąc przy tym nóg i rąk ani sobie, ani miejscowej milicji.

– No, co ja z tobą mam, Aśka! – Korotkow zatrzymał się i odwrócił Nastię twarzą do siebie. – Nie dalej jak wczoraj zapewniałaś mnie, że nie chcesz mieć nic wspólnego z tutejszym wydziałem kryminalnym, że jesteś na nich obrażona. A dzisiaj troszczysz się o nich, jakby to byli twoi najlepsi przyjaciele i rodzeni bracia. Co jest grane? Wybaczyłaś im czy się rozmyśliłaś?

– Nie wybaczyłam i nie rozmyśliłam się. Ale to są zupełnie różne rzeczy, Jura. Moje osobiste stosunki z Siergiejem Michajłowiczem i jego wydziałem to kwestia różnicy charakterów i zapatrywań. Nie podlegam mu, jestem na urlopie i bardzo trudno mnie skłonić, żebym im pomagała, jeżeli sama tego nie zechcę. Chyba że najwyższe kierownictwo odwoła mnie z urlopu i wyda konkretne polecenie służbowe. Ale robić coś, co może im zaszkodzić, byłoby nieładnie. Nie jesteśmy inspekcją z ministerstwa, żeby sprawdzać, kto bierze od mafii pieniądze, a kto nie. Mam rację?

– Na razie nie wiem – odpowiedział uczciwie Korotkow. – Nie rozpatrywałem tej sprawy pod takim kątem.

– No to rozpatrz. Pomyśl o tym, co ci powiedziałam, pogadaj z tutejszymi chłopakami. Może byłoby dobrze, żebyś się stąd wyniósł, póki nie jest za późno, zwłaszcza że twoja hipoteza nie znajduje potwierdzenia. Niech sobie żyją, jak chcą. Nie będziemy wtykać nosa w nie swoje sprawy. A zresztą ty decydujesz.

– Cwaniara z ciebie, Aśka. Wymyśliłaś cholera wie co, powyciągałaś kupę wniosków, a decydować mam ja.

– Jesteś przecież mężczyzną. – Nastia uśmiechnęła się pojednawczo.

– Aha! Przypomniałaś sobie! Ale żeby się obrażać za to, że uważają cię za kobietę, to jesteś pierwsza! Twoja logika coś szwankuje, koleżanko.

Nastia podniosła na Korotkowa pełne smutku oczy, które nagle stały się ogromnymi zamarzniętymi jeziorami.

– Błagam Boga, Juroczka, żeby zabójstwo nie okazało się dziełem miejskiej mafii. Bo robi mi się zimno ze strachu na myśl, co z nami zrobią, jeśli choćby przypadkowo zbliżymy się do prawdy. Mafia jest przecież jedna, i to jest najbardziej niebezpieczne. Nie będzie się komu poskarżyć ani prosić o obronę. Gdyby mieli konkurentów, jakoś byśmy się wywinęli. A tak... Może i jestem oficerem z Pietrowki 38, ale jestem też człowiekiem, który umie budować hipotezy. I boję się, Jura. Nawet sobie nie wyobrażasz, jak bardzo się boję tej monolitycznej mafii z jedną władzą. Trzeźwo oceniam własne siły. Refleks mam słaby i w ogóle potrafię tylko analizować informacje. Nie dam sobie z nimi rady. Tak, jestem tchórzem. Tak, zasługuję na potępienie. Ale proszę cię, Jura, błagam cię, zastanów się nad tym, co powiedziałam, i podejmij decyzję.

– A może zadzwonić do Pączka i spytać go o radę?

– No tak. Ja jestem baba, ty chłop, za to on jest szefem. – Nastia zaśmiała się, ale jakoś niewesoło.

Lecz do telefonu do Pączka nie doszło, ponieważ następnego ranka w komendzie miejskiej Korotkow dowiedział się czegoś, co dało mu dużo do myślenia.

# ROZDZIAŁ 9
## Dzień dziesiąty

*Ten człowiek, o którym tak się starałem zapomnieć i który właśnie z tego powodu wciąż na nowo wdzierał się w moją pamięć jak natrętna piosenka czy efektowne hasło reklamowe, które powtarzasz wbrew własnej woli, ten człowiek od dziś nie będzie mnie już niepokoił. Sam tak postanowiłem.*

Chanin

Tekst był napisany na maszynie, kartka złożona na pół, w środku – fotografia Nikołaja Alfierowa. Na kopercie adres Miejskiego Urzędu Spraw Wewnętrznych. Stempel wczorajszy – 28 października.

Korotkow w osłupieniu oglądał list i zdjęcie.

– Skąd to się wzięło?

– Dostaliśmy wczoraj wieczorem – odrzekł Gołowin. Widać było po nim, że jest zdziwiony nie mniej niż Korotkow, ale stara się z tym nie zdradzać.

– Co to za jeden ten Chanin?

– Borysa Władimirowicza Chanina przywieziono wczoraj wieczorem do kostnicy szpitala miejskiego. Samobójstwo. Połknął pięćdziesiąt tabletek luminalu. Znalazła go w jego mieszkaniu kuzynka, która przyszła złożyć mu życzenia urodzinowe i otworzyła drzwi własnym kluczem.

– Koszmar – westchnął Korotkow. – Niezłe obchody urodzinowe. Chorował psychicznie?

– Był pacjentem przychodni neurologiczno-psychiatrycznej. Podejrzenie psychozy maniakalno-depresyjnej. Kuzynka zeznała, że Chanin był homoseksualistą.

– A Ałfierow? – spytał z niedowierzaniem Korotkow. – Z tego wynika, że on też?

– Ano wynika – potwierdził Andriej, obracając w rękach fotografię. – To by wskazywało, że od dawna znał Chanina.

– Zaczekaj – przerwał mu Jura, ściskając rękami skronie – daj mi pomyśleć. Z tego, co wiemy o Ałfierowie, nie interesował się dziewczętami i młodymi kobietami w swoim wieku. W firmie, w której pracował, jest mnóstwo ekstralasek, ale on do żadnej nie próbował się przystawiać. Nawet się z tego powodu z niego naśmiewano. Był skryty, nie mówił o swoim życiu osobistym, nikt z pracowników firmy nie potrafił nic na ten temat powiedzieć. Można przypuszczać, że był homoseksualistą. Ale Chanin... Jakieś to takie nieoczekiwane i bardzo na czasie. Prawda?

Gołowin wzruszył ramionami.

– Ale przecież nie wszystkie przestępstwa wykrywa się w pocie czoła. Niekiedy rozwiązanie samo pcha się w ręce. Technicy badali ten list i kopertę przez całą noc. Sam szef Głównego Urzędu prosił, żeby nie odkładali tego do jutra. Koperta oczywiście jest zamazana, przeszła na poczcie przez wiele rąk. Ale na liście i zdjęciu są odciski palców Chanina.

– Jasny gwint! – rzucił ze złością Korotkow. – Ten Chanin miał w domu maszynę do pisania?

– Nie. Był nocnym ochroniarzem pawilonu handlowego, a tam w gabinecie dyrektora są aż dwie maszyny. Technicy sprawdzają je już od rana.

Jura wziął czystą kartkę i przepisał tekst listu.

– Muszę mieć kopię fotografii Ałfierowa. I spis odzieży, którą miał ze sobą w sanatorium.

– Zrobione, co jeszcze?

– Na razie nic. Pójdę do „Doliny" i pokażę list Kamieńskiej. A nuż coś podpowie. Jeżeli Ałfierowa rzeczywiście zabił Borys Chanin, nie mam tu już nic do roboty. Wyjadę jutro, a może i dziś wieczorem.

– Jura... – Gołowin zawahał się. – Czy Anastazja jest na mnie bardzo obrażona?

– Nie na ciebie, na was wszystkich. Jeżeli czegoś od niej chcesz, mów od razu. Jak wyjadę, nie będzie chciała z wami gadać.

– Tak myślisz?

– Sama mi to powiedziała.

– A jeżeli z tym Chaninem jest coś nie tak? Ona przecież na kilka dni przed zabójstwem widziała Ałfierowa, rozmawiała z nim, mogła zauważyć, jakiej on jest... no tej... orientacji seksualnej. Mówiłeś przecież, że jest bardzo spostrzegawcza.

– Rychło w czas się połapałeś! – Jura energicznie podniósł się zza biurka. – Trzeba było myśleć wcześniej, kiedy ci proponowała pomoc. Ale gdzie tam! Nic z tego, Andriej, przepadło. Nawet ja nie mogłem jej namówić, a bardzo się starałem, możesz mi wierzyć.

– Szkoda – zmartwił się szczerze Gołowin. – Zachowałem się jak słoń w składzie porcelany, a Stiepanycz jeszcze dołożył.

– Stiepanycz?

– Śledczy z prokuratury, Michaił Stiepanowicz. Rzetelny facet, ale jakiś twardogłowy. W ogóle nie ma fantazji. Uprze się przy jednej hipotezie i ani kroku dalej. Odrzuca wszystko, co do niej nie pasuje. Mając to samobójstwo, zamknie sprawę w pięć minut, nawet jeśli będą wyraźne sprzeczności.

– To się ciesz, będziesz miał mniej roboty. No, lecę.

Gołowin spojrzał za wychodzącym Korotkowem jakoś dziwnie i niechętnie i sięgnął po słuchawkę.


W sanatorium Jura Korotkow najpierw zajrzał do swojej przybranej cioci.

– Jak zdróweczko, ciociu Rino? – zapytał żartobliwie, ściskając wyciągniętą rękę i robiąc odpowiednią minę.

– Dziękuję, kochaneczku, nie gorzej niż wczoraj – uśmiechnęła się Regina Arkadjewna. – W moim wieku lepiej już być nie może, więc „nie gorzej" oznacza, że wszystko w porządku.

– A gdzie pani sąsiadka? Jakoś nie słyszę maszyny.

– Poszła na zabiegi. Rano nigdy nie pracuje, dopiero po obiedzie. Napije się pan ze mną herbaty?

– Z przyjemnością, tylko proszę nie zapominać, że jestem cioci siostrzeńcem, i nie zwracać się do mnie per „pan".

– Och, prawda – połapała się starsza pani. – Przepraszam, kochanie. A co z Nastieńką? Udało ci się to, co zamierzałeś?

– Nie tak, jak bym chciał. Z kim ona się tu widuje?

– Z nikim. – Regina Arkadjewna nasypała do porcelanowego imbryczka herbaty i wrzuciła kostkę cukru. – Ze mną – rzadko. Mój uczeń, Damir, jest nią, moim zdaniem, mocno zajęty, ale ostatnio chyba się posprzeczali. A ja już tak się cieszyłam: Damir to taki zdolny chłopiec, Nastieńka jest wyjątkowo inteligentna, stworzyliby wspaniałą parę. A zresztą ja przecież niewiele widzę, z pokoju wychodzę rzadko, tylko na zabiegi. Jedzenie jako szanownej chorej przynoszą mi tutaj.

– To tu jest taka wspaniała obsługa? – zdumiał się Korotkow. – Nawet posiłki przynoszą do numeru?

– Juroczka, nie bądź naiwny. Dobrze obsługują tych, którzy dobrze płacą. Ja płacę. Dlatego koło mnie skaczą.

– Ciociu Rino, a skąd masz tyle pieniędzy? Pytam jako siostrzeniec – zastrzegł się szybko Korotkow.

– Dużo biorę za lekcje, kochaneczku. Dziesięć dolarów za godzinę. Oczywiście płacą mi w rublach, ale zgodnie z kursem. Zdolnym dzieciom, a raczej ich rodzicom, wypada to taniej, niezdolnym drożej.

– Jak to?

– Bardzo prosto. Jeżeli dziecko jest zdolne i muzykalne, wystarczy, że posiedzę z nim dwie godziny, i już rozumie, jak powinien brzmieć utwór. Potem przez dwa, trzy tygodnie pracuje samodzielnie w domu i „zdaje" przede mną wyszlifowany fragment. A więc nie jest to lekcja, ale coś w rodzaju konsultacji. A kiedy dziecko nie ma zdolności, muszę odbywać lekcje dwa, trzy razy w tygodniu, a wtedy wypada drożej.

– A dużo ma ciocia uczniów?

– Sporo. Naprawdę zdolnych – pięcioro. Ośmioro dość bystrych, ale bez iskry bożej i niezbyt pilnych. I trójkę całkiem do niczego. Nie czują muzyki, nawet nie wszystkie mają słuch. Ale rodzice marzą o sławie i wypychają ich na lekcje. Jednego chłopca nawet codziennie. Żal mi tego chłopaczka, zwichną mu życie. Stara się, biedaczek, jak może, widocznie boi się rodziców i tańczy, jak mu zagrają. Domowego grajka oczywiście z niego zrobię, zapracuję uczciwie na swoje dolary. Będzie zabawiać tatę i mamę oraz ich gości popularnymi kawałkami. Ale nigdy nie zostanie muzykiem. Prócz tego, Juroczka, mam jeszcze jedno źródło dochodu: przygotowuję pianistów na konkursy. Przyjeżdżają do mnie nawet z innych miast. To naturalnie kosztuje o wiele drożej, ale i stopień trudności jest inny. Tu mamy już do czynienia z dojrzałym artystą, który ma własny sposób interpretacji utworu. Moim zadaniem jest pomóc mu w przekazaniu jego idei słuchaczom, podpowiedzieć, jakich środków powinien użyć. A oni się boją, że zacznę im narzucać swoją koncepcję, w każdej mojej uwadze dopatrują się podstępu, próby pokierowania nimi tak, żeby zrobili to, czego chcę ja. Nie uwierzysz, ale czasem dochodzi do awantur. Tak, stąd właśnie moja zamożność. Plus emerytura, ale o niej nawet nie ma co mówić.

– A więc jesteś bogata, ciociu Rino? Szkoda, że naprawdę nie jestem twoim siostrzeńcem – zażartował Korotkow.

– Niestety – zaśmiała się starsza pani – po mojej śmierci zostanie tylko fortepian, co prawda, bardzo drogi. Sporo wydaję, siostrzeńcze, więc nie masz się co łaszczyć na moje pieniądze. Trzy, cztery razy do roku leczę się tutaj i płacę za każdy drobiazg, inaczej nic by z tego nie było. Trudno mi chodzić, więc po Mieście jeżdżę wyłącznie taksówką. Na zakupy, pranie, sprzątanie, gotowanie nie mam ani czasu, ani zdrowia. Wszystko to również opłacam, i to bardzo hojnie. Na razie nie ma u nas bezrobocia, toteż usługi pomocy domowej nie są tanie. Wydaję wszystko, co zarabiam. Tak to jest, miły siostrzeńcze.

Jura usłyszał szczęk zamka w sąsiednich drzwiach i spojrzał pytająco na Reginę Arkadjewnę. Ta kiwnęła głową.

– To Nastieńka. Jeżeli chcesz ją zastać, idź zaraz, bo pójdzie na basen.

Wyszedłszy z numeru 515, który zajmowała Regina Arkadjewna, Korotkow zrobił krok w stronę drzwi Nasti i już wyciągał rękę, żeby zapukać, kiedy zobaczył, że do jej pokoju kieruje się mężczyzna z ogromnym bukietem róż. Jura przeszedł obok niego w stronę schodów, kątem oka obserwując, jak ten puka do Nasti i wchodzi. Korotkow natychmiast rzucił się z powrotem i wpadł do numeru 515.

– Regino Arkadjewno, muszę otworzyć okno!
– Ale na dworze jest minus pięć, Juroczka, zmarznę. – Starsza pani ze zdumieniem wzruszyła ramionami. – Co się stało?
– Regino Arkadjewno!
– No już dobrze, otwórz. Narzucę palto.

Jura czuł się okropnie niezręcznie, ale koniecznie musiał usłyszeć, co to za gość przyszedł do Aśki, w dodatku z takimi wspaniałymi różami. Ostrożnie nacisnął klamkę drzwi balkonowych i stanął na progu.

– Pozwoli pani, że się przedstawię, Anastazjo Pawłowno; nazywam się Lew Michajłowicz Riepkin, jestem zastępcą mera Miasta i przewodniczącym komisji do spraw koordynacji działania organów wymiaru sprawiedliwości.

Nastia osłupiała. Wizyta była nieoczekiwana i nie w porę, Anastazja wróciła właśnie z masażu i stała przed gościem w spodniach od dresu, długiej do kolan, luźnej koszulce, z włosami spiętymi na karku w niedbały węzeł. Wygląd bardziej nieodpowiedni do rozmowy z wicemerem trudno było sobie wyobrazić.

– To dla pani. – Riepkin podał jej róże.

– Dziękuję. Proszę usiąść. – Nastia zrobiła gest w stronę fotela. – Czemu zawdzięczam ten zaszczyt?

– Przejdę od razu do rzeczy, Anastazjo Pawłowno. Zaszło ubolewania godne nieporozumienie z funkcjonariuszami naszej milicji. Po pierwsze, chcę panią za nich przeprosić.

– A po drugie?

– Skończmy najpierw z pierwszą sprawą. Ma to zasadnicze znaczenie dla drugiej. Czy przyjmuje pani moje przeprosiny?

– Nie. – Nastia uśmiechnęła się miło.

Niekiedy z Nastią było niezwykle trudno rozmawiać. Jeżeli interlokutor się jej nie podobał, udzielała lakonicznych odpowiedzi, nie dając mu możliwości rozwinięcia rozmowy i zmuszając go do zadawania mnóstwa pytań pomocniczych, którymi on sam zaczynał być wkrótce zmęczony. Nastia od dawna wiedziała, że podstawą efektywnej wymiany zdań jest wzajemna pomoc rozmówców.

– Dlaczego? Tak głęboko panią urazili?

– Nie, niezbyt głęboko, ale w grę wchodzą sprawy, które mają dla mnie zasadnicze znaczenie. Przeproszę pana na chwilę – muszę wstawić kwiaty do wody.

Nastia wzięła bukiet, weszła do łazienki, odkręciła wodę i przejrzała się w lustrze. „Ależ ja wyglądam – pomyślała z uśmiechem. – Co może oznaczać wizyta tego Riepkina? Rzeczywiście potrzebna im pomoc? Wątpliwe. Zwyczajne zabójstwo zwyczajnego kierowcy. Czy warto uruchamiać aż merostwo, żeby wciągnąć do śledztwa jeszcze jedną osobę? Trochę mało informacji, żeby wyciągać wnioski... Może by się uczesać? E tam, nie warto".

Wróciła do pokoju, usiadła na krześle, założyła nogę na nogę i popatrzyła wyczekująco na gościa.

Riepkin odkaszlnął i spróbował podjąć przerwany wątek.

– Pani odpowiedź oznacza, że nie życzy pani sobie współpracować z miejscową milicją na żadnych warunkach. Dobrze panią zrozumiałem?

– Nie. – Nastia znów się uśmiechnęła i usiadła wygodniej.

– Wobec tego nie rozumiem pani, Anastazjo Pawłowno. – Głos Riepkina stał się niemal gniewny.

– A ja pana. Pan, człowiek tak zajęty, zajmujący odpowiedzialne stanowisko, kupuje róże i jedzie do sanatorium, żeby zbadać, jak duża jest różnica zdań między wydziałem kryminalnym a zwykłą kuracjuszką. Czy nie wydaje się to panu zabawne?

– Przykro mi. Przykro, że jest pani tak wrogo nastawiona. Wyrobiła pani sobie negatywną opinię o całej naszej milicji?

– Nie.

– Uważa pani, że nasi ludzie są nie dość wykwalifikowani i profesjonalni?

– Nie, skądże.

– Może pani wymienić z nazwiska tych, do których ma pani pretensje?

– Nie.

– Dlaczego?

– Bo nie chcę.

– Krótko i jasno. – Riepkin roześmiał się. – Uważa pani, że pani stosunki z naszymi funkcjonariuszami to pani prywatna sprawa, i nie życzy sobie pani, żeby ktoś się w to mieszał i wyciągał wnioski służbowe. Czy teraz dobrze?

– Teraz tak.

– Wobec tego przejdę do drugiego pytania. Anastazjo Pawłowno, jest pani znana z tego, że potrafi pani opracowywać informacje, i ceniona za swój analityczny umysł. Rozumiem, że jest pani na urlopie, ale administracja Miasta ma do pani prośbę. Podkreślam, właśnie

187

prośbę. Czy nie mogłaby pani udzielić nam konsultacji? Udostępnimy pani całokształt posiadanych informacji, a pani podzieli się z nami swoimi wnioskami.

– Chodzi o zabójstwo Ałfierowa?

– Skądże, zabójstwo Ałfierowa zostało już wyjaśnione. Chodzi o sprawy znacznie poważniejsze.

Nastia musiała zrobić wysiłek, by zachować obojętny wyraz twarzy. Kiedyż oni zdążyli? W nocy? Jak to niedobrze, że nie zdążyła porozmawiać z Korotkowem.

Tymczasem Lew Michajłowicz ciągnął:

– Mamy podstawy do przypuszczeń, że w Mieście zagnieździła się grupa przestępcza, która skorumpowała kilku pracowników organów wymiaru sprawiedliwości. Bylibyśmy bardzo wdzięczni, gdyby pani przedyskutowała z nami ten problem i podpowiedziała, w jakim kierunku powinniśmy działać, żeby wykryć tę grupę i unieszkodliwić.

„No, no! Czyżbym się aż tak myliła? Myślałam, że w Mieście jest tylko jedna mafia, która trzyma w rękach wszystko. Jeżeli tak jest, to administracja, a przede wszystkim sam Riepkin, powinna być z nią jakoś powiązana. Wariant pierwszy: nie myliłam się, ale Riepkin reprezentuje grupę ludzi niezadowolonych ze swych zwierzchników i próbujących się ich pozbyć z pomocą Moskwy. W tym celu potrzebują konsultanta, który im podpowie, gdzie, w jaki sposób i jakie dowody należy zebrać, żeby władze centralne uzyskały podstawy do wdrożenia śledztwa. Wariant drugi: w Mieście nie ma głównej mafii, którą sobie wymyśliłam: administracja jest uczciwa i porządna, a wszystko, co mówi Riepkin, to prawda. Wariant trzeci: główna, a przy tym jedyna mafia jednak istnieje, ale pojawiła się konkurencja, której sama nie potrafi wykryć. To mogą być na przykład ludzie, którzy zabili Ałfierowa. A właśnie, kto zabił tego biedaka?"

- Proszę mi powiedzieć, Lwie Michajłowiczu, dlaczego próbują panowie rozwiązywać swoje problemy prywatnie? Zwróćcie się do MSW albo do międzyresortowej komisji do walki z korupcją, oni wam pomogą. Mają i doskonałych specjalistów, i rozległe pełnomocnictwa, i więcej sił i środków niż ja.

- To byłoby wysoce niepożądane – odpowiedział Riepkin i pochylił się naprzód całym swym tęgim ciałem.

- Ale dlaczego?

- Dlatego że mamy tylko podejrzenia, które mogą się okazać fałszywe. Wzburzymy całe Miasto, rzucimy cień na ludzi, którzy nie są w nic zamieszani. Nasza prośba zasadza się na tym, żeby pani nam podpowiedziała, jak sprawdzić te podejrzenia.

„A więc wariant trzeci. To już lepiej. W każdym razie nie chodzi tu o politykę. Nie ma co, wesolutko: mafia wynajmuje mnie jako prywatnego detektywa, żebym jej pomogła usunąć konkurencję".

- Przykro mi, Lwie Michajłowiczu, że na próżno tracił pan czas. Mam na urlop nieco inne plany. Leczę się, a poza tym jeszcze tu pracuję – Nastia wskazała biurko zarzucone papierami i słownikami – i obawiam się, że nie starczy mi już czasu. Poza tym urlop jest po to, by wypoczywać, a nie pracować. Chyba się pan ze mną zgadza?

- A więc pani odmawia?

- Tak.

- Anastazjo Pawłowno, proszę nie decydować pochopnie. Pani konsultacja zostanie odpowiednio doceniona. Proszę się zastanowić.

- Dobrze – nieoczekiwanie łatwo zgodziła się Nastia. – Zastanowię się. Ale mam kilka warunków. Po pierwsze, będę rozmawiać tylko z osobą, której naprawdę zależy na mojej pomocy. Nie bawmy się w chowanego, Lwie Michajłowiczu. Nie ulega kwestii, że tą osobą nie jest pan. Zastanowię się nad pańską propozycją i dam odpowiedź jutro o tej samej porze. Ale proszę pamiętać, że jeżeli jutro znów zobaczę tu pana, znowu odmówię, i tym razem ostatecznie. Po drugie, proszę nie oczekiwać ode mnie ujawnienia skorumpowanych funkcjonariuszy urzędu spraw wewnętrznych. O tym nie może być mowy. Po trzecie, proszę mi nie proponować pieniędzy. Proszę spróbować zainteresować mnie czym innym. Jeżeli jutro nikt tu nie przyjdzie, uznam dzisiejszą rozmowę za niebyłą i raz na zawsze o niej zapomnę. Uznamy, że moje warunki okazały się nie do przyjęcia, i bez urazy się rozstaniemy.

Jura Korotkow skręcał się z obawy i niecierpliwości. Otworzywszy drzwi balkonowe, usłyszał początek rozmowy i zrozumiał, że do Nasti przyszedł ktoś jako do pracownika wydziału kryminalnego. Strasznie chciał posłuchać, ale bał się, że rozmowę usłyszy także Regina Arkadjewna, która zasiadła w fotelu, otulona w palto. A wtedy pójdzie w diabły legenda o podejrzanej tłumaczce. Co prawda, zabójstwo Alfierowa jest niby rozwiązane i Anastazja nie jest już potrzebna jako przynęta dla zabójcy. Ale z drugiej strony, Jurze nie dawało spokoju owo „niby". Jeżeli wykrycie zbrodni sfingowano tu, w Mieście, to na pewno nie jest to moskiewskie „zlecenie", ale robota miejscowych przestępców. Zbyt wielu trzeba do takiej sprawy „swoich": swój technik, który złoży raport o odciskach palców na liście i fotografii i o identyczności czcionki w jednej z maszyn, znajdujących się w chronionym przez Chanina sklepie, z czcionką na samobójczym liście; potrzebni są swoi świadkowie, w których obecności zostanie przeprowadzone przeszukanie w mieszkaniu Chanina i pobrane próbki; potrzebny jest swój śledczy, żeby z całego tego gówna ulepił śliczne ciasteczko, którego nie będzie komu zjeść w związku ze śmiercią sprawcy. Przestępcy spoza Miasta nie byliby w stanie tego załatwić, coś takiego może sprokurować jedynie „kryminalna władza" Miasta. Jeżeli Chanin naprawdę jest podstawionym figurantem, to prawdziwi zabójcy są gdzieś niedaleko. Pytanie tylko, czyi to ludzie, i jeżeli nie należą do głównej mafii i działają na własną rękę, to warto, żeby Aśka jeszcze przez jakiś czas poudawała tłumaczkę. W przeciwnym razie utrzymywanie legendy byłoby głupie: mafia mająca swoich ludzi w milicji i tak wie, kim rzeczywiście jest Kamieńska.

„No i czemu ja się tak szarpię? – strofował sam siebie Jura, z żalem zamykając drzwi na balkon. – Moja misja jest zakończona, zabójstwem Ałfierowa nikt się nie będzie zajmował, jutro rano wyjadę. Asia będzie kontynuować kurację, nikt jej nie ruszy. Niech Regina słyszy, teraz to już nie ma znaczenia. A może?... Nie, nie wolno ryzykować. Trzeba poczekać".


– Pamiętasz bajkę o trzech niedźwiadkach? – spytała nieoczekiwanie Nastia, biorąc Korotkowa pod rękę. Był wieczór, szli powoli przez Miasto, czyste, rozjarzone światłami, gościnne.

– Czemu pytasz? Oczywiście, że pamiętam.

– Najważniejszy w tej bajce jest lejtmotyw gospodarza. Kto siedział na moim krześle? Kto jadł z mojej miseczki? Kto spał na moim łóżku? Chociaż ani krzesło, ani miseczka, ani łóżko nie poniosły żadnego szwanku. Chwytasz?

– Nie bardzo.

– Jeżeli Chanin był zręcznie zorganizowaną mistyfikacją, to jest to dzieło miejscowych bonzów. Jeśli jednak właśnie oni są prawdziwymi zabójcami, to po jakiego diabła jestem im potrzebna? Na pewno nie po to, żebym się zajmowała pracą analityczną. Raczej się boją, że coś

191

wiem i mogę nieodwracalnie uszkodzić namiocik, który troskliwie wznieśli nad Ałfierowem, aby ukryć w nim jego doczesne szczątki. Wobec tego nie muszę się ich bać. Natomiast jeśli to nie oni zabili Ałfierowa, to ich zwrócenie się do mnie bardzo przypomina ryk rozjuszonego niedźwiedzia: kto śmiał rozrabiać na moim terytorium? Przecież nie każde zabójstwo tuszują, są tradycyjne zabójstwa na tle konfliktów w rodzinie oraz inne incydenty. Nie będą przecież stawać na głowie, żeby w ich Mieście wszystko było jak w bajce o socjalizmie. Dziesięć, piętnaście procent niewykrytych zabójstw to rzecz całkiem naturalna, tu jest trochę lepiej, tam trochę gorzej, ale nigdzie nie ma stuprocentowej wykrywalności. Dlaczego tak się przejęli Ałfierowem? Dlaczego upichcili całą tę historię z nieszczęsnym Chaninem i homoseksualnymi namiętnościami?

– Mnie o to pytasz? – Korotkow uśmiechnął się. – A ja myślałem, że sama mi to powiesz, już drugą godzinę prowadzam cię po mieście i ciągle czekam, kiedy odpowiesz na wszystkie pytania.

– I odpowiem. Historia z Chaninem to coś jak przysuwanie krzeseł do stołu i wygładzanie kapy na zmiętym łóżku. Ktoś tu siedział? Ktoś tu spał? Dobrze, to my teraz odstawimy krzesełko na miejsce, uporządkujemy pościel, a dopiero potem się zastanowimy, kto tu dokazuje. Nie będziemy przecież żyć w bałaganie. Tak naprawdę oni bardzo chcą wiedzieć, kto i za co zabił Ałfierowa. I podejrzewam, że właśnie dlatego próbują dotrzeć do mnie. Widocznie to zabójstwo różni się czymś od innych zabójstw, zdarzających się w Mieście. Oni to świetnie wiedzą, a ja nie. Dlatego snuję różne bezsensowne przypuszczenia. Na pewno już powiedziano tym ludziom, że mam własne teorie na temat zabójstwa, ale z powodu mojego konfliktu z ekipą śledczą te teorie do nich nie dotarły. Jak myślisz, czy to się trzyma kupy?

– Tak. Tylko bardzo mi się to nie podoba, Asieńko. Jak sobie będziesz radzić, kiedy ja jutro wyjadę? Przecież właśnie jutro masz im dać odpowiedź. Zdecydowałaś się już jaką?

– To zależy od tego, kto jutro przyjdzie i jak się przedstawi. Nawymyślałam sobie całą masę ewentualności. Oczywiście, jeżeli przyjdzie facet i powie: „Dzień dobry, jestem głównym mafiosem", będę musiała zamknąć mu drzwi przed nosem. Nie mogę przecież pracować dla przestępców, nawet w szlachetnej sprawie. Ale przyznam ci się uczciwie, Jura, żałowałabym, gdyby tak się stało. Z przyjemnością pobawiłabym się interesującą zagadką. Ale pod warunkiem zachowania czystego sumienia. Sprzedajna bestia jestem, nie uważasz?

– Kto cię tam wie, Asiu. Ja bym nie ryzykował.

– Może i ja nie zaryzykuję. W nocy się jeszcze nad tym zastanowię. W ogóle to jestem okropnym tchórzem, wiesz przecież. I tej mafii strasznie się boję. Wyobrażasz sobie, co będzie, jak oni mnie złapią?

– Tfu, odpukaj. Lepiej się z nimi nie zadawaj.

– Nudzę się, Jurik, nie lubię sytuacji, kiedy mój umysł nie jest niczym zajęty. Przekład to łatwa praca i nie daje wielkiej satysfakcji.

– Zakochaj się – poradził Korotkow. – Będziesz całymi dniami analizować słowa i postępowanie swego wielbiciela: jak popatrzył i co powiedział. Co, złe zadanko?

– Próbowałam – przyznała się Nastia. – Zadanko łatwiutkie, a emocji zero. Pewnie jestem po prostu emocjonalnym potworem. Jaką ulicą idziemy?

Korotkow podniósł głowę i poszukał wzrokiem najbliższej tabliczki z numerem domu i nazwą ulicy.

– Czajkowskiego.

– Chodźmy na pocztę, to powinno być niedaleko.

Po powrocie do sanatorium Nastia przede wszystkim wzięła się do porządków w pokoju. Czekało ją podjęcie niełatwej decyzji i musiała się do tego starannie przygotować.

Zebrała zapisane kartki przekładu i ułożyła je w równy stosik. Zamknęła słowniki i angielską książkę, maszynę przykryła plastikowym wiekiem i odsunęła wszystko na brzeg biurka, robiąc sobie miejsce do pracy. Pozbierała z obu łóżek rozrzucone ubrania, powiesiła je w szafie, wysypała do kosza niedopałki i starannie wymyła popielniczkę, zaciągnęła zasłony i zapaliła lampę na biurku. Teraz pokój zaczął przypominać jej gabinet na Pietrowce: stał się schludny, nieprzytulny i bezosobowy.

Nastia długo stała pod gorącym prysznicem, żeby się rozgrzać po spacerze na mroźnym powietrzu, potem otuliła się długim frotowym szlafrokiem, usiadła przy biurku i wzięła się do pracy.

Po jakimś czasie uświadomiła sobie ze smutkiem, że naprawdę nie ma wyboru. Albo ktoś się boi, że ona coś wie i może ujawnić prawdę o zabójstwie Ałfierowa, i nie odczepi się od niej bez względu na to, czy ona zgodzi się na współpracę, czy nie, bo celem tego kogoś jest zamącić jej w głowie, zastraszyć ją albo przekupić. Albo też ten ktoś naprawdę potrzebuje jej jako analityka, a wobec tego powinna się zgodzić, ponieważ może chodzić o poważne przestępstwo, a wówczas nie wolno jej stać z boku z czysto ludzkich względów. To znaczy mogłaby oczywiście, ale byłoby jej głupio i wstyd. A zresztą co za różnica, kto jest zainteresowany w wykryciu zabójstwa: mafia czy milicja, ważne, że jest ono ciężkie, że stojący za nim ludzie są niebezpieczni, że mogą być nowe ofiary. „Nie wolno mi mieszać pojęć „dla przyzwoitości" i „dla zasady" – mówiła sobie Nastia. – Jeśli mogę się przyczynić do unieszkodliwienia niebezpiecznych przestępców i uchronienia ich przyszłych ofiar, to powinnam zrobić wszystko, co w mojej mocy. Muszę tylko postawić twardy warunek, że jeśli ci ludzie zostaną z moją pomocą wykryci, to nie padną ofiarą samosądu, ale będą przekazani w ręce wymiaru sprawiedliwości. Tak, to chyba jest warunek najważniejszy. Warto by jeszcze obmyślić, jak doprowadzić do tego, by został spełniony".

Nastia podarła na drobne strzępki kartki, pokryte jej tylko wiadomymi wykresami, wrzuciła je do muszli klozetowej i położyła się do łóżka. Miała lekkie dreszcze, może z zimna, a może z napięcia. Przypomniała sobie o telefonie do Loszy i jeszcze raz zdziwiła ją własna obojętność. Słuchawkę podniosła jakaś kobieta i miłym głosem poinformowała, że „Aleksiej Michajłowicz wyszedł na spacer z psem". Nastia wiedziała, że jej przyjaciel miewa nieoczekiwane wybuchy namiętności do długonogich, biuściastych ślicznotek. Te fascynacje trwały dwa, trzy dni, po czym Losza przyjeżdżał do niej i opowiadał ze zgrozą, „jakie one wszystkie są nudne, natura obdarzyła je intelektem, a one nie umieją z niego korzystać", i twierdził, że ona, Nastia, jest jedyną osobą, z którą on może wytrzymać. Wszystkimi innymi przedstawicielkami płci żeńskiej Losza był znudzony już po półgodzinie. Było absolutnie jasne, że dama o miłym głosie zamierzała zostać u Loszy na noc, w przeciwnym razie połączyłby wyjście z psem z odprowadzeniem gościa na przystanek. „Nawet nie jestem zazdrosna – myślała z rezygnacją Nastia. – Boże, czy ja w ogóle mam jakieś uczucia? Dlaczego jestem twarda jak głaz? Czy naprawdę potrafię odczuwać tylko dwa rodzaje emocji: obrazę i strach? Maszyna analityczna, pozbawiona normalnych ludzkich doznań".

Swietłana Kołomijec i jej anioł stróż mały Wład mieszkali w ciepłej zimowej daczy Denisowa w towarzystwie dwóch ochroniarzy. Swieta rozkoszowała się darmowym urlopem, dużo spała, spacerowała po ogromnej, zarośniętej drzewami posesji. Nie chciało jej się o niczym myśleć, a zresztą w ogóle myśleć nie lubiła.

Władowi udostępniono wszystko, czego potrzebował, żeby mógł czuć się dobrze. Ale on – w przeciwieństwie do Swiety – nadal się niepokoił.

– Najważniejsze – powtarzał do znudzenia – to nie wygadać się o filmie. Zapamiętałaś? Dopóki nie będziemy absolutnie pewni, że nie trafiliśmy w ręce tych filmowców albo ich przyjaciół, musimy milczeć. W przeciwnym razie staniemy się niebezpiecznymi świadkami.

– Dobra, dobra – zbywała go obojętnie Swieta.

Nie bardzo rozumiała, na czym polega niebezpieczeństwo, ale za to całkowicie polegała na Władzie, toteż na wszystkie pytania odwiedzającego ich codziennie Starkowa opowiadała jak nakręcona jedną i tę samą bajkę: przeczytała ogłoszenie, przyjechała na rozmowę, pozwoliła się sfilmować w basenie i czekała na odpowiedź, czy spodobała się tureckiemu bogaczowi. Tego wieczoru, kiedy wybuchł pożar, do mieszkania, w którym przebywała, przywieziono Włada i powiedziano, że nie ma on gdzie nocować i zostanie do rana. Nic więcej Swieta nie wie.

Wład z kolei uparcie powtarzał, jak odszukał go nieznajomy, który przedstawił się jako Siemion, jak zaproponował duże pieniądze, ale nie powiedział za co. On, Wład, jest narkomanem, strasznie potrzebuje forsy, toteż bardzo się ucieszył i o nic nie pytał, tylko po prostu przyjechał do Miasta, gdzie odebrano go na lotnisku, przywieziono do Swietłany i obiecano, że nazajutrz ktoś mu wyjaśni, o co chodzi. Niestety, udaremnił to pożar. I to wszystko. Wład widział, że Starkow mu nie wierzy, ale bał się powiedzieć prawdę.

Mer Miasta spędzał wolny czas na grze w karty z żoną i jej bratem. Mer był przystojnym, postawnym mężczyzną w średnim wieku, z wykształcenia filozofem, miał nawet doktorat. Zanim stanął na czele administracji Miasta, był kierownikiem katedry na uniwersytecie, wygłaszał wykłady, pisał książki i artykuły i żył w zgodzie z całym światem. Również na stanowisku mera pozostał molem książkowym, człowiekiem bardzo dalekim od politycznych przepychanek, życzliwym, uczciwym i niekiedy bardzo naiwnym. Od pierwszego dnia całą duszą uwierzył w reformę polityczną, toteż kiedy nieoczekiwanie zaproponowano mu udział w kampanii wyborczej, zgodził się, szczerze wierząc w to, że mądre i pryncypialne kierownictwo może wiele zmienić na lepsze. Swój program przedwyborczy obmyślał i układał starannie i skrupulatnie, naradzając się z bratem żony, któremu ufał i którego cenił za błyskotliwą inteligencję i polityczną dalekowzroczność. W wyborach odniósł zwycięstwo.

– To dzięki tobie, jestem twoim dłużnikiem! – mówił świeżo upieczony mer do swego szwagra.

– Miło mi to słyszeć. – Brat żony uśmiechał się leciutko. – Mam nadzieję, że będziesz o tym pamiętał.

Dziś mer był dobrodusznie usposobiony i nawet nie robił ostrych uwag żonie za nieprzemyślane albo wyraźnie głupie posunięcia w grze.

– Co nowego w świecie przestępczym? – zapytał żartobliwie, tasując karty i zaczynając rozdawać.

– Jak zwykle – odrzekł leniwie szwagier, biorąc karty i układając je kolorami. – Mordują, rabują, gwałcą, kradną. Nic nowego ludzkość na razie nie wymyśliła. Wszystkie genialne rzeczy już dawno zostały odkryte i teraz tylko lekko się modyfikują. W ogóle nasze Miasto jest spokojne, sam wiesz. To nie Moskwa. Tam popełnia się po cztery, pięć morderstw dziennie, a u nas jedno na tydzień. Pas.

– Też mi porównanie! – oburzył się mer. – Tam jest dwadzieścia razy więcej mieszkańców. Ja również pas. Wistujesz.

– Mieszkańców jest dwadzieścia razy więcej, a zabójstw – trzydzieści pięć razy. Oblicz sobie, gdzie jest spokojniej. Ech ty, filozofie, nie umiesz dodać dwóch do dwóch – wtrąciła się żona, nauczycielka matematyki.

Mer w milczeniu przeliczył lewy i zrobił zapis. Po kilku minutach wrócił do interesującego go tematu.

– Słuchaj, czy w naszym Mieście rzeczywiście przestępczość jest mniejsza niż w Moskwie?

– Oczywiście – odrzekł z przekonaniem szwagier, który pracował w Miejskim Urzędzie Spraw Wewnętrznych na stanowisku szefa sztabu. – Jeżeli interesują cię liczby, to już jutro przyślę ci dzienniki statystyczne ministerstwa, gdzie są dane z całego kraju, możesz sobie porównać. Ale zapewniam cię, że u nas rzeczywiście jest bardzo spokojnie. Jesteś przecież dobrym merem, więc w Mieście panuje większy porządek. A gdzie jest większy porządek, tam mniej złości i rozdrażnienia. To stara prawda. Oczywiście zabójstwo jest zabójstwem, choć, szczerze mówiąc, wiele zabójstw to nie przestępstwa, ale dramat samego zabójcy. Zazdrość, zawiść, poczucie krzywdy – to ludzka rzecz, tego nigdzie nie ukryjesz i nie zmienisz żadnymi zarządzeniami. To było, jest i zawsze będzie. Ale jeśli chodzi o kradzieże i rozboje, to w naszym Mieście sprawa wygląda bez pórownania lepiej niż gdzie indziej, możesz mi wierzyć.

– A co z przestępczością zorganizowaną?

– Ach, co za fachowe określenie! – zaśmiał się z całego serca szwagier, zdejmując ciemne okulary, by otrzeć łzy śmiechu. – No, sam pomyśl, skąd by się wzięła w Mieście przestępczość zorganizowana? A właśnie, dam ci przykład. W sanatorium „Dolina" zabito kuracjusza z Moskwy. Szczerze mówiąc, zaniepokoiliśmy się, czy moskiewskie mafie nie wybrały sobie naszego Miasta do wyrównywania swoich porachunków. Zadzwoniliśmy do Moskiewskiego Wydziału Kryminalnego, oni natychmiast przysłali swojego człowieka i zaczęliśmy kopać we wszystkich kierunkach. Myśleliśmy, że to naprawdę przestępczość zorganizowana. I co się okazało? Zwyczajne zabójstwo z zazdrości, żadnych powiązań z mafią. Co prawda, zazdrość o zabarwieniu, że tak powiem, na wskroś nowoczesnym. Zabity okazał się homoseksualistą, a zabójca – jego porzuconym kochankiem.

– A ten człowiek z Moskwy ciągle jeszcze tu jest? – zapytał nagle mer.

– Na razie tak, ale wkrótce wyjeżdża. Sprawa rozwiązana, nie ma tu już nic do roboty.

– Słuchaj, mam pomysł. Może zrobić w naszej telewizji program poświęcony problemom przestępczości? Zaprosić Riepkina, ciebie i tego gościa z Moskwy. I pomówić o tym, jak to w Moskwie jest źle i jak u nas dobrze. Co? Jak ci się to podoba?

– Ciekawa propozycja – odpowiedział ostrożnie szwagier, znów zdejmując okulary i przecierając je powoli dla zyskania na czasie. – Ale boję się, że nic z tego nie będzie. Ten wywiadowca z Moskwy wyjeżdża lada dzień i nie mamy prawa go zatrzymywać, on sam pewnie zresztą nie zechce, a żeby zrobić program, trzeba napisać scenariusz i w ogóle się przygotować. Tego się przecież nie załatwia w dwie godziny. Scenariusz, zdjęcia, montaż i tak dalej.

– Szkoda – zmartwił się szczerze mer. – Bez gościa z Moskwy program będzie do niczego, on sam powinien opowiedzieć o moskiewskiej przestępczości i podzielić się swymi wrażeniami z naszego Miasta. A może zrobić program na żywo? Pogadam z telewizją, nie odmówią mi, jestem, bądź co bądź, merem. Poprosimy gościa z Moskwy, żeby przedłużył pobyt tylko o jeden dzień, i szybciutko zorganizujemy program; to się da zrobić. Jak myślisz?

– Myślę – odpowiedział powoli szwagier, starannie dobierając słowa – że tego w ogóle nie powinno się robić. Przykład innych miast pokazuje, że ludność zaczyna się zastanawiać nad problemem nie wtedy, kiedy ten się realnie pojawia, ale wtedy, kiedy zaczynają o nim mówić dziennikarze. Ludzie wierzą w media: skoro dziennikarze o tym mówią – to znaczy, że jest źle i katastrofa tuż-tuż. Nie, mój drogi, nie należy budzić śpiącego psa.

– Ale ja przecież wcale nie chcę mówić o tym, że przestępczość rośnie. Przeciwnie, chcę pokazać, że u nas sytuacja jest o wiele lepsza niż gdzie indziej.

– Rozumiem. Ale samo poruszenie tej sprawy może odegrać rolę negatywną. Posłuchaj mojej rady, nie wdawaj się w to.

– Dobrze, zastanowię się – dziwnie sucho odpowiedział mer.


Tego samego dnia późnym wieczorem szwagier mera zadzwonił do Denisowa.

– Mój krewniak organizuje program telewizyjny na temat przestępczości.

– I co? – nie zrozumiał Denisow. – Co w tym złego? Niech robi. To mu doda prestiżu w oczach mieszkańców.

– On chce zrobić program na żywo i zaprosić majora z Moskwy, żeby potwierdził, jak źle wygląda w Moskwie sytuacja z przestępczością zorganizowaną i jak dobrze u nas. W żadnym wypadku nie można do tego dopuścić. Ten moskiewski łapacz to bystry gość, wystarczyło spojrzeć na jego twarz, kiedy usłyszał o Chaninie, by zrozumieć, że ani na sekundę w to nie uwierzył. A poza tym on się przyjaźni z Kamieńską, stale dzielą się informacjami o sprawie i ona mogła mu sporo powiedzieć. Wyobraża pan sobie, co się może stać, jeżeli on wystąpi na żywo? A żeby zrobić program wcześniej, a potem zredagować i zmontować, nie ma już czasu, on zaraz wyjeżdża, mer o tym wie i dlatego się śpieszy.

– Dziękuję, że zadzwoniłeś. Zajmę się tym.

# ROZDZIAŁ 10
## Dzień jedenasty

Damir Ismaiłow wylegiwał się jeszcze w łóżku, kiedy do jego apartamentu zajrzał Kotek.

– Czytaj! – To mówiąc, rzucił Damirowi świeżą gazetę. – Na ostatniej stronie, u góry, po prawej. *Tragedia mniejszości.*

Damir przebiegł wzrokiem wzmiankę. Niejaki Chanin popełnił samobójstwo. W przedśmiertnym liście przyznał się, że zabił Nikołaja Ałfierowa, który odrzucił jego miłość. Autor notki prasowej napomknął przy okazji, że chociaż od niedawna w Rosji nie grozi już odpowiedzialność karna za kontakty homoseksualne, do dziś zbiera się owoce niesprawiedliwych prześladowań mniejszości seksualnych. Mężczyzna, któremu nie udało się zdobyć wzajemności kobiety, najczęściej szuka pocieszenia u innej. Może nie od razu, ale znajduje sobie nową miłość. Homoseksualistom, którzy muszą swoje życie osobiste prowadzić w podziemiu, o wiele trudniej jest znaleźć partnera, toteż zerwanie staje się prawdziwą tragedią, budzi tak nieopanowaną zazdrość, że często prowadzi to do morderstwa. Wśród par heteroseksualnych, twierdził autor, zabójstwa z zazdrości zdarzają się znacznie rzadziej.

– Co to ma znaczyć? – Damir oddał Kotkowi gazetę i zaczął się szybko ubierać.

– Nie mam pojęcia. Może Chanin rzeczywiście miał tu kochanka? Milicja się o tym dowiedziała, wezwali go na przesłuchanie, powiadomili o śmierci ukochanego. A jemu z rozpaczy pomieszało się w głowie, zwłaszcza jeśli w ogóle miał jakieś odchyłki psychiczne. Może już dawno był zazdrosny, a w szoku wziął marzenia za rzeczywistość, napisał wyznanie i popełnił samobójstwo. U psychicznych to się zdarza, któż wie o tym lepiej niż ty i ja. W każdym razie mieliśmy niewiarygodne szczęście. Coś takiego zdarza się tylko raz w życiu. Nasz Siemion w czepku się urodził.

– Bogu dzięki, że śledztwo się zakończyło. Teraz będę mógł wyjechać. – Ismaiłow odetchnął z ulgą i wyjął z szafy walizkę.

– A dokąd to się wybierasz?

Kotek energicznie wziął Damira za ramię, drugą ręką zrzucił walizkę ze stołu na podłogę i odepchnął ją nogą.

– Co jest, Kotek? Dlaczego nie mogę wyjechać?

– A Marcew? Zapomniałeś o nim? Mamy zamówienie i musimy je wykonać. Zaraz dam znać Siemionowi i Chemikowi, żeby wracali. Musimy odszukać tę dziwkę i liliputa albo odpowiednie zastępstwo i szybko zrobić swoje. Ty jako twórca może czekasz na natchnienie, ale to jest, przypominam ci, produkcja planowa. Więc skończ z tymi wygłupami. Nie ma żadnego niebezpieczeństwa. Gliniarz z Moskwy wziął dupę w troki, sprawa zamknięta, scenariusz i cała reszta gotowe. Do roboty, drogi towarzyszu!

Damir bezsilnie siadł na łóżku.

– A co zrobić z Kamieńską? – spytał niepewnie.

– Nie rób nic poza tym, co sam chcesz – rzekł z uśmiechem Kotek, wyjmując z lodówki puszkę piwa i wprawnie ją otwierając. – Sprawę Ałfierowa rozwiązali, Zaripa nigdy nie znajdą, a i nikt nie będzie szukał, więc Kamieńska nie jest już dla nas niebezpieczna. Możesz ze spokojnym sumieniem odegrać scenę zazdrości o tego gliniarza – i cześć pieśni.

– Co ma do tego gliniarz? On się do niej nie zalecał, tylko ją śledził.

– No to co? Zazdrość jest ślepa, drogi przyjacielu, nie wierzy w rzeczy oczywiste i wymyśla nieistniejące. Zresztą nie nalegam. Możesz się dalej włóczyć za Kamieńską, jeżeli ona ci się podoba, nie odmawiaj sobie przyjemności. Chociaż ja osobiście – Kotek skrzywił się pogardliwie – z własnej woli nie poświęciłbym jej ani minuty. Co też ten Zarip w niej zobaczył?

– Nic nie rozumiesz. – Damir potarł twarz dłońmi. – Zarip zobaczył to, czego ty nie widziałeś. I ja to też zobaczyłem.

– A cóż to takiego? – zaniepokoił się gwałtownie Kotek, odstawiając piwo.

– To coś... czego nie da się wytłumaczyć. Ale rozumiem Zaripa.

– Ach, o to ci chodzi! – Kotek z ulgą sięgnął po puszkę. – No to powodzenia w amorach. Może będziesz miał fart. I nie siedź jak kołek, ogol się, zjedz śniadanie i zachowuj się jak gdyby nigdy nic. Siemion to obrotny gość, w parę dni wszystko załatwi, wykonamy zamówienie – i możesz jechać. Wpadnij do mnie koło czwartej, doprowadzę cię do użytku, zrobię ci porządny masaż – i do sauny. Będziesz jak nowy.

Do numeru 513 zapukano punktualnie za kwadrans jedenasta. Tym razem Nastia przygotowała się do wizyty, odpowiednio się ubrała (o ile pozwalała na to skąpa garderoba, przewidziana na spokojny pobyt w sanatorium), uczesała i zrobiła staranny makijaż, dzięki któremu jej bezbarwna twarz stała się wyrazista i oryginalna.

Do pokoju wszedł niewysoki, tęgawy mężczyzna o poważnej twarzy i mądrych oczach. Zaczął bez wstępów:

– Anastazjo Pawłowno, polecono mi zaprosić panią na spotkanie z człowiekiem, któremu bardzo zależy na pani pomocy. Okoliczności nie pozwalają mu przybyć osobiście, ale z niecierpliwością na panią czeka.

– Dlaczego nie może przyjechać? Jest inwalidą?

– Nie jest inwalidą, ale ta sprawa...

– Tak nie będziemy rozmawiać – przerwała mu Nastia. – Po pierwsze, zechce się pan przedstawić.

– Anatolij Władimirowicz Starkow.

– A kim pan jest, Anatoliju Władimirowiczu? I gdzie pan pracuje?

– Jestem szefem działu ochrony banku komercyjnego. Oto moje dokumenty. – Podał Nasti legitymację służbową.

– Po drugie, chcę wiedzieć, o jaką sprawę chodzi i dlaczego pański zwierzchnik...

– Mój przyjaciel – poprawił ją łagodnie Starkow.

– Pański zwierzchnik – równie łagodnie odparowała Nastia. – A więc dlaczego on nie może przyjechać tutaj? Czy dlatego, że się ukrywa i nie może opuścić swego schronienia?

– Nic podobnego, Anastazjo Pawłowno. Nie jestem upoważniony do omawiania szczegółów sprawy bez jego udziału. Ale wszystko jest całkowicie legalne. Co więcej, dziś odbywa się w naszym Mieście festyn i mój przyjaciel będzie na nim obecny. I właśnie na ten festyn panią zapraszam. Rozumiemy pani obawy i dlatego proponujemy spotkanie na powietrzu, wśród ludzi.

– Jedźmy – powiedziała zdecydowanie Nastia, wyjmując z szafy kurtkę i szalik.


– Co to za święto? – spytała, wsiadając do lśniącego samochodu i wyrzucając sobie po raz nie wiadomo który, że dotąd nie nauczyła się rozróżniać marek zagranicznych wozów.

– Widzi pani, w Mieście jest dość duży procent katolików. Tak się tutaj potoczyła historia. Gdzie indziej mniej więcej o tej porze obchodzi się dzień Wszystkich Świętych. U nas nie ma tego zwyczaju, ale czemu wierzący nie mieliby sobie poświętować? Przy okazji jest to zabawa dla wszystkich pozostałych. W naszym Mieście festyny są zawsze bardzo wesołe, spodoba się pani.

– Mam nadzieję – powiedziała sucho Nastia, odwracając się do okna.

Samochód dojechał do centrum miasta i zatrzymał się.

– Dalej musimy iść pieszo, Anastazjo Pawłowno, w dni świąteczne obowiązuje tu zakaz ruchu dla samochodów. Chodźmy, to niedaleko.

Przeszli szeroką aleją jakieś pięćset metrów, kiedy Starkow się zatrzymał.

– Zostawię panią teraz, Anastazjo Pawłowno. Proszę sobie pospacerować, ale niech się pani zbytnio nie oddala. Ktoś do pani podejdzie.

– I długo mam tak spacerować? – spytała z niezadowoleniem Nastia.

– Nie, niedługo.

Miasto robiło na Nasti dziwnie kojące wrażenie. Nawet dziś, kiedy na ulicach tłoczyli się spacerowicze, też było przytulne i, chciałoby się rzec, wygodne. „Z pewnością dobrze się tu żyje i pracuje – pomyślała i natychmiast przywołała się do porządku. – Co za bzdury chodzą mi po głowie. Żyć i pracować, żyć i pracować... Wszyscy nic, tylko żyją i pracują, pracują, pracują. Traktuję ich, jakby nie mieli żadnych ludzkich uczuć, jakby to były jakieś automaty. Które umrą sobie spokojniutko, kiedy się zepsują. Ja też się zepsuję, jeżeli będę nadal zachowywała się jak robot. Boże, o czym ja myślę! No tak, emocjonalny potwór".

Widziała, że ludzie wokół szczerze się cieszą z tego pół religijnego, pół świeckiego święta. „Niegłupio pomyślane – rozważała. – Ludzie przecież przywykli do świąt na początku listopada. Czerwoną kartkę niby z kalendarza usunięto, ale doroczny festyn dla ludu pozostał, tyle że obchodzi się go o tydzień wcześniej. I to jak wspaniale! Na każdym rogu bufet, kubek gorącej kawy, kanapki, wspaniałe wypieki po wręcz śmiesznych cenach. Jest i alkohol, ale na mrozie i pod solidną zakąskę nikt się nie upije".

Ludzie snuli się ulicą nieśpiesznie, bez bazarowego zgiełku i zamieszania. Kilka rodzin stało zwartą grupą przed stoiskiem z jedzeniem, obsługiwanym przez rumianą, sympatyczną kobietę. Zamawiali potrawy, nie licząc się z groszem, naradzali się z dziećmi i wesoło się śmiali. Na stoisku nie było żadnych marsów czy snickersów, co dziwnie Nastię ucieszyło.

Stała przy wysokim, czystym stoliku i z apetytem pałaszowała kanapkę z wędzonym jesiotrem. Na stojącym przed nią kolorowym papierowym talerzyku oczekiwał swojej kolei krokiet z grzybami. Kawa w jednorazowym plastikowym kubeczku roztaczała przyjemny aromat; Nastia nie liczyła specjalnie na jej smak, wzięła ją, żeby ogrzać sobie dłonie. Słuchając dziecięcych wrzasków, dobiegających z parku, gdzie było wesołe miasteczko i grała orkiestra, myślała o tym, że zaraz, właśnie w tej chwili, ktoś do niej podejdzie. Świat jest już tak podle urządzony, że odrywają człowieka od stołu zawsze w momencie, kiedy nadchodzi czas na szczególnie smaczną potrawę. A ona miała wielką ochotę na krokieta z grzybami...

– Zmarzła pani? – usłyszała za sobą kpiący głos.

Jednocześnie mówiący zrobił krok naprzód i stanął twarzą do niej. Nastia ujrzała niemłodego, rosłego mężczyznę, ubranego w sposób nierzucający się w oczy, ale elegancko i kosztownie. Jedyną jasną plamą był oślepiająco biały sweter pod rozpiętą ciepłą kurtką. Gęste, siwe włosy nieznajomego były krótko ostrzyżone, twarz toporna, jakby wyciosana z drewna, oczy ciemne, uważne, a jednocześnie życzliwe. Nastia intuicyjnie wyczuła w nim bossa. „A więc taki jesteś – myślała spokojnie, przyglądając mu się. – Wcale nie straszny. Bardzo sympatyczny. Nigdy nie widziałam człowieka twojego pokroju. Nawet jeśli nie dojdziemy do porozumienia, i tak znajomość z tobą będzie interesująca".

– Przepraszam, że musiała pani czekać.

Głos też miał miły. Nastia w milczeniu piła kawę, patrząc mu prosto w oczy. „Chociaż jesteś pod każdym względem sympatyczny – pomyślała – nie będę ci ułatwiać rozmowy. To ty powinieneś mnie podbić, więc proszę, podbijaj".

– Nazywam się Eduard Pietrowicz Denisow – ciągnął tymczasem mężczyzna, jakby nie zauważając jej milczenia. – Jestem bardzo zobowiązany, że zgodziła się pani przyjechać i mnie wysłuchać. Porozmawiamy, spacerując, czy woli pani stać?

– Wolę siedzieć, Eduardzie Pietrowiczu, zwłaszcza jeżeli ma to być długa rozmowa. I to siedzieć w cieple. Rzeczywiście trochę zmarzłam.

– Z radością zaprosiłbym panią do siebie, ale boję się, że się pani nie zgodzi. Moglibyśmy porozmawiać w samochodzie, jest tam dość ciepło, ale sądzę, że samochód nie jest odpowiednim miejscem na pierwsze spotkanie. Co wobec tego wybierzemy? Restaurację?

– Nie jestem głodna.

– No to bar? Kawa, napoje i żadnego jedzenia. To niedaleko, dwa kroki.

– Zgoda – rzuciła krótko Nastia.


Wzięli po filiżance kawy i usiedli w najdalszym kącie baru. Denisow pomógł Nasti zdjąć kurtkę i troskliwie powiesił ją na oparciu sąsiedniego krzesła.

– Jeśli pani pozwoli, Anastazjo Pawłowno, zacznę od prehistorii, żeby rozwiać wszystkie ewentualne wątpliwości. Jestem biznesmenem, i to biznesmenem, któremu bardzo dobrze wiedzie się w interesach. Już od siedmiu lat inwestuję pieniądze i otrzymuję całkowicie legalne i bardzo wysokie zyski. Może to panią zdziwi, ale nie przejadam tych pieniędzy i nie wydaję ich na biżuterię dla swoich kochanek. Unowocześniam i rozwijam swoje Miasto, w którym się urodziłem i w którym umrę. Oczywiście nie robię tego sam. Istnieje u nas Związek Przedsiębiorców, do którego należą moi stronnicy, to jest ci, którzy zgadzają się z moją polityką rozwoju Miasta i zapewniania dobrobytu jego mieszkańcom. Stanowimy potężną siłę finansową, która wspomaga i mera, i całą ludność. Nawiasem mówiąc, dzisiejszy festyn także my sponsorujemy i dlatego ceny w bufetach są znacznie niższe od przeciętnych.

– Zauważyłam – mruknęła Nastia.

– Przez całe swoje życie robiłem pieniądze – ciągnął Eduard Pietrowicz. – Kiedyś na granicy legalności, czasem poza nią, ale to było dawno. Teraz jestem autentycznie praworządnym kapitalistą. Zakładam, że pani jako prawnik nie ma co do tego wątpliwości. Jestem bardzo bogaty. Ale na starość zrobiłem się sentymentalny. Zapragnąłem czynić dobro. I robię to.

– Rozumiem. – Nastia kiwnęła głową.

– Wobec tego powinna pani rozumieć jeszcze jedno, Anastazjo Pawłowno. Nie jest mi obojętne, co się dzieje w moim Mieście. Również w dziedzinie praworządności. Mam podstawy do przypuszczeń, że w Mieście pojawili się przestępcy handlujący żywym towarem, którzy werbują łatwowierne dziewczęta i sprzedają je do domów publicznych na Bliskim i Środkowym Wschodzie. Tutejsza milicja jest w tej sprawie bezradna. Dlatego chcę prosić o pomoc panią.

– Dlaczego właśnie mnie? – Nastia odstawiła pustą filiżankę na spodeczek i wyjęła papierosy. – Czemu pan myśli, że uda mi się to, co się nie udało waszej milicji? Nie mam jakichś nadzwyczajnych kwalifikacji, wśród pańskich wywiadowców na pewno są ludzie bardziej doświadczeni i lepiej znający sytuację w Mieście.

– Dlatego, Anastazjo Pawłowno, że ta banda ma jakieś powiązania z sanatorium „Dolina". Co więcej, akurat teraz, w ostatnich dniach, coś się tam dzieje. I wyjaśnić to może tylko pani. Mamy trochę interesujących informacji i jeśli zgodzi się pani nam pomóc, natychmiast je pani udostępnimy. Chce się pani zastanowić czy odpowie pani od razu?

– Muszę pomyśleć.

– W takim razie... – Denisow spojrzał na zegarek. – Teraz jest trzynasta piętnaście. Ile czasu potrzebuje pani na zastanowienie?

– Co najmniej godzinę.

– O czternastej trzydzieści przedstawi mi pani swoją decyzję?

– Tak – odrzekła bez wahania Nastia.

– Zostanie pani tutaj czy gdzieś panią odwieźć?

– Zostanę. Tu jest dobra kawa i względny spokój.

– Dobrze. Wracam punktualnie o czternastej trzydzieści. I jeszcze jedno, Anastazjo Pawłowno: czy, niezależnie od tego, jaka będzie pani odpowiedź, mogę liczyć na to, że przyjmie pani zaproszenie do mnie na obiad?

– Nie, Eduardzie Pietrowiczu. Proszę mnie dobrze zrozumieć. Jeżeli odpowiem odmownie, to lepiej będzie, gdy wrócę do sanatorium. Jeśli się zgodzę – to co innego. Wtedy z przyjemnością przyjmę pańskie zaproszenie.

Denisow wstał, włożył kurtkę i pochylił się nad dłonią Nasti.

– Do zobaczenia wkrótce, Anastazjo Pawłowno.

„Myśl, moja droga, myśl szybko – mówiła sobie Nastia. – Masz do dyspozycji godzinę. On nie ukrywa, że jest autentycznym panem Miasta. To już dobrze, to znaczy, że nie uważa mnie za kompletną idiotkę. Przyprawił mi to danie łagodnym sosem filantropii sentymentalnego bogacza, żeby nie stawiać mnie w niezręcznej sytuacji. To też dobrze, to znaczy, że nie chce mnie zastraszać. Czy z tego wynika, że chce mnie kupić, żebym nie mówiła nic o Alfierowie? Czy może historia o handlu dziewczętami to prawda? Jeżeli prawda, to mogę się zgodzić, zagadka jest interesująca. A jeśli jednak chodzi o Alfierowa? Jak to sprawdzić? Myśl, Nastazjo".

Rozwiązanie zabójstwa Alfierowa mógł zorganizować tylko on. Po co to zrobił? Jeżeli to zrozumiem, będę mogła podjąć decyzję. A gdyby tak spróbować z drugiego końca? Za kogo on mnie uważa? Za osobę, która może znać prawdę o zabójstwie i dlatego jest niebezpieczna? Jeżeli tak, to muszę uciekać, póki jestem cała. Jak to sprawdzić?

Nastia wypiła trzy filiżanki kawy i zapisała znaczkami i hieroglifami cały stos serwetek, wreszcie jednak podjęła decyzję. Z napięcia zrobiło jej się gorąco, dłonie miała spocone, serce waliło jej gdzieś w gardle, palce drżały jak u starej alkoholiczki. „Widocznie dają tu niefałszowaną kawę – pomyślała. – Koniecznie muszę się rozluźnić".

Decyzja była prosta i nieskomplikowana, ale pozwalała za jednym zamachem uzyskać odpowiedź na wszystkie pytania i prawidłowo ocenić sytuację. Nastia spojrzała na zegarek – czternasta dwadzieścia. Wyjęła z torebki gazetę kupioną rano w sanatoryjnym kiosku, rozpostarła ją przed sobą i zaczęła pilnie studiować pierwszą stronę. Zaraz zjawi się zleceniodawca. Jak zareaguje na gazetę? Czy powie: „*À propos*, na ostatniej stronie jest bardzo ciekawa notka. Czytała pani? Okazuje się, że zabójstwo w pani sanatorium popełniono z zazdrości". Wtedy koniec. Trzeba będzie wymyślić jakiś niesłychanie ważki powód odmowy i co prędzej brać nogi za pas. A szkoda. Z przyjemnością pogłowiłaby się nad zagadką handlu żywym towarem. Chwyt z gazetą miał jeszcze jeden cel: jeżeli Denisow wspomni o notce, zawsze będzie mogła udać zaskoczoną i dać do zrozumienia, że niczego innego nie podejrzewała, a tym samym odwrócić od siebie niebezpieczeństwo.

Kątem oka Nastia dostrzegła w przeciwległym końcu sali biały sweter, ale nie podniosła głowy. Na gazetę padł cień.

Dał się słyszeć głos Eduarda Pietrowicza:

– Niech pani nie czyta tych bredni, Anastazjo Pawłowno. Nie są przeznaczone dla pani.

Nastia lekko podniosła się od stolika. Drżenie kolan ustało, w piersi rozlała się fala ciepła. Miała ochotę go ucałować.

Ze swoim stanowiskiem szefa kuchni w drogiej moskiewskiej restauracji Alan rozstał się bez żalu. Rozpierała go energia, wszystko chciał robić sam, więc nudziło go kontrolowanie i wydawanie poleceń. Poza tym wykonawcy tych poleceń byli na ogół mało błyskotliwi i takie też były, zdaniem wymagającego Alana, rezultaty ich działalności. Prawdziwa kuchnia to cały wszechświat zapachów, kolorów i smaków, z własnymi zasadami harmonii, tradycjami, ceremoniami, etykietą. Tym właśnie zasadom chciał być wierny.

Propozycja Denisowa, by pracował u niego, była tym, o czym Alan marzył. Teraz miał do dyspozycji pieniądze, kosztowny sprzęt, ale przede wszystkim tylko tutaj, u Eduarda Pietrowicza, mógł rozwinąć cały swój kunszt, przygotowując potrawy egzotycznych narodowych kuchni. Z pietyzmem gromadzona przezeń kolekcja kucharskiego inwentarza, służąca do przygotowywania tych potraw, ogromnie się teraz wzbogaciła: „współbojownicy" i „koledzy" Denisowa wiedzieli, że jeśli zrobią prezent

Alanowi, Eduard Pietrowicz z pewnością doceni ich gest wobec swego ulubionego kucharza. Tutaj, w dawnym jednopokojowym mieszkaniu, a obecnie królestwie Alana, wszystkie te podgrzewacze, kociołki, brytfanny, gliniane garnuszki, ruszty i inne wyszukane urządzenia służyły wraz z kucharzem prawom Kuchni. A Kuchnia istniała dla Uczt.

Uczty dzielił Alan na rytualne i indywidualne. Pierwsze były prawie zawsze szablonowe, wymagały nie fantazji, lecz dokładności. Sobotnie obiady dla całej rodziny, uroczystości i jubileusze, kolacje biznesowe były, co prawda, najwyższej klasy, ale utrzymane ściśle w ramach ogólnie przyjętej Kuchni.

Żywiołem Alana były natomiast uczty drugiego rodzaju, indywidualne. Dawno już zrozumiał, jak mało pojemne jest banalne powiedzenie, że droga do serca mężczyzny wiedzie przez żołądek. Droga ta wiodła nie do serca, ale do umysłu, do całej natury ludzkiej. I nie tylko mężczyzny, ale człowieka w ogóle. Każdego człowieka można do siebie usposobić życzliwie albo odepchnąć, skłonić, by poczuł swoje znaczenie lub swą bezgraniczną nicość, nawet jeśli w rzeczywistości nie istniało ani jedno, ani drugie. Przy odpowiednio zastawionym stole z właściwie dobranymi i starannie przygotowanymi potrawami można zgłębić naturę człowieka i jednocześnie pokazać mu siebie. Wszak mało kto obecnie zna subtelności posługiwania się sztućcami i zastawą. Nawet mięso przygotowane w garnuszku, zwykłym rosyjskim tradycyjnym garnuszku, wprawia niektórych w zmieszanie: gdzie ten garnuszek postawić, co z nim robić, czy jeść z niego łyżką, czy widelcem, i w ogóle czy wprost z niego? Co robić z tą konstrukcją ze szpikulców, ustawioną na podgrzewaczu z węglem? Jak jeść ostrygi, otwierać je nożem czy czym innym? Może palcami? Zresztą nawet zwykły pomidor, tak apetycznie wyglądający obok czegoś nieznanego, leżący na listku sałaty, też może sprawić niemiłą niespodziankę, jeśli niewłaściwie nakłuje się go widelcem albo ukroi nożem: dobrze jeszcze, jeśli gość pryśnie sokiem na siebie, ale co, jeżeli na gospodarza? I gospodarz w takich sytuacjach jest rzeczywistym panem sytuacji. Zdejmuje szpikulec z rusztu i podaje gościowi. Pierwszy sięga po garnuszek, wykłada jego zawartość na talerz i dopiero wtedy bierze nóż i widelec. Pomidora nie tyka, dając do zrozumienia, że to tylko barwna plama, dekoracja stołu. Szczypczyki do ostryg też przewidująco ujmuje pierwszy. Szanuje gościa, nie naraża go na upokorzenie i kompromitację. Oczywiście, jeśli chce.

Udzielając Denisowowi konsultacji w kwestii uczt indywidualnych, Alan dowiadywał się wiele i o jego stosunkach ze „współbojownikami" i „kolegami", i o jego przeciwnikach, którzy upokorzeni przy stole dzięki jego staraniom, prawie zawsze przechodzili z kategorii „wrogów" do kategorii „kolegów", a nawet „współbojowników". Te informacje służyły mu jednak tylko do obmyślania koncepcji nakrycia stołu i przygotowania odpowiednich potraw. Sprawami swego szefa Alan nie interesował się nigdy.

Do dzisiejszego spotkania Denisow przygotowywał się bardzo poważnie. Należało uwzględnić wiele dodatkowych okoliczności: cierpi na bóle kręgosłupa, lubi warzywa, nie lubi potraw mięsnych, słonych i ostrych... Właśnie dlatego Alan tak starannie wybierał na bazarze i rybę – świeżego jesiotra, i jarzyny – kalafior, sałatę, lśniące bakłażany, zieleninę. Żadnej cebuli i czosnku. Kupił też kilka paczek papierosów mentolowych różnych rodzajów (to kapryśna kobieta, któż może wiedzieć, jaki rodzaj woli), wytrawne martini i doskonałą kawę. Jesiotra postanowił Alan zrobić z rusztu. Na ruszcie żarzył się już węgiel drzewny (brzozowy), a obok leżało kilka gałązek jesionu – Alan nastruga je na grill pod sam koniec, aby jesiotr przed podaniem na stół nabrał cudownej, zachwycającej, złocistej barwy...

Przy jesiotrze rozmowa toczyła się na tematy obojętne; Nasti udało się namówić Denisowa, by zwracał się do niej tylko po imieniu, bez imienia ojca. Wreszcie Eduard Pietrowicz, widząc, że jego gość jest ze wszystkiego zadowolony i nastawiony życzliwie, przeszedł do rzeczy.

– Anastazjo, czy mogę panią o coś zapytać?

– Niech pan spróbuje – odrzekła z uśmiechem Nastia, uświadamiając sobie ze zdziwieniem, że czuje się swobodnie i spokojnie. Strach, który dręczył ją w ostatnich dniach, zniknął bez śladu.

– Czym się pani kierowała, rozważając moją propozycję? Chciałbym wiedzieć, co mogło panią skłonić do odmowy i co sprawiło, że się pani w końcu zgodziła. W naszej umowie niczego to nie zmieni, ale pomoże mi poznać pani charakter. Jeśli to dla pani krępujące, proszę nie odpowiadać – dodał natychmiast.

– Nie, dlaczego, odpowiem: Chanin.

– Domyśliła się pani? W jaki sposób?

– Na podstawie zdjęcia. Wśród rzeczy zabitego była koszula, w której został sfotografowany. Koszula była zupełnie nowa, jeszcze ani razu nieprana. I kołnierzyk, przepraszam za szczegóły, nie był brudny. Alfierow nosił ją dzień, może dwa, ale nie dłużej. Tego zdjęcia Chanin po prostu nie mógł mieć, zrobiono je w ciągu tych paru dni, które Alfierow spędził w sanatorium. Widzi pan, jakie to proste.

– Rzeczywiście. I jak to wpłynęło na pani decyzję?

– Bałam się, że zależy panu na ukryciu prawdziwego sprawcy. W takim wypadku odmówiłabym. Poza tym obawiałam się, że uważa mnie pan za niebezpieczną, ponieważ nie wierzę w historię z Chaninem. Wtedy po

214

prostu uciekłabym z Miasta, bo gdzież mi z panem walczyć. Ale pan dał mi jasno do zrozumienia, że wszystko jest inaczej.

– Kiedy dałem to pani do zrozumienia?

– To nieważne. Słyszał pan o Charlotte Armstrong?

– Nigdy. Kto to jest?

– Pisarka, autorka kryminałów. Ma w swoim dorobku zupełnie genialną powieść *Zachowaj twarz* – o młodej dziewczynie, która przypadkowo trafiła w orbitę zainteresowania przestępców i, nawet tego nie podejrzewając, zniweczyła wszystkie ich plany. Wie pan dlaczego? Bo kompletnie nie umiała oszukiwać i udawać, i zapędziła ich w ślepą uliczkę swą bezpośredniością i prostolinijnością. Zmierzam do tego, Eduardzie Pietrowiczu, że lepiej będzie, jeśli od razu wyjaśnimy sobie wszystko i nie będziemy usiłowali nawzajem się oszukiwać. Znaleźliśmy się w sytuacji, kiedy najkrótsza droga do celu jest prosta.

– Jestem gotów.

Denisow odstawił kieliszek, położył na talerzyku Nasti połówkę grejpfruta, sobie wziął jabłko.

– Eduardzie Pietrowiczu, wiem, że wykrycie zabójcy Alfierowa zorganizował pan. To znaczy, że ma pan w ręku całe Miasto, w tym także organy ścigania. Wyobrażam sobie mniej więcej rozmiary korupcji, jaka tu rozkwita, i nie bardzo wierzę w pańską chęć czynienia dobra i sentymenty. Zdaję sobie sprawę z tego, kim pan jest, i świadomie zgadzam się na współpracę z panem. I robię to tylko dlatego, że to, o czym mi pan mówił, grozi bardzo poważnymi następstwami i może przynieść nowe ofiary. Moja zgoda wypływa właśnie z takich pobudek. Dlatego też, jeżeli mnie pan oszukał, jutro wyjadę z Miasta, a pojutrze będą tu ludzie z MSW, którzy zaczną badać spreparowaną sprawę samobójstwa Chanina. Widzi pan, jestem z panem uczciwa i nie ukrywam swoich zamiarów.

- Ale Chanin rzeczywiście popełnił samobójstwo. Myśmy po prostu to wykorzystali.

- A wnioski biegłego? Co pan z nimi zrobi? Zorganizuje pan pożar w budynku milicji, w którym spalą się wszystkie dowody rzeczowe i materiały procesowe? Eduardzie Pietrowiczu, proszę zrozumieć, ja panu nie grożę. Niech mi pan da słowo, że jeśli zabójca Ałfierowa zostanie wykryty, sprawa zostanie wznowiona z uwagi na nowe okoliczności. Niech mi pan da słowo, to mi wystarczy, żebym mogła panu pomagać z czystym sumieniem.

- A jeżeli dam słowo, ale go nie dotrzymam?

- To znaczy, że jestem idiotką, i poniosę za to odpowiedzialność. Ale to już będzie mój problem. W tym wypadku oszukany jest tak samo winien jak ten, który go oszukał. Każdy powinien sam płacić za swoje błędy.

- Dobrze, Anastazjo, szczerość za szczerość. Śledztwo w sprawie zabójstwa musieliśmy przerwać za wszelką cenę, żeby nie spłoszyć tych, którzy ulokowali się w „Dolinie". Nie myli się pani, to ja zorganizowałem i opłaciłem wykrycie rzekomego zabójcy. Mieliśmy kilka pomysłów i samobójca był tylko jednym z nich. W pogotowiu dyżurował mój człowiek, czekając na odpowiedni przypadek. Ale były też inne koncepcje, po prostu ta zadziałała pierwsza.

- A zdjęcie? Przecież zostało zrobione za życia Ałfierowa. Po co?

- Pani mi wciąż jeszcze nie wierzy... W ciągu ostatnich czterech miesięcy mój człowiek w sanatorium sfotografował wszystkich kuracjuszy bez wyjątku. Proszę pamiętać, że wzięliśmy się do roboty bardzo rzetelnie.

- I moje zdjęcie też jest?

- Oczywiście. Chce pani zobaczyć?

- Chcę.

Denisow wyszedł do sąsiadującego z jadalnią gabinetu i po kilku minutach wrócił z fotografią. Nastia została uwieczniona w dniu przyjazdu, mizerna, z podkrążonymi oczami i zagryzioną z bólu wargą. Ofiara obozu koncentracyjnego, a nie młoda kobieta.

– Eduardzie Pietrowiczu, a kto napisał list?

– Co to dla pani za różnica? – Denisow nalał Nasti martini, wrzucił do szklanki kostkę lodu i plasterek cytryny. – To nasz sekret zawodowy.

– Co pan powie? – Nastia uśmiechnęła się prowokacyjnie. – Ten człowiek ma co najmniej trzydzieści pięć lat, albo, jeśli jest młodszy, to mieszka z rodzicami. Lubi poezję, chociaż sam nie tworzy. I fantazję ma ubożuchną. Zgadza się?

– Zapytam, komu zlecono napisanie listu. Ale czekam na pani wyjaśnienia.

– Pan sam czytał ten list?

Denisow kiwnął głową. Nastia upiła duży łyk i zaczęła recytować:

– „Ten człowiek, który tak się starał o tobie zapomnieć i w którego pamięć właśnie z tego powodu wdzierałaś się wciąż na nowo jak natrętna piosenka albo efektowne hasło reklamowe, które powtarzasz wbrew własnej woli, ten człowiek dziś, teraz, jeszcze sam tego nie podejrzewając, wreszcie zaczął o tobie zapominać. Ileż straciłaś w tym momencie!"

– Co to jest? – zdumiał się Denisow.

– Wiersz jakiegoś hiszpańskiego poety. Opublikowany pod koniec lat sześćdziesiątych w miesięczniku „Inostrannaja Litieratura".

– Ależ pani ma pamięć! – zachwycił się Eduard Pietrowicz.

– Istotnie. A ten pański człowiek to tandeciarz. Właśnie na takich drobiazgach się wpada.

– No, tu już pani przesadziła. – Denisow roześmiał się. – Kto poza panią pamiętałby publikację sprzed trzydziestu lat! To czysty przypadek, że pani jej nie zapomniała.

– Chyba nie, Eduardzie Pietrowiczu. Wiersz jest dobry, może go pamiętać wiele osób, które w tym czasie pasjonowały się poezją. Inna rzecz, że w milicji takich osób już nie ma. Ale z powodzeniem mogą się znaleźć wśród doświadczonych adwokatów. A adwokaci w naszym kraju, w przeciwieństwie do wywiadowców i śledczych, pracują do późnej starości. Więc niech pan niepotrzebnie nie ryzykuje.

– Sprawdzę to – rzekł Denisow, nagle poważniejąc. – No co, Anastazjo, przejdziemy do rzeczy?

Alan nie przypuszczał, że wizyta młodej kobiety przeciągnie się tak długo. Było już po siódmej, a Eduard Pietrowicz wciąż coś z nią omawiał. Pewnie i kolację trzeba będzie zrobić wedle jej gustu.

Alan zajrzał do swoich notatek, pogładził brodę i zaczął obierać bakłażany. Jeżeli ona za pół godziny będzie jeszcze tutaj, on, Alan, podejmie ją wspaniałymi warzywami!

– Ma pan cudownego kucharza – powiedziała szczerze Nastia, kończąc jarzynowe ragoût. – Gotuje akurat tak, jak lubię. Cóż, Eduardzie Pietrowiczu, sytuacja jest trudna. Zastanowię się do jutra, jak mam pracować z pańskimi gośćmi.

– Chce pani z nimi porozmawiać? Każę ich przywieźć do Miasta. Czy odwieźć panią na daczę?

– Jeszcze nie wiem. Widzi pan, jeżeli oni coś przed panem ukrywają, to nie mamy żadnej pewności, że otworzą się przede mną. Jeżeli przez noc nie wymyślę, jak do nich podejść, to rozmowa nie ma sensu. Ale dziewczynę trzeba będzie przywieźć na basen, chcę coś sprawdzić na miejscu.

– Rozumiem. A teraz omówmy kwestię łączności. Nie chcę, żeby koło pani w sanatorium pojawili się ludzie, z którymi się pani wcześniej nie kontaktowała, bo to może zaalarmować przestępców. W pani numerze jest gniazdko telefoniczne...

– Tak, zauważyłam.

– Jeszcze dziś będzie pani miała numer telefoniczny. Dostanie pani aparat, ale proszę go po użyciu wyłączać i gdzieś chować. I dzwonek niech pani nastawi jak najcichszy. O której się do pani odezwać?

– Za kwadrans jedenasta. O tej porze wracam z zabiegów.

Denisow odprowadził Nastię do samochodu, życzył jej dobrej nocy i bez pośpiechu wrócił do siebie na górę. Tak, nie pomylił się co do tej dziewczyny. Jeśli jej się nie uda, to komu? Ile ona ma lat? Tola mówił, że trzydzieści trzy. Nie jest już podlotkiem... I to chyba jej największy atut: wygląda tak młodziutko, że nikt jej nie bierze poważnie. Nie, jej największym atutem jest głowa. Pamięć, sposób myślenia, logika, umiejętność analizy. A cała reszta to po prostu przykrywka, żeby nikt tego atutu nie dostrzegł. „Dziecino – pomyślał niemal z czułością – jakaś ty jednak mądra".

Jurij Fiodorowicz Marcew leżał na kanapie w swoim tajnym mieszkaniu, obejmując rękami podciągnięte do piersi kolana. Dopiero co obejrzał film. I oto nadeszła ta straszna chwila, której tak się bał: film prawie wcale nie pomógł. Od ostatniego ataku minęło zaledwie półtora miesiąca. Co będzie dalej? Kiedy dadzą mu nowe lekarstwo?

„Ona jest głupia. Umyślnie się mnie czepia" – mignęło mu w głowie. Osobowość Marcewa zaczęła się rozpadać, Juroczka dawał o sobie znać coraz natarczywiej, ale teraz Marcew nie był w stanie się temu oprzeć. Dawniej dodawała mu sił nadzieja na „lekarstwo", pewność, że zadziała ono bezbłędnie. Teraz nie miał już sił, by stawić opór Juroczce.

„Jestem Jurij Fiodorowicz Marcew, wicedyrektor szkoły, nauczyciel języka angielskiego, mam żonę i prawie dorosłą córkę" – powtarzał szeptem przez zęby znowu i znowu, usiłując zagłuszyć głos rozgrymaszonego ośmioletniego chłopaczka, zniecierpliwionego nadopiekuńczością i wymaganiami matki i nienawidzącego jej. Marcew miał uczucie, jakby jego mózg robił się miękki i dzielił się na dwie części: jedna, mniejsza, miała odtąd należeć do niego, a druga, większa – do Juroczki. Mój Boże, jakże mu jest źle, jak źle!

Przestał powtarzać swoje zaklęcie i mocno zacisnął powieki. W jednej chwili głowę zaczął mu rozsadzać histeryczny krzyk: „Nienawidzę jej! Chcę, żeby umarła! Niech ona umrze! Natychmiast! Niech ona umrze!"

Marcew zerwał się z kanapy i jął się miotać po mieszkaniu. Myśli, zrodzone w „jego" połowie mózgu, przeplatały się z myślami Juroczki.

„Czemu oni nie zrobili filmu? Przecież obiecali..."

„Nienawidzę! Niech ona umrze!..."

„Gdzie jest ta dziewczyna? Muszę ją koniecznie znaleźć..."

„Krzyczy na mnie nawet za czwórki, czepia się..."

„...znaleźć i przyprowadzić tutaj, niech oni natychmiast..."

„Bez niej będzie mi lepiej. Ma jej nie być!"

„...natychmiast zrobią lekarstwo, póki nie stało się..."

„Niech ona zniknie na zawsze! Zabiję ją!"

„...póki nie stało się coś okropnego, póki znowu kogoś nie zabiłem..."

„Chcę, żeby ona umarła!"

„...lepiej zabiję tę dziewczynę, nikt się nie dowie, muszę ją zabić..."

„Zabiję ją!"

„...Muszę ją zabić!"

Oba głosy złączyły się w jeden potężny wrzask, natrętny, natarczywy. Marcew przystanął, zlany zimnym potem. Wiedział, co musi zrobić. Atak należy zażegnać za wszelką cenę, inaczej będzie to koniec wszystkiego. A w tym celu musi jedynie zabić matkę. Albo kogoś bardzo do niej podobnego. W Mieście jest kobieta, której zabicie przyniesie mu ulgę. On, Marcew, widział ją na własne oczy, pokazano mu ją wraz z kilkoma innymi, zaproszonymi na zdjęcia. Trzeba ją tylko znaleźć. Przede wszystkim należy jej poszukać w studiu, gdzie kręcono dla niego dwa poprzednie filmy. Nic łatwiejszego...

Mer zbity z tropu odłożył słuchawkę. Zupełnie nie spodziewał się odmowy. To znaczy nikt nie odmówił mu wprost; i w telewizji, i w radiu, i nawet w gazecie miejskiej, której zaproponował przeprowadzenie wywiadu z detektywem z Moskwy, przyjmowano jego pomysł z aprobatą, ale natychmiast u wszystkich pojawiały się trudności nie do pokonania, absolutnie uniemożliwiające realizację jego propozycji. Mer czuł się jak kompletny idiota, ponieważ początkowo szczerze wierzył w te trudności i z entuzjazmem zaczynał podsuwać sposoby ich pokonania. Im dłużej jednak nalegał, tym wyraźniej zaczynał rozumieć, że nic z tego nie będzie.

Mer był inteligentny, ale ufny. Z charakteru przypominał słonia, który długo znosi krzywdy, nie wierząc w cudzą złą wolę, ale potem wpada we wściekłość i zaczyna miażdżyć wszystko dookoła. Piętrzenie przeszkód w związku z pomysłem zrobienia programu lub choćby opublikowania artykułu na temat przestępczości obudziło w nim straszne podejrzenia. Zaprosił do siebie Lwa

Michajłowicza Riepkina, nadzorującego miejskie organy wymiaru sprawiedliwości.

– Lwie Michajłowiczu, niech mi pan powie z łaski swojej, czy wolno mi się spotkać z dowolnym mieszkańcem naszego Miasta i prywatnie porozmawiać?

– Naturalnie.

– A z przebywającym w Mieście przyjezdnym?

– A cóż to za dziwne pytania? To wolny kraj, nie ma zakazu obcowania z ludźmi. Ma pan na myśli jakąś konkretną osobę?

– Tak, Lwie Michajłowiczu. Chcę się spotkać z funkcjonariuszem Moskiewskiego Wydziału Kryminalnego, który przebywa tu w delegacji. Może pan to załatwić?

– W jakim celu?

– Czy ja muszę się panu tłumaczyć? – zakipiał mer. – Dopiero co pan powiedział, że nie ma żadnych ograniczeń w kontaktach z ludźmi. I proszę, żeby pan znalazł tego człowieka i zorganizował mi spotkanie z nim.

– A dlaczego nie zwróci się pan do swego szwagra? Jemu będzie o wiele łatwiej to urządzić.

– Dlatego że mój szwagier z niepojętych dla mnie powodów nie życzy sobie, żeby doszło do takiego spotkania. I chcę się dowiedzieć, co to za powody.

– Widzi pan – zmieszał się Riepkin – moskiewskie kierownictwo nie lubi, kiedy wtrącamy się w jego sprawy, a tym bardziej nie chce, żebyśmy się kontaktowali z pracownikami. Uważają to za próbę wywierania nacisków. W zasadzie można ich zrozumieć...

– Ja też, szanowny Lwie Michajłowiczu, nie lubię, kiedy ktoś wtrąca się w moje sprawy i próbuje wywierać na mnie nacisk. Mam pewne pomysły i jako mer chcę je zrealizować. Ale ktoś się w to wtrąca, ktoś stanął mi murem na drodze i próbuje wywrzeć na mnie presję, zmusić, żebym z tych pomysłów zrezygnował. I mnie też się to nie podoba. Dlatego albo pan przywiezie do mnie tego

222

moskiewskiego wywiadowcę, zaraz i bez żadnych warunków, albo oświadczy mi pan oficjalnie, że jest pan bezpośrednio powiązany z tym dziwnym kamiennym murem, i natychmiast złoży pan rezygnację. Czy wyraziłem się jasno?

– Jaśniej już nie można. – Riepkin uśmiechnął się. – Ma pan iście napoleońskie plany, ale kto panu pozwoli je zrealizować?

– Co pan chce przez to powiedzieć? – spytał gniewnie mer.

– To, co powiedziałem – rzekł wciąż uśmiechnięty Riepkin. – Nie należy burzyć muru. Pokrwawi pan sobie ręce, a mur i tak będzie stał. Człowiek rozsądny wykorzystuje mur do tego, by zbudować przy nim swój domek i żyć sobie spokojnie pod jego osłoną.

Lew Michajłowicz wyszedł, a mer długo siedział, patrząc pustym wzrokiem w okno. Miał wrażenie, że jego życie się skończyło.

## ROZDZIAŁ 11
### Dzień dwunasty

Dokładnie naprzeciw numeru 513 był niewielki hol z fotelami i telewizorem. O wpół do dziewiątej, idąc na śniadanie, Nastia zobaczyła w holu chłopca, mniej więcej dwunastoletniego, z wielką nutową teczką na kolanach. Obejrzał się na odgłos otwierania drzwi i na jego buzi odmalowało się rozczarowanie.

– Czekasz na kogoś? – spytała Nastia, przechodząc obok.

– Na Reginę Arkadjewnę – przytaknął chłopiec. – Teraz je śniadanie, a potem będziemy mieć lekcję.

– Gdzie? – zdumiała się Nastia.

– W sali kinowej. Tam jest fortepian, na scenie. Zawsze mamy tam lekcje, kiedy Regina Arkadjewna jest w sanatorium.

„Ach, spryciara! – zachwyciła się w duchu Nastia. – Nawet tutaj zarabia swoje dolary. Nie dziwota, Korotkow mówił mi przecież, jakie ma wydatki".

– Jakoś wcześniej cię tu nie widziałam. Przychodziłeś o innej porze?

– Nie, w ogóle jeszcze nie przychodziłem. To znaczy, odkąd Regina Arkadjewna tu się leczy. Lekcje odbywają się co dwa tygodnie.

– A więc masz talent? – upewniła się Nastia, przypominając sobie relację Korotkowa.

– Wszyscy uczniowie Reginy Arkadjewny mają talent – odparł z dumą młody muzyk. – Ona innych nie przyjmuje.

– A dużo was jest, takich zdolnych? – spytała żartobliwie Nastia.

– Nie wiem. – Chłopiec zmieszał się jakoś i spróbował zmienić temat. – Regina Arkadjewna jest bardzo dobra, wszystkich uczy bezpłatnie.

„Akurat, bezpłatnie. Po prostu twoi rodzice nie chcą, żebyś wiedział, ile ich kosztuje twój talent. Dzieci przecież są różne, niektóre, słysząc, że rodzice nie mają pieniędzy na nowe dżinsy czy modne adidasy, mogą powiedzieć: no to nie będę się uczyć muzyki, a wy za te pieniądze kupcie mi... Ty masz rodziców mądrych i przewidujących, strzegą talentu syna przed jego młodzieńczymi błędami i wybrykami".

– Słuchaj – spytała nagle – a co ze szkołą? Wagarujesz?

– No co pani! – wykrzyknął z oburzeniem chłopiec. – Przecież dzisiaj niedziela!

– Oj, przepraszam – połapała się Nastia. – Kiedy nie chodzi się do pracy, wszystkie dni się plączą.

224

– Nie szkodzi – odparł chłopiec wyrozumiale. – Zdarza się. Ale pewnie w tym tygodniu raz będę musiał zwagarować. Coś mi nie wychodzi z rapsodią Liszta, Regina Arkadjewna da mi dzisiaj popalić. A jak coś nie wychodzi, wyznacza następną lekcję za dwa, trzy dni.

Chłopiec miał tak poważną i zatroskaną minę, że Nastia o mało nie wybuchnęła śmiechem. Aby go pocieszyć i dodać mu otuchy, powiedziała:

– Nie martw się z góry. A nuż spodoba jej się twoja gra?

– Nie. – Mały ze smutkiem pokręcił głową. – Mnie samemu się nie podoba.

– Jak ci na imię, młody geniuszu?

– Igor.

– Życzę ci sukcesów, Igorku. Na razie.

W oczekiwaniu na telefon Nastia jeszcze raz odtworzyła w myślach schemat sporządzony na podstawie otrzymanej informacji. Przez całą noc myślała, rozpamiętując wszystkie spędzone w sanatorium dni i przypominając sobie sygnały, które wysyłała jej czujna podświadomość i które dość trafnie udało jej się zinterpretować. Wiele fragmentów łamigłówki po rozmowie z Denisowem trafiło na swoje miejsca, wiele Nastia musiała ponownie przemyśleć, znaleźć dla nich nową półeczkę na myślowym regale. Zdumiewające, ile błędnych wniosków wyciągnęła w tak krótkim czasie. Po prostu pobiła własne rekordy! Choćby ten elektryk Szachnowicz... Co prawda, on też się mylił.

Do rozmowy z dziewczyną, która uciekła przed pożarem, i z jej towarzyszem nie była jeszcze gotowa. Aby skłonić Swietłanę i Włada do powiedzenia prawdy, należało ich przyłapać na jakiejś niekonsekwencji, na wyraźnym kłamstwie; tylko wówczas będzie można ich przycisnąć. Jedną niekonsekwencję Nastia już znalazła, ale to w rozmowie ze Swietłaną nie pomoże: dziewczyna mogła o tym po prostu nie wiedzieć. W nocy Nastia wpadła na pewien pomysł i po śniadaniu go sprawdziła. Na razie wszystko się zgadzało.

Wczesnym rankiem przyszedł do jej pokoju Szachnowicz z nowoczesnym aparatem telefonicznym, składającym się tylko ze słuchawki.

– Nie chciała pani zawrzeć ze mną znajomości – zażartował – a teraz i tak pani musi. Dzwonek wyciszyłem całkowicie, bo pani ma zwyczaj ciągle otwierać drzwi balkonowe. Zamiast tego zapala się czerwone światełko, niech pani nie zapomina sprawdzać.

– Tyle pan o mnie wie, że aż się czuję nieswojo – również żartem odparła Nastia. – Zaskoczył mnie pan tym już przy pierwszej rozmowie. Przestudiował pan nawet moje nawyki.

– No pewnie – odpowiedział poważnie Szachnowicz i nagle uśmiechnął się łobuzersko. – Przecież była pani pierwsza na mojej liście podejrzanych. Robiłem, co mogłem, żeby panią rozgryźć, i nic. A stary, mądry Ed Burgundzki od razu panią namówił.

– Przepraszam, jaki Ed?

– Ed Burgundzki, jeden z potomków Ludwika Świętego. Tak nazywamy między sobą Eduarda Pietrowicza. No, idę. Niech pani nie zapomni o światełku.

– Chwileczkę, Żenia, chciałabym, żeby pan coś sprawdził. Gdzieś w skrzydle zabiegowym powinien być pokój z lustrem weneckim wychodzącym na basen.

– Skąd to pani przyszło do głowy? – zdziwił się Szachnowicz.

– No... długo by trzeba wyjaśniać. Ale pokój z lustrem powinien być. Jeśli nie, nadaję się już na złom.

– Dobrze, sprawdzę. Znaczy, ściana przylegająca do basenu?

– Tak. Lustro może być bardzo małe, niech pan uważnie patrzy.

Kiedy elektryk poszedł, Nastia powróciła myślami do basenu, do owego feralnego dnia, kiedy usiłowała być łagodna i kobieca i w rezultacie omal nie zakochała się w Damirze; dobrze, że w porę złapała go na kłamstwie i nieco ostygła w uczuciach... Oto idzie wzdłuż brzegu basenu, chwyta poręcze drabinki, podnosi głowę, patrzy na zegar wiszący wysoko pod sufitem i mruży oczy, bo oślepił ją słoneczny zajączek. Co tak błyszczącego może być na kaflowej ścianie pływalni? Tak, to z pewnością lustro. Ale po co lustro na takiej wysokości? Kto miałby się w nim przeglądać? I kto tak naprawdę przez nie patrzy?

Wracając z zabiegów, w galerii łączącej część zabiegową i mieszkalną Nastia natknęła się na Szachnowicza.

– Miała pani rację, znalazłem – rzucił, nie odwracając głowy i nie zatrzymując się: w galerii było dużo osób.

Nastia pożałowała, że nie poprosiła go rano o jeszcze jedną przysługę. Przy następnej okazji, pomyślała...

Zapaliło się czerwone światełko i Nastia podniosła leżącą na podłodze słuchawkę.

– Nie jestem jeszcze gotowa do rozmowy. Może pan przywieźć ich na basen?... Dobrze... I proszę powiedzieć Żeni, że go potrzebuję... O ósmej? Doskonale. No to na razie.

Wyjęła wtyczkę z gniazdka, starannie zwinęła przewód i schowała słuchawkę do stojącej pod łóżkiem torby.

Po rozmowie z Kamieńską Denisow wykonał jeszcze kilka telefonów. Najpierw do naczelnego lekarza sanatorium z prośbą, by ten zawiadomił administrację „Doliny", że on, Denisow, wynajmuje na dziś cały kompleks zabiegowy od dziewiętnastej trzydzieści do dwudziestej drugiej. Eduard Pietrowicz był pewien, że nawet jeśli kto inny zamówił prywatnie basen i saunę, zamówienie to zostanie pod przekonującym pretekstem anulowane. Nikt w Mieście nie śmiał odmówić Denisowowi.

Następnie zadzwonił do Starkowa i polecił mu przywieźć gości z daczy do sanatorium oraz zawiadomić Szachnowicza, że czeka na niego Anastazja.

Trzeci telefon był do syna z pytaniem o Wieroczkę, która ostatnio jakoś często płakała i skarżyła się na ból głowy.

– Poleciała na randkę – oznajmiła z niezadowoleniem synowa.

– Z kim?

– Z tym swoim ukochanym studentem. Nie było go przez parę dni, gdzieś wyjechał, i dziewczyna aż wyschła z tęsknoty. Nie może ani dnia bez niego wytrzymać. Całe szczęście, że to porządny chłopak i nie ciągnie jej do łóżka.

– Jesteś pewna?

– Oczywiście. – Synowa uśmiechnęła się. – Jestem przecież jej matką, od razu bym się zorientowała.

– No, daj Boże. Niech do mnie zadzwoni, jak wróci.


Wróciwszy poprzedniego dnia ze swego krótkiego zesłania, Siemion natychmiast rozpoczął energiczne poszukiwania „aktorki" do roli matki Marcewa. Przez noc przewertował cały bank danych, przejrzał stos kaset z odrzuconymi kandydatkami i wybrał trzy o najodpowiedniejszym typie urody. Dwie były spoza Miasta, jedna tutejsza. Po uważniejszym przestudiowaniu danych z żalem odrzucił miejscową – zupełnie się nie nadawała do filmu kategorii B. Ściągnięcie zamiejscowych wymagało czasu i Siemion rozmyślał w skupieniu, jak przyśpieszyć sprawę. Poza tym musiał zdobyć suknię, dokładnie taką jak na fotografii młodej Marcewej: Swietłana uciekła właśnie w sukni przygotowanej do zdjęć. I szukaj wiatru w polu. Gdzież ona się podziała?

Siemion obdzwonił miejskie hotele, ale nie znalazł ani Swietłany, ani Włada. Pewnie wyjechali, pomyślał z irytacją. No i do diabła z nimi. Najważniejsze, że scenariusz i kaseta z ilustracją muzyczną, które spłonęły w pożarze, nie były jedyne. Siemion miał oryginały, więc nie trzeba ich będzie odtwarzać. A co do sukni – coś się wymyśli.

Żenia Szachnowicz rzetelnie wykonywał drugie polecenie, otrzymane od Kamieńskiej. Spacerując po parku sanatoryjnym i oglądając gałęzie drzew, wyrzucał sobie, że sam nie wpadł na pomysł, by sprawdzić tak prostą rzecz. Chociaż latem, kiedy liście są gęste, byłoby to prawie niemożliwe, chyba żeby włazić na każde drzewo. Ale szkoda, że jemu nie przyszło to do głowy. Świetna jest ta Kamieńska! Nic dziwnego, że Ed Burgundzki tak się o nią dobijał, kazał badać jej nawyki i gusty, żeby ją zmiękczyć za pierwszym podejściem. Widać gra jest warta świeczki...

Stop! Jest! Jak byk! Kurczę, jak ona się domyśliła? On, Szachnowicz, sterczy w sanatorium już cztery miesiące i nic. A ona – niecałe dwa tygodnie. Jasnowidząca czy co?

Żenia przyśpieszył kroku, nie odrywając oczu od koron drzew, i doszedł do dwupiętrowego budynku, gdzie mieściły się mieszkania służbowe i gdzie sam także mieszkał. A więc to tak? Ciekawe, ciekawe!

Przygotowując się do wieczornego spotkania na pływalni, Nastia zastanawiała się, jak sprawdzić swoją własną wersję zabójstwa Ałfierowa. Należało zbadać, kogo lub co zobaczył Nikołaj w parku lub koło wejścia służbowego. To kosztowało go życie. Przygotowała dwie kartki, napisała na nich KTO i CO, i zaczęła je zapełniać pytaniami. Kartka KTO miała trafić do Moskwy, a na pytania z kartki CO Nastia zamierzała znaleźć odpowiedzi tu, w Mieście.

A może tylko traci czas? Na jakiej podstawie uznała, że zabójstwo związane jest z tą sprawą? Przedtem to co innego, przedtem było tyle zagadek, że mimo woli musiała je ze sobą wiązać. Teraz zaś, kiedy wiele zagadek się wyjaśniło, w tym także rola elektryka w owym niezwykłym zakładzie, Nastia nie ma żadnej pewności, że jest na dobrej drodze.

Zastanawiając się nad morderstwem, mimo woli pobiegła myślą do Jury Korotkowa i legendy, którą ten wymyślił na temat tajemniczej tłumaczki. Legenda okazała się niepotrzebna. Za to teraz, ku zaskoczeniu Nasti, bardzo się przydała. Pracując dla Denisowa, dzięki tej legendzie nie będzie ściągać na siebie uwagi i pozostanie dla wszystkich nie pracownikiem milicji, ale niepozorną myszką tłumaczką. Ale ta starsza pani! Uwierzyła Korotkowowi. Nastia spodziewała się w cichości ducha, że jak tylko Jura wyjedzie i zrobi się głośno o wykryciu zabójcy, Regina Arkadjewna sama do niej przyjdzie i opowie, że Jura nie jest żadnym jej siostrzeńcem, ale wywiadowcą z Moskwy, który podejrzewał ją, Nastieńkę, o współudział w zabójstwie tego biedaka, i jak się cieszy, że wszystkie podejrzenia się rozwiały, i jak jej było przykro oszukiwać sąsiadkę, i jeszcze coś w tym guście. Ale Regina Arkadjewna nie przyszła i Nastia czuła się dotknięta. Niezbyt mocno, ale jednak. Tak czy owak, legendę trzeba by było potwierdzić, bo Regina okazała się paplą; co prawda, sprowokowała ją pielęgniarka Lenoczka, która za swe niewinne kłamstwo zarobiła od wdzięcznego Korotkowa trzy kilogramy jabłek. I jeżeli teraz sąsiadka przyjdzie się kajać z powodu fałszywego siostrzeńca, Nastia będzie musiała zrobić odpowiednią minę i w żadnym razie do niczego się nie przyznawać, bo Regina znowu się wygada. Jeżeli Lenoczce udało się rozwiązać jej język, to i innym się uda. Lepiej więc, że Regina Arkadjewna nie kwapi się z wyjaśnieniami. Niemniej to trochę przykre: „Jest pani taka mądra i kulturalna, Nastieńko, zna pani obce języki, bądźmy przyjaciółkami, poznam panią z moim ulubionym uczniem, jest bardzo zdolny" – a gdy tylko pojawił się milicjant i rzucił na Nastię cień – natychmiast we wszystko uwierzyła, nawet w najgorsze. No i bardzo dobrze.

Tego dnia, w niedzielę trzydziestego pierwszego października, w Mieście spadł pierwszy śnieg. Ziemia, przemrożona w ciągu kilku dni ujemnej temperatury, przyjęła go z wdzięcznością i nie zaczęła wchłaniać chciwie i niechlujnie, pozostawiając na powierzchni szare, grząskie błocko, ale pozwoliła, by płatki układały się na niej równymi warstwami i radośnie błyszczały w słońcu. W Mieście było pięknie, Marcew jednak tego nie widział.

Od samego rana snuł się w pobliżu domu, w którym mieściło się studio, w nadziei, że spotka kogoś, kogo zna. A znał przystojnego, ciemnookiego reżysera imieniem Damir, ponurego typa o końskiej twarzy, Siemiona, oraz chłopaka, który pomagał przy zdjęciach. Ale chłopak się nie liczył. Marcew widział go zaledwie dwa razy: w czasie zdjęć do pierwszego filmu i kiedy kręcono drugi. A drugi film powstał prawie dwa lata temu. Przez ten czas pomocnik mógł się mocno zmienić. Jego imienia Marcew nie znał.

Do piątej po południu nikt się w pobliżu domu nie pojawił. Należąca do Juroczki część świadomości pojękiwała i ciągnęła Marcewa za rękaw: Jak długo jeszcze? No, kiedy? No, gdzie oni są? „Swoją" połową mózgu Marcew usiłował odgadnąć, gdzie powinien szukać filmowców.

Tam, gdzie oni, powinna być również dziewczyna... Nie zastanawiał się nad tym, dlaczego tak uważa, nie wiedział dokładnie, co i jak zrobi, kiedy ją zobaczy. Wszystkie te drobiazgi wydawały mu się nieistotne. Ważne było tylko jedno: zabić ją, uszczęśliwić Juroczkę, sprawić, by się uspokoił przynajmniej na kilka miesięcy, i stać się znowu dobrym mężem i ojcem, Jurijem Fiodorowiczem Marcewem.

Skoro nie ma ich w studiu, pomyślał, należy ich szukać na basenie.

Przed ósmą wieczór Nastia zbliżyła się do pływalni. Coś było nie tak. Już dawno się ściemniło, cienie drzew zgęstniały, stały się mroczne i groźne. Nastia nie bała się ciemności, ale coś było nie tak.

Dopiero przy drzwiach prowadzących na basen zrozumiała, o co chodzi. Twarda ręka władczo odsunęła ją od drzwi i sprowadziła ze schodków, a nieznajomy głos powiedział cicho:

– Przepraszam, ale dzisiaj nieczynne. Kompleks został wynajęty na cały wieczór, obcych osób nie obsługujemy.

W pierwszej chwili Nastia chciała zacząć tłumaczyć, że ona nie jest tu obca, że kompleks został zarezerwowany na jej prośbę, że Eduard Pietrowicz... Natychmiast jednak pomyślała, że lepiej będzie nic nie mówić. Po pierwsze, człowiek, który nie wpuścił jej na basen, mógł wcale nie być ochroniarzem Eduarda Pietrowicza, lecz przedstawicielem strony przeciwnej, który w taki prosty, ale niezawodny sposób usiłuje sprawdzić, co się dzieje na pływalni. A po drugie, jeżeli ochroniarz jest naprawdę człowiekiem Denisowa, to znaczy, że uczciwie i profesjonalnie wykonuje swoje obowiązki. To ona sama zawiniła: przyszła prawie dziesięć minut wcześniej. Ludzie Denisowa już niejednokrotnie zademonstrowali jej swe zamiłowanie do dokładności i punktualności. „Nie szkodzi, zaczekam – pomyślała. – Przejdę się dla zdrowia".

Idąc aleją, z napięciem wpatrywała się w ciemność, dopóki się nie zorientowała, że pierwsze wrażenie, iż „coś jest nie tak", wywołali w niej bezszelestnie przesuwający się w mroku ludzie. Starali się, żeby nie było ich widać i słychać, ale Nastia ich spostrzegła, ponieważ się tego spodziewała. Ed Burgundzki (uśmiechnęła się w duchu z celności przezwiska – ochrona i służba bezpieczeństwa były iście królewskie) traktował swoje sprawy z powagą. I w tym momencie zaniepokoiło ją wspomnienie, nieuchwytne jak pamięć o wczorajszym śnie. I natychmiast znikło. Tym razem jednak Nastia była w „gotowości bojowej" i nie zamierzała lekceważyć sygnału. Zwykła mawiać, że zdolność percepcji u człowieka jest wielokrotnie wyższa od jego możliwości przeanalizowania otrzymanej informacji. Nic nie umyka ludzkiej świadomości: ani przypadkowo ujrzana twarz, ani dawno usłyszane słowo, ani uczucie strachu, wywołane nie wiadomo czym. Wszystko utrwala się w mózgu i tam osiada, trzeba tylko mocno w to wierzyć, a najważniejsze – umieć szybko znaleźć potrzebną rzecz na właściwej półce. Mózg zdrowego człowieka nigdy nie wysyła przypadkowych sygnałów, zawsze za takim sygnałem stoi coś konkretnego. Trzeba tylko umieć się zorientować co.

Wędrując powoli aleją, Nastia zobaczyła ławkę, tę samą, na której rozmawiała z Ałfierowem przed jego śmiercią. Cofnąwszy nieco taśmę pamięci, zrozumiała, skąd się wziął niepokojący sygnał. Kiedy wówczas szła aleją, w pewnym momencie doznała nieprzyjemnego uczucia, że ktoś wpatruje się w jej plecy i idzie za nią. Pamiętała, że się wtedy obejrzała, a nie widząc nikogo, spokojnie poszła dalej. W jasnowidztwo i biopola Nastia wierzyła czysto teoretycznie: dla niektórych jest to realne życie, mawiała, otrzymali to jako dar natury, a ja czegoś takiego nie otrzymałam. Dlatego też wiedziała, że jeśli ma się wrażenie, iż ktoś patrzy nam w plecy, to znaczy, że tak naprawdę ucho usłyszało z tyłu kroki, nieuważne oko, pogrążone w kontemplacji świata wewnętrznego, mimo wszystko spełniło swój podstawowy obowiązek i dostrzegło z boku czyjąś postać, i oba te zmysły razem wzięte próbowały ostrzec Nastię, jak umiały. A ona nie zwróciła uwagi na sygnały, zamyślona i wyniosła. Dziś zdarzyło się prawie to samo, ale dziś Nastia już wiedziała, że między drzewami naprawdę są ludzie, i stąd właśnie uczucie, że ktoś patrzy jej w plecy.

Skąd jednak owo uczucie wzięło się wtedy? Kogo dostrzegło oko? Czyje kroki usłyszało ucho? Kto szedł za nią w ciemności? I czy nie przed tym kimś chciał ją ratować Damir, miotając się po parku i nawołując? Czy nie tego kogoś zobaczył potem Kola Alfierow? I czy nie dlatego Damir przestał się nagle o nią niepokoić, i to tak wyraźnie, że nawet nie odprowadził jej późną nocą do numeru? Widocznie wiedział, że już nic jej nie grozi. Tego nieznajomego człowieka schwytano i gdzieś wywieziono. Albo zabito. I Alfierow to widział...

Nastia obejrzała się, słysząc podjeżdżające samochody. Dwudziesta zero zero. Pośpieszyła ku wejściu na basen.

Po ciemku nie mogła się dokładnie przyjrzeć dziewczynie, która wysiadła z auta. Kiedy jednak wszyscy razem znaleźli się w jasno oświetlonym westybulu, stwierdziła, że ma już punkt zaczepienia. Wreszcie znalazła ową niekonsekwencję – dzięki niej będzie można rozwikłać cały kłębek niedomówień i uników, które tak wyraźnie wyczuł Starkow, ale z którymi nie mógł sobie poradzić. Jest mężczyzną, pomyślała Nastia, zwyczajnym mężczyzną, i tylko jeden na stu, a może i na tysiąc, zwróciłby uwagę na ten szczegół.

Nad basenem dokładnie wypytała Swietłanę, gdzie kto stał, kto skąd wychodził, gdzie parkował jaki samochód – jednym słowem, całkowicie zamąciła jej w głowie. Spośród wszystkich tych pytań Nastię tak naprawdę interesowało tylko jedno: gdzie stał człowiek z kamerą wideo i w której części basenu pływała dziewczyna. Przypuszczenie, że ktoś podglądał przez lustro weneckie, potwierdziło się jeszcze raz: Swietłana popisywała się w tej części, którą najlepiej było widać z tego okienka. Wszystkie pozostałe pytania Nasti były tylko ozdobnikami.

Anastazja zostawiła Swietłanę pod opieką ochroniarza i podeszła do Starkowa.

– Proszę mi jeszcze raz przypomnieć, Anatoliju Władimirowiczu, co oni mieli przy sobie, kiedy do was trafili.

Starkow zastanowił się sekundę, po czym zaczął wyliczać:

– Liliput – odzież wierzchnią, pieniądze w kwocie szesnastu tysięcy rubli, dowód osobisty, kasetę magnetofonową z nagraniem muzycznym, strzykawkę, komplet igieł, jedną ampułkę morfiny. Dziewczyna – odzież wierzchnią, sukienkę bez kieszeni, w kieszeniach kurtki – pieniądze w kwocie dwustu trzech tysięcy rubli, chusteczkę do nosa, szminkę. To wszystko.

– Jest pan absolutnie pewien?

– Absolutnie. Musieliśmy jej kupić całą masę różnych drobiazgów, ze szczoteczką do zębów włącznie.

No to mamy jeszcze jedną niekonsekwencję, z zadowoleniem pomyślała Nastia. Będzie o czym pogadać z pogorzelcami.

– Gdzie liliput? Przyjechał z wami?

– Siedzi w samochodzie. Jego na basen nie wożono, więc pomyślałem, że nie będzie tu pani potrzebny.

– Chcę pomówić z... Anatoliju Władimirowiczu, jak pan sądzi, kto jest w tej parze przywódcą?

– Bez wątpienia Wład. Niech się pani nie sugeruje tym, że to morfinista. Jest o wiele inteligentniejszy od dziewczyny. Swietłana to słodka idiotka, uroda jak u motyla i tyleż rozumu. Więc kto pójdzie na pierwszy ogień?

– Dziewczyna. Gdzie możemy być same?

– Chodźmy, pokażę pani.

Swietłana Kołomijec pękła prawie od razu. Tkwiąc na pilnowanej przez ochroniarzy daczy, po prostu zapomniała o tej dawno już niemodnej sukience. Gdyby musiała chodzić w niej po Mieście, zdumione i otwarcie pogardliwe spojrzenia modniś i eleganckich młodych ludzi przypominałyby jej stale, jaki koszmarny ciuch ma na sobie. Na daczy widzieli ją tylko ochroniarze, ludzie poważni i milkliwi, niepijący i nawet niepróbujący się do niej przystawiać, oraz Starkow, który jest już chyba po czterdziestce i nie bardzo się orientuje w najnowszej modzie. Na pytanie Nasti Swieta nie potrafiła wymyślić nic lepszego, jak tylko że pożar wybuchł w nocy, kiedy spała, więc zrzuciwszy piżamę, złapała pierwszą lepszą rzecz z garderoby gospodarzy; mieszkanie przecież nie było jej, przebywała w nim jedynie czasowo. Na pierwszy rzut oka mogłoby to wyglądać nawet dość prawdopodobnie. Ale odpowiedź na drugie pytanie okazała się trudniejsza: dlaczego, uciekając przed pożarem, dziewczyna złapała oprócz pieniędzy akurat szminkę do ust? Nie dowód osobisty, nie w ogóle całą torebkę, w której ma się mnóstwo niezbędnych drobiazgów, tylko samą szminkę. Swieta wykręcała się, jak mogła, jednak nie bez kozery masażysta Kotek porównał kiedyś Nastię do foksteriera – wesoła, życzliwa, ale ze stalowym chwytem. Swietłana Kołomijec nie miała w starciu z nią żadnych szans, toteż już po kilku minutach wyjaśniło się, że to nie Włada przywieziono do niej na noc, lecz na odwrót, to ją, Swietę, przywieziono do lokalu, gdzie tymczasowo mieszkał Wład. Ona zaś przyjechała tylko na parę godzin, toteż nie wzięła ze sobą żadnych rzeczy prócz pieniędzy (z nawyku) i szminki (na wypadek, gdyby miała się z kimś całować i musiałaby potem poprawić makijaż). W swej naiwnej odpowiedzi dziewczyna popełniła tyle błędów i tyle razy coś się jej wypsnęło, że Nastia rozgryzła ją błyskawicznie.

Otworzyła drzwi i zawołała spacerującego po korytarzu osiłka.

– Proszę powiedzieć Anatolijowi Władimirowiczowi, że z dziewczyną skończyłam. Potrzebny mi teraz jej partner.


Wład siedział w samochodzie razem z sympatycznym kierowcą, który korzystając z chwili oddechu, pogrążył się w lekturze jakiejś bzdurnej fantastyki. Wład ulokował się wygodniej na tylnym siedzeniu, przy włączonym ogrzewaniu było mu ciepło i przytulnie, a dzięki swemu maleńkiemu wzrostowi mógł się tutaj wyciągnąć jak na luksusowej kanapie.

Był niespokojny, martwił się o siebie i Swietłanę. Może w tym, że przywieziono ich na basen, nie ma nic niebezpiecznego, może ta wyprawa nie podważy historii, którą opowiedzieli Starkowowi. Ale z drugiej strony, przecież dotychczas wierzono im na słowo, a teraz nie wiadomo dlaczego przywieziono ich na tę pływalnię. To może być zły znak, bardzo zły. Albo mimo wszystko wpadli z deszczu pod rynnę, to znaczy w ręce ludzi, którym chcieli uciec – nie bez powodu jest to ten sam basen i pora również wieczorna, albo ci, którzy ich przygarnęli, dowiedzieli się czegoś takiego, że przestali wierzyć w ich historię. „Chyba trzeba było zaryzykować – rozmyślał ospale Wład – i opowiedzieć im o filmie. Tak czy owak, moje życie jest bez wartości, ciągle dając sobie w żyłę, zdechnę jak nie za rok, to za dwa; jeśli się pomyliłem

237

w rachubach, niech mnie zabiją choćby zaraz, co tam". Ale Swietka? Ona na pewno chce żyć. Jej życie też jest głupie i bez wartości, tyle że ona tego nie rozumie, fruwa sobie i szuka nektaru. Teraz, głupia, związała się z tymi filmowcami, chciała zarobić forsę za sześć minut seksu z liliputem, a proszę, jak się to skończyło. Nie, nie wolno mu ryzykować, szkoda Swietki, dziewczyna mu przecież ufa, widzi w nim oparcie i obronę. Dziwna jest, pomyślał Wład z uśmiechem, przyzwyczaiła się, że seks to taka sama waluta jak wódka czy dolar, ciągle próbuje się jemu, Władowi, odwdzięczyć za to, że w porę się zorientował, co to za film, i za nic nie chce zrozumieć, czemu on odmawia. A dla niego Swieta nie jest kobietą i tym bardziej nie prostytutką, ale młodszą siostrzyczką, która narobiła głupstw i teraz kurczowo trzyma się ręki starszego brata: on jest mądry, duży, on mi pomoże, wytłumaczy mnie przed tatą i mamą, obroni przed wrogami. Wład nigdy nie miał prawdziwej siostrzyczki, a tak bardzo chciał mieć. Co z tego, że sięga Swietłanie ledwie do piersi, i tak dziś jest jej starszym bratem, doradcą i mentorem, bez którego by sobie nie poradziła. Czyż mógłby w takiej sytuacji przyjąć od niej zapłatę? Nie, za nic w świecie liliput Wład nie zniszczyłby tej pięknej rodzinnej idylli, którą sobie wymyślił...

Czyjaś twarz przylgnęła do okna samochodu. Wład odwrócił się lekko i omal nie wrzasnął z przerażenia: patrzyły nań oczy szaleńca, bezdenne i czarne na wykrzywionej męką bladej twarzy. Oczy przesunęły się powoli po wnętrzu auta, nie dostrzegły skurczonego w kącie Włada, chwilę zatrzymały się na kierowcy zaczytanym w thrillerze z życia kosmitów i znikły. Wład, starając się nie wychylać ze swego kąta, patrzył na odchodzącego od samochodu człowieka i paraliżujący strach rozlewał się po jego maleńkim ciele. Poznał te oczy, wiele razy widział je u ludzi, którzy nie brali morfiny, tak jak on, tylko środki halucynogenne. Na haju też mieli takie oczy, zwrócone w głąb siebie, zapatrzone w niewiarygodne, niepojęte dla nikogo przeżycia i przygody, w potworne myśli i wyzbyte wszelkiej logiki konkluzje. Wład gardził tymi ludźmi i bał się ich. Dlaczego gardził – nie wiedział, po prostu tak czuł. Ale dlaczego się bał – wiedział dokładnie: to byli prawdziwi szaleńcy, zdolni w każdej chwili zrobić coś potwornego, nawet tego nie rozumiejąc, po prostu występując w swoich wizjach na mistrzostwach świata w boksie czy karate albo pełniąc funkcję kata w średniowiecznej Francji i wykonując wyrok na jakimś zbrodniarzu. Szaleniec nie wie, co czyni, i nie wolno go za to karać, ukarał go już Bóg, odbierając mu rozum. Ale czyż ofierze szaleńca może to przynieść ulgę?

Człowiek podszedł do drzewa o grubym pniu i zniknął w jego cieniu. Wład był coraz bardziej zdenerwowany. Do cholery, gdzie są ochroniarze? Nawet w biały dzień na daczy było ich dwóch. A tu nie widać ani jednego. Dlaczego ten typ się tutaj pęta? Złe przeczucie stało się tak ostre, że Wład miał ochotę wyskoczyć z samochodu i, krzycząc o pomoc, pobiec na pływalnię. Wyciągnął rękę do klamki.

– Dokąd to? – spytał, odwracając się, kierowca. – Powiedzieli, żeby nie wysiadać, dopóki nas nie zawołają.

– Ale ja muszę.

– Do kibla? – Wielbiciel fantastyki uśmiechnął się.

– Nie, nie do kibla. Łazi tu jakiś facet, zaglądał do wozu. Moim zdaniem, to umysłowo chory. O, stoi przy tamtym drzewie.

– Gdzie?

Kierowca odłożył książkę i wyłączył światło w wozie, wpatrując się w miejsce wskazane przez Włada.

– Nic nie widzę. Może ci się wydawało?

– Nie wydawało mi się, widziałem dobrze. Zadzwoń do ochroniarzy, dobrze?

– Nie mogę, mały. Nie wolno wysiadać z samochodu.

– Ale ja przecież nie ucieknę. Zrozum, to wariat, schował się, ochrona go nie widzi, a on może nagle... kogoś...
– Wład nie był w stanie wymówić strasznego słowa.

– Ochrona widzi wszystko, nie ma obawy – pouczył go kierowca, znów otwierając książkę.


Swietłana w towarzystwie ochroniarza schodziła z pierwszego piętra do westybulu. Do drzwi wyjściowych mieli jeszcze dwa kroki, kiedy na schodach dał się słyszeć pośpieszny tupot.

– Witek!

Ochroniarz obejrzał się, przytrzymując Swietłanę za rękę. W połowie schodów stał Wołodia, który pilnował porządku na piętrze i który przekazał Starkowowi prośbę Nasti, by odprowadzić dziewczynę i wezwać Włada.

– Idziesz po małego? – zapytał.

– Tak. Najpierw wsadzę do samochodu dziewczynę, potem idę po niego.

Słysząc to, Swietłana zrozumiała, że teraz będą przesłuchiwać Włada. On jeszcze nie wie, że wszystko opowiedziała, i będzie się nadal trzymał wersji, którą sobie ustalili. Oczywiście ta kobieta wymagluje go bez litości, ale zmusi do powiedzenia prawdy, co do tego Swieta nie miała wątpliwości, i żal jej było Włada, który będzie tak precyzyjnie kłamał, żeby go potem i tak upokorzono jako oszusta. Wiedziała, że nie ma nic gorszego, niż kiedy ktoś zdemaskuje twoje kłamstwo, w dodatku patrząc ci prosto w oczy. Trzeba uprzedzić Włada, żeby od razu mówił prawdę, to pomoże mu zachować godność osobistą.

Ostrożnie zrobiła krok w stronę drzwi.

– Słuchaj, w tym wozie, w którym jest liliput, leżą w schowku moje fajki. Zabierz je, dobra? – poprosił Wołodia.

Swieta zrobiła jeszcze jeden krok i położyła rękę na klamce.

– Dobra – odrzekł dobrodusznie Witek, odwracając się do dziewczyny. Już miał za nią ruszyć, kiedy Wołodia znów się odezwał:

– Tylko nie pomyl, tam są też fajki Gieny, ale jego paczka jest biała z niebieskim, a moja biała z zielonym. Nie pomylisz?

Swietłana wyskoczyła na schodki, jednym susem przesadziła dwa stopnie i podbiegła do samochodu, w którym siedział Wład. Nie zdążyła zrozumieć, co to za cień się za nią pojawił, nawet nie zobaczyła w ciemności naostrzonego kuchennego noża. Usłyszała tylko straszny krzyk Włada:

– Swie-e-eta-a-a!!!

Potem coś sparzyło jej gardło i poczuła dziwną lekkość. Nagle zachciało jej się spać, powoli uklęknąć, położyć się na boku wprost na zimnej, pokrytej czystym śniegiem ziemi i zasnąć. I tak zrobiła.

– Proszę mnie odwieźć do Eduarda Pietrowicza – powiedziała ze znużeniem Nastia.

Wsiadła do auta ze Starkowem, nie oglądając się i nie wiedząc, czy pozostali jadą z nimi. Miała ochotę nie tylko zwymiotować. Miała ochotę się powiesić. Po tym, jak do westybulu wciągnięto oszalałego Marcewa, po tym, jak z trudem oderwano zanoszącego się płaczem Włada od zalanej krwią Swietłany, Nastia zrozumiała, że decyzję musi podjąć ona, i musi to zrobić jak najszybciej. Po opowieści Swietłany prawie wszystko stało się jasne. Rozmowa z Władem okazała się niemożliwa, ochroniarze po prostu odebrali od niego kasetę z muzyką i oddali Nasti. Nie musiała słuchać tej muzyki, już po wysłuchaniu streszczenia scenariusza zrozumiała, kto mógł być jego autorem. Ale posłuchać mimo wszystko chciała.

Denisow powitał Nastię przy bramie; wiedział już o wszystkim z telefonu Starkowa. W milczeniu weszli na piętro i w milczeniu skierowali się do gabinetu Eduarda Pietrowicza.

– Co pani podać, Anastazjo? – spytał troskliwie gospodarz.

– Mocną kawę. I alkohol – wymamrotała bezdźwięcznie.

Wypiwszy kilka łyków przyniesionej przez Alana kawy, Nastia już głośniej i spokojniej powiedziała:

– Eduardzie Pietrowiczu, musimy podjąć ważną decyzję. Co robić z ciałem Swietłany Kołomijec? Anatolij Władimirowicz nie wezwał milicji na miejsce zajścia, zostawił tam swoich ludzi, żeby usunęli ślady krwi. Jestem świadoma, że jeśli sprawa wyjdzie na jaw, to ci, których szukamy, znikną bez śladu. Jakoś za wiele tego wszystkiego: i dziewczyna, która ich zna i nie wiadomo komu mogła o nich opowiedzieć, i szaleniec, który bez żadnych wątpliwości zaczaił się na tę właśnie dziewczynę; w kieszeni marynarki miał zdjęcie młodej kobiety, jak wszystko na to wskazuje, swojej matki, ubranej dokładnie w taką samą suknię, jaką miała Swietłana. Nie wyobrażam sobie jednak, jak można ukryć zamordowanie dziewczyny, nie łamiąc prawa. Dlatego pan i ja mamy niewielki wybór. Albo dostarczy pan zwłoki Swietłany do szpitala lub bezpośrednio do kostnicy, zawiadomi o tym swoich przyjaciół z milicji, poinformuje ich o prawdziwych okolicznościach zabójstwa i pozwoli im robić wszystko, co uznają za stosowne, albo proszę mnie wypuścić. Dopiero co na moich oczach z miejsca zbrodni wywieziono zwłoki, a winowajca jest przetrzymywany w prywatnym domu. Jako pracownik milicji powinnam dostać zawału, i to niejednego! Co pan ze mną wyprawia? Myśli pan, że jestem maszyną do rozwiązywania zagadek kryminalnych i że dopóki je rozwiązuję, jest mi obojętne, co się wokół mnie dzieje?

Zatrzęsły jej się ręce i musiała odstawić filiżankę na stół.

– Przepraszam panią – powiedział cicho Denisow. – Nie przypuszczałem, że chodzi o coś takiego. Nie mogę nawet tego wymówić. Gdybyśmy wiedzieli od samego początku, że w sprawę mogą być zamieszani ludzie chorzy psychicznie, ochrona zostałaby poinstruowana i nie doszłoby do tragedii. Ale ochrona miała za zadanie nie dopuścić, żeby ktoś obcy zobaczył panią w towarzystwie moich ludzi. Ogromnie mi przykro. A więc co, według pani, powinienem zrobić?

– To zależy od rezultatu, jaki chce pan osiągnąć. Jeżeli chce pan mieć tylko tych, którzy przebywają w „Dolinie", to mogę natychmiast podać panu ich nazwiska. Jeżeli interesuje pana mityczny Makarow, to muszę jeszcze pomyśleć, przynajmniej do rana. Jeżeli interesuje pana cała reszta – to proszę mnie z tego zwolnić. To już nie ze mną.

– Dlaczego, Anastazjo?

– Powiedziałam już, że wszystko zależy od rezultatu, jaki chce pan osiągnąć. Znam albo mniej więcej sobie wyobrażam mechanizm działania tej bandy. Poza tajemniczym Makarowem należy do niej reżyser Damir Ismaiłow, masażysta z sanatorium Konstantin Uzdieczkin, ksywa Kotek, oraz niejaki Siemion, człowiek bez nazwiska, który zajmuje się sprawami organizacyjnymi. Muszą mieć bank danych, a więc miejsce, gdzie stoją komputery i wideoteka, oraz ludzi, którzy tam pracują. Muszą mieć ludzi werbujących klientelę w różnych miastach kraju, powiązanych albo z milicją, albo ze służbą zdrowia. Muszą mieć miejsce, w którym kręcą filmy i trzymają aparaturę, chociaż tak naprawdę nie jest ona zbyt ciężka. I wreszcie muszą mieć miejsce, w którym ukrywają zwłoki. Nie jestem w stanie znaleźć tych wszystkich ludzi i miejsc. Ale mogę panu zagwarantować, że jeżeli usunie się z tego systemu Ismaiłowa, Uzdieczkina i Makarowa, przestanie on istnieć. Po prostu umrze śmiercią naturalną. Mogę dostać jeszcze kawy?

Denisow zadzwonił na Alana i kiwnął głową do Starkowa, który wiercił się niecierpliwie w fotelu.

– Anastazjo Pawłowno, czy może mi pani bardziej szczegółowo opowiedzieć o reżyserze i masażyście? Dlaczego zaczęła ich pani podejrzewać?

– Co do masażysty, to zachowywał się bez zarzutu, nawet mi do głowy nie przyszło, by go podejrzewać. Po prostu przypadkowo wyszło na jaw, że zainstalował kabel napowietrzny i podsłuchuje rozmowy prowadzone przez telefon miejski w gabinecie dyrektora. To człowiek bardzo ostrożny, dobrze wie, że jeśli gdzieś coś się stanie i do sanatorium przyjedzie, udając kuracjusza, człowiek z milicji, to zadzwonią stamtąd nie do lekarza naczelnego, ale właśnie do dyrektora – żeby przygotowano odpowiedni pokój i tak dalej. Gdyby podsłuchiwał kilka różnych aparatów, pomyślałabym, że to zwykły szantażysta albo ciekawski głupek. Ale to, że interesował go tylko jeden telefon, wiele wyjaśnia. Jeśli chodzi o Ismaiłowa, sprawa jest jeszcze prostsza. Widziałam jedną jego pracę, film pełnometrażowy, nagrany na kasetę. To zupełnie wystarczy, by rozpoznać „rękę mistrza". To zbyt silna indywidualność twórcza, żeby ją można było przypadkiem powielić. Cały sens działania tej organizacji polega na filmach zrobionych z takim talentem, że wywołują u zainteresowanego widza katharsis. Co prawda, sądząc ze wszystkiego, zabija się przy tym ludzi. Przerażenie mnie ogarnia na myśl, ile morderstw, prawdziwych morderstw sfilmowano, ile zwłok ukryto. Jeśli nie będzie filmów – nie będzie też organizacji, czegoś takiego nikt nie potrafi odtworzyć. Jednakże ten szatański pomysł musiał się narodzić w czyjejś głowie. Myślę, że ten ktoś to Makarow.

Ale nie wiem, kim on jest. Dlatego właśnie proponuję, by poprzestał pan na uwolnieniu społeczeństwa tylko od głównych postaci, a wtedy system rozpadnie się sam. A jeżeli chce pan złapać wszystkich, to niech pan aresztuje Ismaiłowa i Uzdieczkina, wdroży śledztwo wedle wszelkich reguł, ale już beze mnie. Nie chcę zostać w pańskim Mieście ani dnia dłużej. Szczerze mówiąc, przestało mi się tu podobać.

W gabinecie zapadło milczenie. Nastia dopiła drugą filiżankę kawy i zwróciła się do Starkowa:

– Anatoliju Władimirowiczu, apeluję do pana jako do człowieka bliżej związanego z omawianym problemem. Jeżeli chce pan zdemaskować wszystkich, będzie pan musiał jeszcze bardzo długo ukrywać zwłoki Swietłany Kołomijec. Jest pan tego świadom?

– Tak, jestem. Ale czy nie przecenia pani stopnia ich ostrożności? Jest pani pewna, że na wiadomość o zabójstwie Swietłany i wdrożeniu w tej sprawie śledztwa natychmiast zatrą wszelkie ślady i znikną? Może pani to jednak wyolbrzymia?

– Niech pan pomyśli o tym, że gdyby nie Wład, wszystko trwałoby nadal całymi latami. Przecież oni ani razu nie wpadli, nigdzie nie zostawili śladów na tyle wyraźnych, żeby zainteresowała się tym milicja. Niech ich pan nie uważa za głupszych od siebie, Anatoliju Władimirowiczu, to niebezpieczny błąd. Dlatego powtarzam: albo rano oficjalnie załatwia pan sprawę zabójstwa Swietłany, nie obchodzi mnie i nie chcę wiedzieć, jak się pan będzie wykręcał, a wtedy również rano powiem panu, kim jest Makarow. Jeżeli nie – to odchodzę. Niech pan sobie bierze Ismaiłowa i Uzdieczkina, a Makarowa niech pan wytropi sam. *Tertium non datur.*

– Anastazjo, zdaje mi się, że narusza pani naszą umowę – wtrącił się łagodnie Denisow. – Chyba nie tak się umawialiśmy?

– Eduardzie Pietrowiczu, po co te naciski, i tak już jest mi niedobrze. Zgodnie z umową, miałam panu pomóc w zdemaskowaniu grupy przestępczej, zajmującej się handlem żywym towarem. Jak się dziś wyjaśniło, taka grupa nie istnieje. A ja nie zobowiązałam się, że pomogę panu wytropić i zdemaskować morderców od filmów wideo. Nie może mi pan niczego zarzucić.

– A Makarow? – przypomniał Eduard Pietrowicz. – Obiecała pani przecież go znaleźć.

– No dobrze. – Nastia uśmiechnęła się ze znużeniem. – Przekonał mnie pan. Makarowa będę tropiła. Ale pod warunkiem...

– Wszystko rozumiem, Anastazjo, i nie będę pani dłużej męczył. Tola, zadzwoń na milicję, niech się zajmą zwłokami i mordercą. Idź, Tola, załatw to zaraz, póki Anastazja jest tutaj, nie każ jej się dłużej denerwować.

Starkow szybko wyszedł z gabinetu, a Eduard Pietrowicz nieoczekiwanie wstał zza biurka i podszedł do fotela, w którym siedziała Nastia, zgarbiona, z niedbale wyciągniętymi przed siebie nogami.

– Anastazjo – zaczął ostrożnie – dlaczego pani tak to przeżywa? Co się stało? Wyrzuca sobie pani, że była blisko z Ismaiłowem?

– Ja? – Nastia podniosła głowę i spojrzała ze zdumieniem na Denisowa. – Nigdy nie byłam blisko z Ismaiłowem. On po prostu z jakiegoś powodu się do mnie zalecał, i myślę nawet, że wiem z jakiego. Omal nie przydarzyło mi się to, co dzisiaj przydarzyło się Swietłanie. Snuł się za mną krok w krok jakiś szaleniec, najwyraźniej jeden z klientów. Dlatego Damir był taki niespokojny i starał się być przy mnie, przecież w razie czego moich zwłok nie dałoby się tak łatwo ukryć. Szukaliby mnie, dopóki by nie znaleźli. Zauważył pan, że i Swieta, i liliput to ludzie zupełnie samotni, nie mieli żadnych krewnych i nikt by się o nich nie zatroszczył, w każdym razie na tyle, żeby pójść na milicję i zameldować o ich zniknięciu. Ta filmowa szajka jest bardzo ostrożna, tylko z Alfierowem coś im nie wyszło. Oczywiście wszystko to jedynie domysły. Ale z tego wynika, że Ismaiłow ocalił mnie od śmierci, a ja za to oddam go w ręce organów ścigania.

– I to panią tak rozstraja?

– Ależ skąd, co pan, po prostu wyjaśniam panu postępowanie Ismaiłowa. Co prawda była chwila, kiedy omal się w nim nie zakochałam, ale to szybko minęło.

– No więc o co chodzi, Nastieńko? – powtórzył swoje pytanie Denisow.

Jego cichy głos i serdeczny ton sprawiły, że Nasti łzy zakręciły się w oczach. Boże, jak ona podle się czuje! I jakaż jest zmęczona!

– Wymyślić i zrobić to wszystko mógł tylko jakiś geniusz zła. Znaleźć człowieka z ciężką dewiacją psychiczną, zaproponować mu zrobienie filmu, w którym wszystko będzie tak, jak on chce, napisać scenariusz, dobrać aktorów z uwzględnieniem żądań zamawiającego, zorganizować zdjęcia, ukryć zwłoki w wypadku, jeśli zleceniodawca koniecznie będzie chciał zabić kogoś przed kamerą – to zadanie niezwykle trudne. Ale jeszcze trudniejsze jest co innego. Historia Swietłany Kołomijec dowodzi wyraźnie, że Marcew zamawiał już nie pierwszy film. Stały zleceniodawca, nawet jeśli jest jedyny pośród wielu innych, stanowi dowód na to, że nakręcone przez Ismaiłowa filmy rzeczywiście pomagają chociażby temu jedynemu klientowi w pokonywaniu ataków choroby. W przeciwnym razie nie zwracałby się do Ismaiłowa ponownie. Wyobraża pan sobie ogrom talentu, jaki trzeba mieć, by kręcić takie filmy? I chce mi się wyć na myśl o tym, że tacy utalentowani ludzie są, jak widać, potrzebni jedynie chorym psychicznie. Jak to się mogło stać, że społeczeństwo ich nie doceniło? Dlaczego tak się stało? A teraz ci utalentowani ludzie nienawidzą nas wszystkich, bezlitośnie zabijając każdego, kto pasuje do zamówienia klienta, i to tylko dlatego, że myśmy kiedyś odrzucili ich talent i ich sztukę. To potworne. Ale to jest nasza kara. Dlatego tak mi ciężko na sercu.

Denisow pogładził Nastię po głowie i zamarł, całym ciałem odczuwając ból przeszywający tę zmęczoną kobietę.

– Biedulko – szepnął. – W co ja cię wpakowałem! Ale przecież nikt oprócz ciebie nie mógł wytropić Ismaiłowa. Tylko ty dostrzegłaś dziwne rzeczy w jego zachowaniu. Tylko tobie pokazywał swój film o muzyku i jego dziadku. I tylko ty mogłaś go powiązać ze scenariuszem, który przekazała nam Swietłana.

– Tak – równie cicho wyszeptała Nastia, zlizując z ust łzy – tylko ja.

## ROZDZIAŁ 12
### Dzień trzynasty

Już kolejną noc Nastia spędzała prawie bezsennie. Potworność tego, co wydarzyło się wczoraj, nie pozwalała jej się skupić. Próbowała skoncentrować myśli na tym, kim jest tajemniczy Makarow i gdzie go szukać, a zamiast tego myślała o Damirze i jego filmach, o nieszczęsnej Swietłanie, o przytłoczonym rozpaczą małym Władzie, o chorym człowieku bez dokumentów, który zamordował dziewczynę i który był z pewnością jednym z wielu amatorów dzieł Damira i jego kompanów. A może to właśnie Damir jest Makarowem? Czy jednak Uzdieczkin? Uzdieczkin bardziej tu pasuje, jest odpowiedzialny za bezpieczeństwo. Ale kto wie? Jedyne, czego Nastia była całkowicie pewna, to to, że Makarowem nie jest Siemion; zbyt rzuca się w oczy. Chociaż często tak właśnie bywa, pisał o tym już Edgar Allan Poe: to, co chce się ukryć, umieszcza się w widocznym miejscu. Poza tym nazwisko Siemiona jest nieznane; ależ byłoby śmiechu, gdyby się okazało, że w jego dokumentach figuruje nazwisko Siemion Makarow.

„Co w tym wszystkim robi Makarow?" – zastanawiała się Nastia, patrząc na zasłonę okienną w kolorze kości słoniowej. Sprawy organizacyjne prowadzi Siemion, wynika to niezbicie z zeznań Swietłany. Oprawa artystyczna – Ismaiłow, bezpieczeństwo – Uzdieczkin, wszystkie pozostałe funkcje są drugoplanowe, pomocnicze i nie może ich pełnić przywódca. Może to wcale nie człowiek, ale pusty dźwięk, nazwisko oznaczające szefa, kogoś, kto podejmuje decyzje? Żeby można było powiedzieć klientowi: „Zapytam Makarowa", „Makarow zadecyduje", „Makarow kazał...", chociaż w każdym konkretnym wypadku mógł to i Damir, i Kotek, i Siemion, i Bóg wie, kto jeszcze. Ani Swieta, ani Wład nie widzieli nikogo oprócz Siemiona. W czasie zdjęć niewątpliwie poznaliby i Damira, i Kotka, i jeszcze kogoś, kto obsługuje aparaturę, kamerę, oświetlenie. Ale potem nikogo już nie mogliby wskazać i nie składaliby żadnych zeznań. Klienci oczywiście muszą znać i Damira, i Kotka, i Siemiona, ale gdzież są ci klienci? Jest jeden, tyle że niepoczytalny, nie można mu wierzyć, teraz w ogóle nie potrafi powiedzieć nic do rzeczy. Ślepa uliczka. I żadnej istotnej poszlaki, same domysły. Tych, których Nastia już zna, a raczej których sobie wyliczyła, nie ma kto zidentyfikować. Ten, którego może zidentyfikować Wład – nie wiadomo, kim jest, i nie wiadomo, gdzie przebywa. Jedyna nadzieja w kolegach z Moskwy, ale to może potrwać całe miesiące... Zanim w Moskwie zbiorą dane o znajomych i kontaktach Ałfierowa w ciągu całego jego życia, zanim sprawdzą, czy ktoś z tych ludzi nie ma powiązań kryminalnych... W dodatku cała ta gigantyczna, żmudna robota może się okazać niepotrzebna, bo Alfierow po prostu przypadkowo stał się świadkiem morderstwa i już samo to sprawiło, że przestępcy uznali go za niebezpiecznego. Tożsamość tego, kogo zobaczył, nie ma żadnego znaczenia. Ale odpowiedź z Moskwy, tak czy owak, jest ważna: przecież jeśli został zamordowany człowiek, a jego zwłok w sanatorium nie znaleziono, to ktoś powinien go szukać. Spośród mieszkańców Miasta nie zaginął nikt, to już sprawdzono. A jeżeli w ogóle nikogo nie zabito, tylko po prostu schwytano i gdzieś wywieziono? W tym wypadku istotne jest, kto to zrobił i czemu tak się wystraszył, kiedy nakrył go Alfierow. Cóż, nie ma rady, trzeba czekać. Inną drogą Nastia nie dotrze do Siemiona. Co prawda, jest nadzieja, że Damir albo Kotek się z nim spotkają, ale to już zmartwienie Starkowa i jego ludzi.

Nastia przepowiedziała sobie pytania, które powinna zadać Starkowowi. Umówili się, że ten zadzwoni o siódmej rano.

Anatolij Władimirowicz był jak zwykle punktualny. Czerwone światełko na aparacie zapaliło się dokładnie o siódmej, co do minuty.

– Przede wszystkim chcę panią poinformować, że wszczęto śledztwo w sprawie Kołomijec. Szumu wokół sprawy na razie nie będzie, nie ma takiej potrzeby. Winowajca został ujęty na miejscu zbrodni przez naocznych świadków i umieszczony w szpitalu do czasu, aż wyjdzie z „ostrego" stanu. Ustalono jego tożsamość, to mieszkaniec Miasta Jurij Fiodorowicz Marcew, wicedyrektor jednej z miejskich szkół. Najprawdopodobniej cierpi na schizofrenię. Jest pani zadowolona?

– Tak. Dowiedział się pan czegoś o pawilonach w ogrodzonej strefie?

– Oczywiście, Anastazjo Pawłowno. Wczoraj nie zdążyłem pani powiedzieć, a kiedy się to wszystko stało, nie miałem już głowy. Pawilony wynajmuje klientom biuro komercyjne sanatorium. Dokumenty nie są przy tym wymagane. Klient płaci i mieszka, jak długo chce. Przy czym zapłacić może każdy i podać dowolne nazwisko, biuro rejestruje wpłatę i niczym więcej się nie interesuje. Ponieważ cena za wynajem jest bardzo wygórowana, męty tam nie bywają, przyjeżdżają głównie ludzie solidni. Kiedy kończy się termin wynajmu, oddają klucze w biurze – i wszyscy są zadowoleni.

– A pokojówki? Sprzątają w pawilonach?

– Trafiła pani w dziesiątkę. Widzi pani, przy takiej organizacji goście korzystają z pawilonów głównie w celach rozrywkowych lub po to, by spędzić tam czas z kobietą. W takich sytuacjach wizyta pokojówki nie zawsze jest pożądana. Dlatego przyjeżdżających klientów zawsze się pyta, czy chcą, żeby u nich sprzątać, a jeśli tak, to o jakiej porze. Niektórzy w ogóle nie chcą.

– Anatoliju Władimirowiczu, trzeba nad tym popracować. Rozumiem, że trudno to zrobić tak, by nikt nie spostrzegł pańskiego zainteresowania pawilonami, ale niech się pan postara. Anatoliju Władimirowiczu...

Nastia zająknęła się i umilkła.

– Tak? Słucham panią, halo!

– Chciałam powiedzieć... Pan swojej obietnicy dotrzymał, a ja swojej nie. Pan załatwił sprawę z Kołomijec, a ja nadal nie namierzyłam Makarowa. Na razie nic mi nie wychodzi.

– Wszystko rozumiem, Anastazjo Pawłowno, wczoraj była pani roztrzęsiona, zestresowana i zbytnio się pani pośpieszyła z obietnicą. Wcale nie liczyliśmy, że uda się to pani do rana. Proszę się niczym nie martwić, mamy czas. Eduard Pietrowicz pyta, czy zje pani z nim obiad.

– Proszę mu podziękować za troskę, ale dziś pobędę tutaj. Kiedy zadzwoni pan do mnie następnym razem?

– Kiedy pani sobie życzy.

– Wobec tego wieczorem, koło ósmej. Jeżeli coś wymyślę, będziemy mieli jeszcze czas na sprawdzenie.

– Umowa stoi. O dwudziestej zero zero.

Nastia schowała aparat i znów wpakowała się do łóżka. Czuła się kompletnie rozbita. Poleżała jeszcze godzinę i postanowiła nie iść na śniadanie. Zrobiła sobie kawę, postawiła kubek na stoliku przy łóżku, przyniosła z łazienki pełną karafkę wody, postawiła obok parującego kubka, obok umieściła grzałkę, pudełko z cukrem, paczkę herbatników, popielniczkę i papierosy. „Teraz mogę nie wstawać choćby do wieczora – pomyślała z ponurym uśmiechem, wsuwając się pod ciepłą kołdrę. – Lenistwo to moja główna zaleta, nie da się ukryć".

Wkrótce po jedenastej Nastia usłyszała zbliżające się korytarzem kroki Reginy Arkadjewny: ciężkie, nierówne z powodu chorej nogi, wspomagane miękkim postukiwaniem laski. Kiedy kroki dotarły do drzwi Nasti, dał się słyszeć nieznajomy kobiecy głos.

– Regino Arkadjewno, ja do pani.

– Słucham.

Starsza pani zatrzymała się, wyraźnie nie chcąc zapraszać gościa do swego numeru.

– Jestem matką Oli Rodimuszkinej, przesłuchiwała ją pani miesiąc temu, pamięta pani?

– Pamiętam. Dziewczynka jest bardzo pilna, ale nie lubi muzyki. Nie warto jej męczyć bez potrzeby. Powiedziałam to pani już wtedy.

– Regino Arkadjewno, myli się pani. Ona bardzo chce się uczyć. Może jednak zgodzi się pani...

– Nie, moja droga, nie lubię się znęcać nad dziećmi. Pani córeczka to dobre dziecko, nie chce pani martwić i dlatego tak pilnie się uczy. Ale ona nie ma na to ochoty. Nigdy się nie mylę w takich sprawach. Mam uczniów zupełnie pozbawionych talentu, ale oni kochają muzykę i są gotowi jej służyć, a dla mnie właśnie to jest najważniejsze.

– Regino Arkadjewno, ona marzy, żeby zostać pani uczennicą. Bardzo panią proszę... Wiem, że nie bierze pani pieniędzy za lekcje, ale może w drodze wyjątku?... Błagam panią. Będę płacić za córkę, tylko niech ją pani weźmie.

– Bardzo mi przykro – słychać było, jak staruszka westchnęła – ale fatygowała się pani na próżno. Proszę się na mnie nie gniewać. Do widzenia.


Około piątej Nastia jednak zgłodniała. Do kolacji pozostawały jeszcze dwie godziny, tyle nie wytrzyma. Ubrała się niechętnie i zeszła do baru, chcąc oszukać głód ciastkiem. Miała szczęście, oprócz ciastek w barze były też kanapki. Świeżość kiełbasy budziła pewne wątpliwości, ale żółty ser całkowicie nadawał się do spożycia.

Bar, na ogół pustawy, dziś był zupełnie pusty; nie licząc młodzieńca za kontuarem, na sali nie było żywej duszy.

– Czy w sanatorium jest dzisiaj Dzień Zdrowia? Nikt nie je słodyczy i nie pije alkoholu? – zażartowała Nastia, czekając, aż zaparzy się kawa w tygielku umieszczonym w gorącym piasku.

– To pani nie wie? Występuje u nas dzisiaj znany satyryk, sala kinowa nabita do ostatniego miejsca, nawet z Miasta ludzie przyjechali. Kiedy będzie jeszcze okazja, żeby posłuchać na żywo samego Rudakowa? – Mówiąc to, barman zręcznie przestawiał tygielek na piasku, jednocześnie krojąc ser i wyjmując z lodówki ciastka.

Z powodu braku gości w barze nawet nie włączono muzyki. Po słodkim ciastku Nastia się rozluźniła, w ciszy nic jej nie rozpraszało, i pogrążyła się w myślach, nie dostrzegając upływu czasu.

Po szóstej bar zaczął się stopniowo zapełniać ludźmi. Występ się skończył. Teraz zrobi się tu gwar, pomyślała Nastia, włączą muzykę i już nie da się myśleć. Powinna pójść do siebie i spróbować zająć się przekładem, bo zupełnie zaniedbała swojego McBane'a.

Od kontuaru zmierzał w jej stronę masażysta Uzdieczkin, niosąc w rękach butelkę piwa i dwie szklanki. Za nim dreptała dziewoja w tak wąskiej spódniczce, że mogła stawiać chyba tylko centymetrowe kroczki. Pochwyciwszy spojrzenie Nasti, masażysta zatrzymał się przy niej.

– Opuściła pani dziś masaż – zagadnął. – Kręgosłup dokucza?

– Jak zwykle.

Starała się odpowiadać najspokojniej jak mogła.

– Jeżeli nie chce pani przychodzić, to proszę mnie uprzedzić. Zapiszę na pani miejsce kogoś innego. Dzisiaj zmarnowałem czterdzieści minut.

– Będę przychodziła – powiedziała ze skruchą Nastia. – Przepraszam. Zaspałam.

Wchodząc do siebie na górę, wyobraziła sobie wyraźnie, jak przyjdzie do Uzdieczkina i pozwoli mu gładzić i uciskać swoje plecy. Morderca... Taki dobroduszny grubasek, nawet przezwisko ma pieszczotliwe – Kotek. A jeśli znów się pomyliła? Ostatnio często jej się to zdarza. Widocznie mechanizm analityczny się rozregulował. Niepotrzebnie wzięła się do tej sprawy. Nic się jej nie udaje. Denisow ją przecenił.

W pokoju na biurku czekała na nią gruba koperta (Szachnowicz miał klucze od wszystkich numerów, o czym uczciwie Nastię uprzedził). Nastia znalazła w środku długi spis informacji o wynajmie lub nabyciu na własność lokali użytkowych w Mieście. Prosiła Starkowa o zdobycie tych danych, bo musiała przecież od czegoś zacząć poszukiwania miejsca, w którym kręcono potworne filmy. Spis był imponujący, ale podejrzenia Nasti obudziło tylko kilka pozycji. Przy większości zapisów widniały uwagi świadczące o tym, że pomieszczenia zajmują firmy i organizacje należące do Związku Przedsiębiorców, to jest będące pod kontrolą samego Denisowa. Pozostałych lokali, nieopatrzonych uwagami, było około stu, z czego mniej więcej osiemdziesiąt znajdowało się albo w domach mieszkalnych, albo w bezpośredniej bliskości sklepów lub innych uczęszczanych miejsc. Raczej nie dałoby się ich użyć do takich zdjęć, uznała Nastia. Przecież tutaj trzeba nie tylko przywieźć wykonawców, ale też wywieźć trupy. Chociaż jeśli pracuje się w nocy, to nie ma chyba żadnej różnicy... Nie, jest różnica, poprawiła samą siebie. Ofiary nie potrafią zazwyczaj umierać w milczeniu, na pewno krzyczą. Domy mieszkalne trzeba będzie odrzucić. Pozostało do sprawdzenia trzydzieści siedem lokali.

Kiedy jak zwykle punktualnie zadzwonił Starkow, Nastia podyktowała mu adresy tych lokali i usiadła do tłumaczenia. Ale szło jej ciężko. Co kilka akapitów natykała się na słowo, zdanie lub myśl, które przypominały jej o Makarowie i jego „firmie", i zamierała w odrętwieniu nad maszyną, zapominając nawet zdjąć palce z klawiatury. Przed północą, kiedy się okazało, że przez cztery godziny przełożyła zaledwie trzy strony, ze złością zamknęła maszynę, widząc, że nie jest w stanie wykonywać dwóch prac naraz.

Już leżąc w łóżku, pomyślała o tym, jak zupełnie bezbronna będzie się czuła na stole do masażu wobec mordercy Uzdieczkina, i zaraz sama się skorygowała: nie, Kotek, Damir i cała reszta nikogo sami nie zabijali. Zabijają zleceniodawcy, a ta banda tylko organizuje i tworzy *entourage*, a potem zaciera ślady i ukrywa zwłoki. Wszyscy oni tylko organizują, pomagają, niektórzy pewnie także werbują klientów i podbechtują ich. A Makarowowi, jeżeli w ogóle istnieje, absolutnie nie ma czego przypisać. Co najwyżej ogólne kierownictwo ideologiczne, ale jak tego dowieść?

Jeżeli Nastia spędziła dzień na rozmyślaniach i, łagodnie mówiąc, mało ruchliwie, to Anatolij Władimirowicz Starkow przeciwnie, uwijał się bez wytchnienia, wydawał polecenia, telefonował, domagał się czegoś, przyjmował meldunki, dziękował, przegryzał w biegu kanapki i kawałki zimnego mięsa. Gdyby taka cicha panienka stała na czele agencji detektywistycznej, to musiałaby mieć pod sobą co najmniej czterdziestu ludzi, myślał, organizując zbieranie i weryfikację informacji, których zażądała Kamieńska.

Przed północą na jego biurku leżały raporty o sprawdzeniu dwudziestu dwóch spośród podyktowanych mu trzydziestu siedmiu lokali; o osobach wynajmujących pawilony sanatoryjne w ostatnim miesiącu; o kontaktach Ismaiłowa i Uzdieczkina w dniu dzisiejszym. Nic, czego można by się uchwycić, żadnego, choćby najdrobniejszego faktu. Co prawda, trzeba jeszcze sprawdzić piętnaście lokali, nie wykryto też wszystkich osób wynajmujących pawilony. Może jutro będzie miał więcej szczęścia...

Ismaiłow cały dzień przesiedział w swoim apartamencie, nikt go nie odwiedzał. Uzdieczkin do szesnastej był w pracy (załączono listę pacjentów, którym robił masaż), od szesnastej do osiemnastej – na występie znanego satyryka Rudakowa, potem zaś poszedł do sanatoryjnego baru, gdzie siedział w towarzystwie dziewczyny (personalia w załączeniu) do dwudziestej drugiej trzydzieści pięć, po czym wrócił do swego mieszkania wraz z dziewczyną. Ta wyszła od niego około dwudziestej trzeciej, on został w domu. Nie udało się zanotować wszystkich osób, z którymi rozmawiał na występie i w barze. Słabiutko.

Anatolij Władimirowicz Starkow, w odróżnieniu od większości swoich znajomych, rzadko poddawał się emocjom. Nie wpadał w gniew i prawie nigdy na nikogo się nie obrażał. Nie wiedział, co to rozdrażnienie, i nie wiedział, co to zawiść. Za to bardzo dobrze sobie uświadamiał, co to jest słowo honoru, obowiązki i zobowiązania.

Wstąpiwszy na służbę u Denisowa, raz na zawsze wybrał drogę życiową i nie zaprzątał sobie głowy ocenami moralnymi. Skoro Ed Burgundzki powiedział, że trzeba zrobić to i to, on, Starkow, ma to zrobić i nie myśleć, czy mu się to podoba, czy nie. Myśleć trzeba było wcześniej, mówił sobie, myśleć trzeba było wtedy, kiedy jako młody jeszcze oficer KGB stał przed wyborem. Wybór był dlań niełatwy, Starkow zastanawiał się kilka miesięcy, zanim przyjął propozycję Denisowa. Ale po podjęciu decyzji uznał, że nie ma prawa oglądać się na boki i osądzać innych ludzi oraz ich postępków. Jak struś chowający głowę w piasek odgrodził się od całego świata, zawęziwszy go do wykonywania obowiązków opłacanych przez Denisowa. Dlatego kiedy jeden z jego najbliższych pomocników powiedział dzisiaj: „Aleśmy czasów dożyli! Komenderuje nami jakaś smarkula!" – szef wywiadu nawet nie zrozumiał, o czym tamten mówi. Nikt nikim nie komenderuje, po prostu znalazła się osoba, która z różnych względów wie lepiej, jak i co należy robić. W pewnych okolicznościach takim kimś jest on sam, ale zdarza się, że także inni. I to wszystko. A że Kamieńska jest „smarkulą", to w ogóle bzdura. Jest bardzo poważną, bardzo przewidującą i bardzo atrakcyjną młodą kobietą. Na zdjęciu, które przekazał mu Szachnowicz zaraz po jej przyjeździe, istotnie wygląda raczej okropnie, ale Anatolij Władimirowicz nie bardzo ufał fotografiom. W rzeczywistości

Kamieńska to prawie piękność. I on zupełnie nie czuje się upokorzony tym, że musi z nią współpracować, przeciwnie, przecież to on zaproponował, żeby skorzystać z jej usług, bo leżało to w ich interesie.

Starkowowi spodobało się, że dziś rano Kamieńska zaczęła mówić o niedotrzymanej obietnicy, cenił w ludziach obowiązkowość. A jeszcze głębiej w jego sercu tliło się ledwie dostrzegalne uczucie wdzięczności za to, że Anastazja z trzaskiem wypędziła Lowę Riepkina. Nie, szef wywiadu Denisowa nie był aż tak zimnokrwisty. Istnieli jednak ludzie, którzy mu się zdecydowanie nie podobali.

## ROZDZIAŁ 13
### Dzień czternasty

Wracając ze śniadania, Nastia znowu zobaczyła w holu Igorka, który widać przegrał jednak batalię z rapsodią Liszta i stawił się na dodatkową lekcję.

– Co, młody geniuszu, wagarujesz? – zaczepiła go.

– Dzień dobry! – Chłopiec poderwał się radośnie. – I tak na pierwszej lekcji mamy WF, a na drugiej botanikę. Na trzecią zdążę.

– A co macie na trzeciej lekcji? – zapytała surowo Nastia.

– Matematykę. Z matematyki się nie zrywam.

– Aha, ale uważasz, że z botaniki można się zerwać?

– E tam! – Igor lekceważąco machnął ręką. – Botanika to nie jest męski przedmiot – motylki, kwiatuszki, słupki, pręciki! Nuda!

– Więc matematyka to męski przedmiot?

– Jasne. Matematyka, fizyka, chemia, historia – prawdziwy mężczyzna powinien to wszystko znać.

258

– Co ty powiesz? – Nastia przysiadła w fotelu obok niego. – Ciekawe nastawienie. A co jeszcze powinien znać i umieć prawdziwy mężczyzna?

– Znać się na samochodach i broni – odrzekł z przekonaniem młody muzyk. – A trafiają się tacy, co nie odróżnią volvo od mercedesa.

„Jak na przykład ja – odpowiedziała mu w duchu Nastia. – Ale ja na szczęście nie jestem mężczyzną, bo gdyby tak było, przestałbyś mnie szanować. Ja też nie odróżniłabym bmw od opla..."

– Czy pani słabo? – Głos chłopca docierał do niej jak przez watę. – Zaraz kogoś zawołam. Tak pani zbladła!

Z wysiłkiem pokręciła głową i ostrożnie wstała.

– Mój pokój jest tu obok. Zaraz się położę i to przejdzie.

Nastia nie czuła podłogi pod nogami, wszystko płynęło i wirowało, długo nie mogła trafić kluczem do dziurki. Wreszcie weszła do pokoju i padła na łóżko.

W medycynie nazywa się to „przełom naczyniowy".

Nie włączyła aparatu i przepuściła telefon Starkowa za piętnaście jedenasta. Pamiętała, że Anatolij Władimirowicz miał zadzwonić, ale nie miała siły wstać. Podstępne krążenie znów ją zawiodło w najważniejszym momencie.

Nie dodzwoniwszy się do Nasti o umówionej porze, Starkow ponawiał próbę co piętnaście minut, aż wreszcie poczuł, że stało się coś złego. Natychmiast zatelefonował do Szachnowicza.

– Żenia, sprawdź szybko, gdzie jest Kamieńska.

Żenia ostrożnie pchnął drzwi i przekonał się, że są zamknięte.

Wyjął duplikat klucza od numeru 513 i otworzył.

Nastia leżała nieruchomo z twarzą białą jak płótno. Nawet jej bardzo jasne oczy wydawały się ciemne na tle śmiertelnie bladej skóry. Żenia nie na próżno spędził cztery miesiące w sanatorium. Potrzymał Nastię za puls, nie pytając o pozwolenie, otworzył szafkę nocną i stwierdził z zadowoleniem, że nie pomylił się w diagnozie: w szafce leżało kilka ampułek amoniaku. Znalazł tam również nierozpieczętowaną paczkę herbaty.

Amoniak i mocna, gorąca herbata, do której Żenia wrzucił szczodrze sześć kostek cukru, ożywiły Nastię.

– Czuję się dobrze – powiedziała – tylko jestem bardzo osłabiona, nie mogę się utrzymać na nogach.

– Gdzie jest telefon?

– W torbie pod łóżkiem.

Szachnowicz podłączył aparat i wystukał numer Starkowa. Zamienił z nim kilka zdań i podał słuchawkę Nasti.

– Anatoliju Władimirowiczu – powiedziała, oddychając z trudem – wszystko zrozumiałam. Byliśmy na złej drodze. A raczej to ja byłam na złej drodze. Trzeba sprawdzić jeszcze dwie rzeczy. Jedną sprawdzę sama, a drugą musi załatwić pan. Wieczorem powiem panu, kim jest Makarow.

Żenia po raz pierwszy w życiu zrozumiał, co znaczy powiedzenie „umrzeć na posterunku".


Przed wysłaniem do Kamieńskiej raportu o spełnieniu jej ostatniej prośby Starkow pokazał listę Eduardowi Pietrowiczowi.

– Nic nie rozumiem. – Denisow wzruszył ramionami, jeszcze raz przeczytał kartkę i odłożył ją na biurko. – Po co jej to?

– Ale ciekawa lista, prawda? – powiedział w zamyśleniu Starkow. – Zupełnie nie rozumiem, dlaczego nie ma na niej pana. Pasowałby pan jak ulał, nieprawdaż?

– Nieprawdaż – uciął ostro Denisow. – Tu też jest mi nieźle. I żyję tak, jak mi się podoba, a nie tak, jak wymaga tego moja pozycja. Wyślij listę do sanatorium. Ta dziewczyna wie, co robi.

Pod wieczór Nastia całkiem przyszła do siebie. Żenia przysłał do niej pielęgniarkę, ta zrobiła zastrzyk, po dwóch godzinach jeszcze jeden i przysięgła na wszystkie świętości, że do jutra nic nie powie doktorowi Michaiłowi Pietrowiczowi.

Nastia umalowała się starannie, zmieniając nie do poznania swoją twarz, na której, jak na czystej kartce, mogła namalować, co dusza zapragnie, od niewinnego anioła do wampa. Długo i krytycznie wybierała strój, decydując się w rezultacie na wąskie czarne spodnie i obcisły czarny sweterek, by podkreślić długie, rozpuszczone jasne włosy. Nie miała ze sobą biżuterii, czego teraz szczerze żałowała: cienki srebrny łańcuszek wyglądałby bardzo dobrze na matowej czerni sweterka. „No dobrze, co tam, pójdę tak, jak jestem" – postanowiła, muskając szyję i włosy grubym szklanym korkiem od perfum Climat.

Nie była pewna, czy od razu znajdzie Damira, ale miała nadzieję, że się jej poszczęści. W życiu musi istnieć prawo równowagi: skoro popełniła kilka błędów i kilka razy się przeliczyła, to nie może jej na dodatek prześladować pech. To by było po prostu niesprawiedliwe.

I rzeczywiście jej się poszczęściło, chociaż nie od razu. W apartamencie Damira nie było, ale znalazła go w barze. Ismaiłow pił koniak, ale, sądząc ze wszystkiego, zaczął niedawno, bo nie był jeszcze pijany. No, Nastazjo, naprzód, chód zapożyczymy od jednej aktorki, głos – od drugiej, uśmiech – od trzeciej. Prawdziwa Nastia Kamieńska nie ma tu dziś nic do roboty, została w numerze 513.

- Witaj, kochanie.

Lekko pocałowała Damira w policzek i usiadła naprzeciw niego przy stoliku. Mężczyzna długo w milczeniu wpatrywał się w jej twarz; brodę oparł na dłoniach, jakby się nad czymś zastanawiał.

- A więc miałem rację - powiedział wreszcie.

- W jakiej sprawie?

- Jesteś obłudnicą. Od dawna to podejrzewałem. Nieszczęsna, nieładna stara panna. I przez cały ten czas śmiałaś się ze mnie w skrytości ducha, tak?

- Tak. Zupełnie nie znasz się na kobietach, Damir. Ufasz tylko własnym oczom, co zresztą jest zrozumiałe, jesteś przecież reżyserem. Dla ciebie liczy się wrażenie wzrokowe. Nie gniewaj się.

- Ale co się z tobą stało? Po raz pierwszy od tylu dni podeszłaś do mnie sama, przedtem uganiałem się za tobą i namawiałem cię jak ostatni idiota. Zmieniłaś nastawienie do mnie?

- Nie o to chodzi. Miałam nieprzyjemności, doskonale o tym wiesz. A teraz wszystko się szczęśliwie skończyło. Dlatego do ciebie przyszłam.

- Po co? Chcesz pójść do mnie do numeru?

- Nie. Chcę cię poprosić, żebyś mi zagrał.

- Co?

Damirowi ze zdziwienia lekko drgnęła ręka, w której trzymał kieliszek, i kilka kropel koniaku prysnęło na stolik.

- Chcę, żebyś mi zagrał - powtórzyła Nastia. - Jesteś przecież muzykiem, kompozytorem. Widziałam twój film i słyszałam muzykę do niego, bardzo mi się podobała. W sali kinowej jest fortepian. Czemu nie miałbyś mi zrobić przyjemności?

- Rzeczywiście, czemu nie? - Damir uśmiechnął się z goryczą. - Do niczego więcej się nie nadaję, tylko do tego, żeby być taperem akompaniującym twoim przeżyciom. A przynajmniej przeżycia masz prawdziwe czy to też oszustwo?

– Prawdziwe, zapewniam cię.

W milczeniu, jak obcy, poszli do sali kinowej. Damir wszedł na scenę, otworzył fortepian, obniżył taboret, który po lekcji Igorka pozostał podkręcony zbyt wysoko, wziął kilka akordów, żeby sprawdzić, jak instrument jest nastrojony. Nastia wybrała sobie miejsce w pierwszym rzędzie, blisko fortepianu.

– Więc co mam ci zagrać, fałszywa Anastazjo? – zapytał Damir z ironią. – Coś z popularnej klasyki? A może wolisz jazz?

– Improwizację. Potrafisz?

– Potrafię. Wszystko potrafię. Jestem taperem wszechstronnym. Na jaki temat pani sobie życzy?

– Zagraj o mnie. O tym, jak najpierw byłam skrępowana, wystraszona, bo miałam kłopoty i nie wiedziałam, jak się to wszystko skończy. A potem nadeszła ulga i przeobraziłam się, stałam się swobodna i spokojna.

– Rozkaz, łaskawa pani.

Damir zaczął grać, a Nastia – słuchać. Nie tak, jak słuchają muzyki prawdziwi melomani, nie tak, jak słuchała zazwyczaj ona sama, pogrążając się w dźwiękach i pozwalając im się unosić. Słuchała muzyki Damira jak analityk, porównując ją z tym, co już słyszała i w filmie, i na kasecie otrzymanej od małego Włada. I odczuwała równocześnie radość i ból, bo jej hipoteza się potwierdzała, a była to hipoteza naprawdę potworna. Wszystkie kolorowe kółka rozmaitej wielkości, rozrzucone chaotycznie po podłodze, zostały równiutko nanizane na pręt, jak w dziecięcej zabawce-piramidce, i zapełniły go prawie do samej góry. A więc pręt wybrała dobrze.

Damir zakończył frazę muzyczną i zdjął ręce z klawiatury.

– Wystarczy?

– Wystarczy, dziękuję ci.

Nastia wstała i nie mówiąc ani słowa, ruszyła wzdłuż rzędów foteli w kierunku wyjścia. Ani razu się nie obejrzała, nie widziała więc, z jakim wyrazem twarzy Damir za nią spoglądał. I bardzo by się zdziwiła, dowiedziawszy się, że miał w oczach smutek.


Dziś Anatolij Władimirowicz miał dzwonić o dziewiątej wieczorem. Do tego czasu Nastia otrzymała już od przewidującego Szachnowicza nową listę, znacznie krótszą od poprzedniej. Przejrzała ją i poczuła bolesne ukłucie w piersi. Jeszcze jedno kółeczko znalazło się na pręcie i wpisało w ogólną konstrukcję.

– Proszę sprawdzić numer osiemnaście z listy – powiedziała do Starkowa.

W słuchawce dał się słyszeć szelest papieru – Starkow kartkował leżącą przed nim kopię.

– Osiemnaście, nie przesłyszałem się? – W jego głosie brzmiało nieudawane zdumienie.

– Osiemnaście – odrzekła twardo Nastia. – To, czego szukamy, powinno się znajdować właśnie tam.

– Dobrze. Kiedy pani się kładzie spać?

– Będę czekała na pański telefon.

– To proszę zamknąć drzwi i nie wyłączać aparatu.


Starkow wydał niezbędne polecenia i zadzwonił do Denisowa.

– Zdaje mi się, że ona oszalała – oznajmił spokojnie. – Można przypuszczać wszystko, ale nie to. Kazałem moim ludziom sprawdzić, ale to tylko strata czasu.

– Wszystko jest możliwe – odparł enigmatycznie Eduard Pietrowicz. – Przeżyła kilka ciężkich dni. Przyzna pan, że niełatwo jej było poradzić sobie i z naszą propozycją, i sentymentem do Ismaiłowa. Myślę, że jednak coś ich łączyło, tylko ona to ukrywa. A tu jeszcze śmierć dziewczyny... Kamieńska oczywiście nie oszalała, ale coś mogło jej się poprzestawiać w głowie. Cóż, zobaczymy.

– A jeżeli okaże się, że to prawda?

– Zobaczymy – powtórzył Denisow. – Nie uprzedzajmy faktów.

Dwie i pół godziny później do Starkowa przyjechali jego ludzie, którzy sprawdzali „numer osiemnaście". Zanim jeszcze cokolwiek powiedzieli, Anatolij Władimirowicz wszystko odgadł z ich twarzy. Słuchając raportu, czuł, jak w środku cały lodowacieje. Czegoś takiego nie przewidywał w najśmielszych hipotezach.

– I znaleźliśmy jeszcze to, w pokoju, w którym stoi sprzęt, wpadło za kanapę.

Starkow obracał w ręku klamerkę do włosów, piękną, srebrną, z maleńką różyczką z liliowych chińskich pereł. Wiedział, czyja to jest klamerka. Co teraz z tym wszystkim począć? Tego szef nie przeżyje...

Światełko na telefonie zapaliło się po dwunastej w nocy. Nastia odebrała natychmiast; nie mogła sobie znaleźć miejsca w oczekiwaniu na wiadomość i nie odrywała wzroku od aparatu.

– Miała pani rację. – Głos Starkowa brzmiał głucho i niepewnie. – Ale jest jedna okoliczność... Chciałbym się z panią naradzić. Jak możemy to zrobić?

– Nie wiem...

Nastia nagle poczuła się zagubiona. Nieoczekiwanie zrozumiała, że podświadomie chciała usłyszeć coś zupełnie innego. Logika podpowiadała jedno, ale emocje sprzeciwiały się temu i pragnęły zaprzeczenia. Jaka szkoda!

– Nie można tego odłożyć do jutra? – spytała.

– Wolałbym nie. Rano czeka na nas Denisow. Do tego czasu muszę wiedzieć, co mam mu zameldować.

– Dobrze – westchnęła Nastia. – Niech pan przyśle samochód.

– Za dziesięć minut przy głównej bramie. Numery 57-83.

## ROZDZIAŁ 14
### Dzień piętnasty

Starkow przywiózł ją do luksusowego mieszkania przeznaczonego dla przybywających do Miasta gości Denisowa, którzy z takich czy innych powodów nie chcieli albo nie lubili mieszkać w hotelach.

Problem rzeczywiście był poważny.

– No i co mam robić, Anastazjo Pawłowno? – zapytał Starkow. – Powiedzieć Denisowowi o wnuczce czy przemilczeć to?

– A jest pan absolutnie pewien?

– Nie mam cienia wątpliwości. Klamerka jest unikatowa, wykonana na zamówienie. Sam się tym zajmowałem. Eduard Pietrowicz dał ją Wierze na czternaste urodziny.

– A nie mogła jej komuś podarować? Jakiejś swojej przyjaciółce?

– Raczej nie. W rodzinie Denisowów bardzo ceni się prezenty. Szczególnie sam szef. Stale pyta: „Czemu nie nosisz tego, co ci podarowałem? Nie podoba ci się?" Nie, Wiera by się nie odważyła.

– Za to odważyła się na wiele innych rzeczy – powiedziała ostro Nastia. – I czemu ludzie są tak ślepi w stosunku do swoich bliskich? Zawsze jesteśmy pewni, że znamy ich jak zły szeląg, a potem ta nasza pewność kończy się tragedią.

– Nie – powtórzył z przekonaniem Starkow. – Prezent od dziadka mogła stracić tylko przypadkiem. To dobra, wspaniała dziewczynka, po prostu jakiś drań ją omotał.

– Czy aby nie ten student, z którym romansuje? – uśmiechnęła się Nastia. – Jeżeli rzeczywiście jest wspaniała i dobra, to mogła się na to zgodzić z miłości do niego, żeby mu pomóc zarobić forsę. A on ją wykorzystywał. I tu ma pan jeszcze jednego członka ekipy Makarowa.

– Tak czy owak, Anastazjo Pawłowno – powtórzył z naciskiem Starkow – co mi pani radzi?

– Nic nie mówić. Tego studenta znajdzie pan sam i z Wierą też pan porozmawia osobiście. Co dalej – to zależy od sytuacji. A na razie ani słowa.

– Dziękuję pani. – Starkow odetchnął z ulgą.

– Za co?

– Sam jestem za tym, żeby nie mówić Denisowowi o Wierze. Ale bałem się, że pani będzie nalegać.

– Po cóż bym miała nalegać, Anatoliju Władimirowiczu? To mnie zupełnie nie dotyczy. Chciał pan dostać Makarowa – i dostał go pan. Cała reszta to już nie moja sprawa.

– A kto tam panią wie! – zaśmiał się Starkow. – W pani mózgu zachodzą tak niewiarygodne procesy, że nie sposób odgadnąć, co pani myśli. Jeszcze nie wiadomo, co by pani przyszło do głowy. A właśnie, chciałem to od razu powiedzieć, ale nie miałem odwagi: jest pani dziś niezwykle piękna.

– Staram się. – Nastia uśmiechnęła się z wdzięcznością. – Zrewanżuję się panu komplementem: było mi bardzo miło współpracować z panem. Zasypywałam pana mnóstwem idiotycznych poleceń, a pan je wykonywał bez szemrania i ani razu nie spytał, po co mi to. Świadczy to o tym, że mi pan ufał i był pewien, że wiem, co robię. W mojej pracy rzadko się to zdarza.

– Muszę przyznać ze skruchą, Anastazjo Pawłowno, że był moment, kiedy w panią zwątpiłem. I nawet powiedziałem o tym Eduardowi Pietrowiczowi. A on mi na to: ta dziewczyna wie, co robi. Więc pani komplement jest skierowany pod złym adresem. Wiem, że głupio o to pytać, ale... – Starkow umilkł, nie mając odwagi dokończyć.

– Proszę, niech pan pyta. I tak musimy jakoś spędzić tę noc. Na pewno nie zmrużyłabym oka, więc lepiej porozmawiajmy.

– Jak pani to przyszło do głowy?

– Pomógł mi mały chłopiec. Powiedział, że prawdziwy mężczyzna musi się znać na samochodach i na broni.

– Słusznie powiedział – przytaknął Starkow.

– Z pewnością. Czy pan potrafi odróżnić mercedesa od volvo?

– Naturalnie.

– A pistolet TT od beretty?

– Oczywiście, to elementarna rzecz.

– A waltera od pistoletu Makarow?

– O Boże! – jęknął Starkow.


Eduard Pietrowicz Denisow nie wierzył własnym uszom, kiedy Nastia i Starkow opowiedzieli mu rano o domu Reginy Arkadjewny Walter.

– Przecież ja sam wysunąłem projekt, by w ramach dobroczynności ofiarować jej część dwupiętrowej willi! Pedagog cieszący się powszechnym szacunkiem, nauczycielka, która wypiastowała takich wybitnych wykonawców, powinna mieć dom, w którym jest miejsce na fortepian, na lekcje z uczniami. Powinna mieszkać w godnych warunkach i nie martwić się, że muzyka przeszkadza sąsiadom, którzy mają małe dzieci. Ja sam, własnymi rękami... I nawet wyłożyłem na to pieniądze. Specjalnie przypominałem, żeby przysłano fachowców do wyłożenia ścian materiałem dźwiękoszczelnym. Mój Boże! Mój Boże!

– Za późno pan to zrobił – powiedziała Nastia. – Już wtedy była okaleczona doznanymi upokorzeniami. Genialną nauczycielkę i kompozytora ludzie odrzucili z powodu jej twarzy i kalectwa. Nie potrafimy w naszym kraju traktować inwalidów jak równych sobie. Pan ofiarował jej godne życie, ale, po pierwsze, za późno, a po drugie, tylko częściowo. Ona potrzebuje dużo pieniędzy, bardzo dużo. Opowiadała o tym mojemu koledze z Moskwy. Potrzebuje pieniędzy, żeby móc swobodnie zajmować się muzyką i nie odczuwać ograniczeń starczego niedołęstwa. Co prawda, zapewniała go, że zarabia lekcjami. A potem całkiem przypadkowo podsłuchałam rozmowę, z której wynikało, że ona nie bierze pieniędzy. Uczy bezpłatnie, ale tylko te dzieci, które naprawdę kochają muzykę. A pieniądze otrzymuje z innego źródła.

– Ale dlaczego właśnie to? Dlaczego wybrała taki potworny sposób zarobkowania?

– Dlatego że nas wszystkich nienawidzi i mści się. Nie chcieliście mojej sztuki? Nie chcieliście słuchać i docenić mojej muzyki? To macie za swoje, ja i tak będę ją tworzyć i przy mojej muzyce będziecie umierać wy i wasi bliscy. Najpierw myślałam, że muzykę pisze sam Ismaiłow. Potem, kiedy podejrzenia stały się zbyt silne, poprosiłam, żeby zagrał mi improwizację, i przekonałam się, że takiej muzyki jak na kasecie, przeznaczonej do filmu z zabiciem Swietłany, on nigdy nie napisze. To nie ta klasa. Bezsprzecznie jest zdolny, ale nie genialny. A tamtą muzykę skomponował geniusz. I przecież on sam wielokrotnie powtarzał, że Regina jest geniuszem, a ja ciągle puszczałam to mimo uszu. Poza tym był incydent, który przegapiłam. Gdybym to sobie w porę przypomniała, Swietłana może by nie zginęła. Nie mogę sobie tego wybaczyć.

– Jaki incydent?

– Stałam na balkonie i usłyszałam część rozmowy Walter z Damirem. Chodziło o jakiś film. Wróciłam do pokoju, oni widocznie usłyszeli stuk drzwi balkonowych, i natychmiast przyleciała Regina – rzekomo po to, by poznać mnie ze swoim uczniem. A tak naprawdę próbowali wybadać, czy słyszałam coś, co mogło mi podsunąć niepotrzebne domysły. Poza tym Ismaiłow ciągle kłamał. Zauważyłam to, ale starałam się nie zwracać uwagi. Kiedy teraz to sobie przypominam, wszystkie te kłamstwa układają się w przejrzysty schemat. Rzucało mi się w oczy mnóstwo drobiazgów, a ja nie chciałam ich widzieć. Na przykład tego wieczoru, kiedy zabito Ałfierowa, Reginę rozbolała noga i Uzdieczkin specjalnie przyszedł mnie prosić, żebym z nią posiedziała i w razie czego pomogła. A w tym czasie po sanatorium spacerował ktoś, przed kim chcieli mnie ustrzec, więc po prostu zostałam uwiązana do chorej sąsiadki. Myślę, że był to ten człowiek, którego zwłoki leżały w piwnicy jako ostatnie. Był pośród zabitych jedynym mężczyzną, wszystkie pozostałe trupy to kobiety i dziewczynki. Waszej milicji wystarczy teraz roboty na rok.

Nastia umilkła. Wyobraziła sobie plastycznie piwnicę w domu Reginy Arkadjewny, skąd milicja zacznie wyciągać zacementowane zwłoki, i zadrżała jak z zimna.

A ona, głupia, bała się Denisowa i jego mafii! Czyż oni w ogóle są groźni, skoro istnieją na świecie tacy...

– Niech mi pan załatwi bilet na jutro, Eduardzie Pietrowiczu – poprosiła. – Chcę wyjechać.

Żenia Szachnowicz starannie umieścił bagaż Nasti w dwuosobowym przedziale wagonu sypialnego i dyskretnie wyszedł na peron, zostawiając ją z Denisowem. Widział przez okno, jak oboje poruszają ustami, zdawało mu się, że rozróżnia pojedyncze słowa. Oto Eduard Pietrowicz wyjął z portfela bilet i położył go na stoliku. Teraz ruchy ich warg spowolniały, zapadło niezręczne milczenie i twarze obojga stały się napięte. Denisow skinął głową i zrobił krok ku drzwiom – zaraz wyjdzie. Kamieńska powiedziała do niego coś, czego wyraźnie się nie spodziewał, bo gwałtownie się odwrócił. Nastia zbliżyła się do niego i serdecznie pocałowała go w policzek. Oboje się uśmiechnęli, ale jakoś smutno...

Redakcja: Elżbieta Rawska
Korekta: Maciej Korbasiński, Danuta Sabała
Redakcja techniczna: Urszula Ziętek

Projekt graficzny serii: Magdalena Krajewska-Ferenc
Fotografia wykorzystana na I stronie okładki:
© Tim McConville/zefa/Corbis

Wydawnictwo W.A.B.
02-502 Warszawa, Łowicka 31
tel./fax (22) 646 01 74, 646 01 75, 646 05 10, 646 05 11
wab@wab.com.pl
www.wab.com.pl

Skład i łamanie: Komputerowe Usługi Poligraficzne
Piaseczno, Żółkiewskiego 7
Druk i oprawa: Opolgraf S.A. Opole, ul. Niedziałkowskiego 8-12

ISBN 978-83-7414-363-9